新亞文商學術叢刊

室冰園橤

王韶生、鍾應梅教授論著知見錄合編

孫廣海　編著

圖版

圖一　珠海書院校址：九龍亞皆老街115號

圖二　王韶生先生遺像之一

圖三　王韶生先生遺像之二

圖四　鍾應梅先生遺像，1964年
原載《中文大學校刊》第1卷第6期

圖五　鍾應梅先生家中留影
攝於沙田藥園舊居，1974年

圖六　王韶生教授、鍾應梅教授團體合照
（左起）楊睿聰、張翼詒、吳笑生、鍾應梅、王韶生、伍俶
原載陳耀南《香港老照片伍：平生道路九羊腸》，頁64

圖七　王韶生與珠海書院學者合照
前排：左三羅香林，右三王韶生

圖八　珠海書院文史研究所早期探訪活動

左二孔東校長，後排右一曾民，最中者王韶生，其左側為林天尉

圖九　珠海書院文史研究所新春團拜，約1989年

前排：左三蘇文擢、左四王韶生、右三陳耀南，右四岑練英

後排：左一蕭國健，右一鄧國光

圖十　香港大專院校教授聯誼會演說，1995年
講者王韶生，前排左二饒宗頤

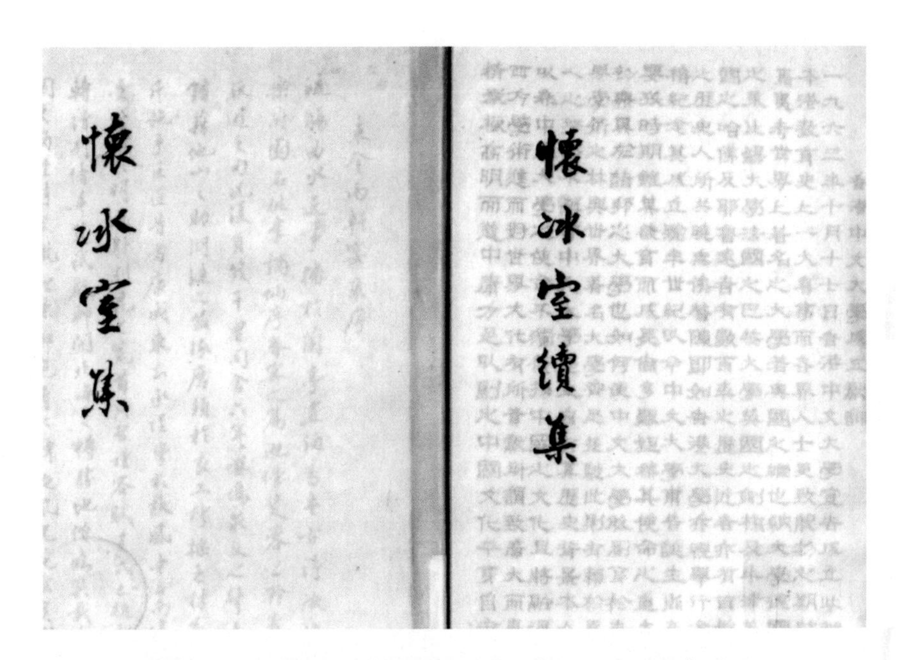

圖十一　王韶生：《懷冰室集》、《懷冰室續集》書影

圖十二　王韶生：《懷冰室續集（增訂本）》、《懷冰室集三編》書影

圖十三
鍾應梅：《蘂園詩詞集》書影

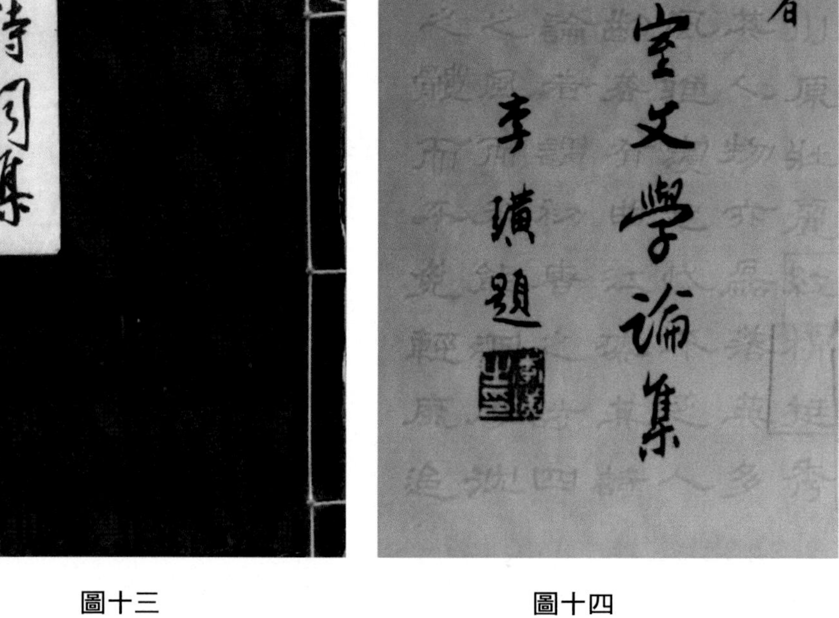

圖十四
王韶生：《懷冰室文學論集》書影

推薦序一

孫廣海君所撰《室冰園蘗》敘述王韶生教授及鍾應梅教授之著作內容並生平行歷。王、鍾兩教授是上世紀中葉影響學壇深遠之學者。王教授自北京上庠畢業後，曾任中學教席，旋往新加坡學校任校長。其後回國，歷任多所大學中文系系主任，並曾任青年黨廣東省負責人，被推薦為第一屆國大代表，參與制憲。抗日勝利後，移居香港，主職於中文大學崇基學院至退休。鍾教授少年聰慧，入讀廈門大學，曾仿枚乘〈七發〉而作文，激動學界。戰後移居香江，歷任崇基學院中文系系主任、能仁研究所創所所長等。王韶生、鍾應梅兩教授在詩詞、古文辭等各方面俱是一代宗師，影響深遠，學界爭相稱譽。惜二人謝世之後，未見有專集深探二人之學術成就。今孫君廣閱文獻，尋根究底探討二先生之作品，實有益於學界。

書名「室冰」喻王韶生教授之「懷冰室」,「園蘗」喻《蘗園詩詞集》。有關王韶生教授部份，孫君依年詳列王公詩詞、古文辭之作，期間作品多與時人交往唱酬，得睹當代學界之交誼。鍾應梅教授部份分專書編著類及詩詞文類兩大部，再依次列出歷年詩詞作品。

本書之價值，除保存兩位名學者之作品外，最重要是透過作品之內容及往還之酬唱，窺視當代學壇之狀況。作品內容所涉及之學者、名人非常廣泛，包括軍人、政客、教授、學生、藝術家等，如黃希聲、吳康、陳槃、陳榮捷、羅香林、羅忼烈、黃晦聞、易君左、關殊鈔、梁簡能、梁元生、陳耀南等等上百名人，可謂是一部現代學者交往小史。另外，兩先生酬贈學生之作品充滿勸勉之辭，誠一代師範。

余手捧大作，不無唏噓。余就讀新亞研究所期間，慕王公之名，親往珠海書院拜師，聆聽經學。往後，每年均往老師家中閒敘，並常駕車遊歷香江名勝，暢談往事及學園軼事，晚則宴聚教誨，直至王公謝世，余親為扶靈，盡弟子之禮。匆匆數十年矣！忽誦是書，前景紛現，感受翻騰。謹向新亞文商書院推薦出版是書，以嘉惠學林。

香港樹仁大學歷史系助理教授

楊永漢博士

二〇二二年二月一日

推薦序二

摯友孫廣海博士早歲畢業香港中文大學聯合書院中文系，其後再求深造，投考香港大學文學院中文系，絡繹獲得文學碩士、哲學碩士、哲學博士學位。在名師趙令揚、何佑森、梁紹傑諸教授悉心指導下，用功研學，撰就文學碩士論文《柯維騏宋史觀發微》、哲學碩士論文《陳確《葬書》之研究》、哲學博士論文《阮元學術思想研究》三篇專著，造詣湛深，卓有發明，遂於港、臺學術界得露頭角。

余於二〇〇九年七月，年近古稀，乃遵中華民國教育部規例，由臺灣華梵大學東方人文思想研究所退休，歸返香江，仍獲樹仁大學中文系、新亞研究所敦聘為專任教授。二〇一二年十一月，樹仁大學主辦「宋代都市文化與文學風景研討會」，余受邀出席發表論文、午間宴席，孫博士翩然蒞臨，二人得以結緣晤對。自是深相交往，以學術互切劘，而孫博士裨益於余者匪鮮。

嗣後乃深悉博士治學甚勤，且工於著述，近年以來則用力於「香港學人論著知見錄」之整理與撰述。所撰文章前已絡繹發表者有常宗豪、李達良、阮廷焯、蘇文擢、何沛雄、羅慷烈、錢穆等七家；已投稿而即將發表者有鄭良樹一家；撰就而待處理者有趙令揚、王韶生、鍾應梅三家；至近日相繼撰寫中則有杜維運、高明、李輝英三家。就上述成績以觀之，博士固學博多通，述作日富，其所撰著之論文多有令人欽佩不勝者。

日前閒聊，博士言及王韶生、鍾應梅二老，生前同任教崇基學院中文系。志趣相投，情誼篤厚，常以詩詞相唱酬；故擬將二人論著知見錄合而梓之，以廣流佈，並誌紀念。博士知余曾受業於王老之門，又獲鍾老多所啟導，詢余意見。余見是書足記一時之學史，特向新亞文商書院推薦出版。爰握管將吾倆相交往事，予以追述；另將博士前此治學成就與年來編撰香港學人論著知見錄之業績，揭示於世，藉之以為互酬之答報焉。

鶴山何廣棪敬撰於新亞研究所

二〇二一年元月廿九日

何序

孫廣海博士早歲肄業於香港中文大學及香港大學中文系，進德修業，不忘師恩。兩校中文系教師年來有辭世者，其德尚存，其文漸逸，廣海博士乃毅然裒集其著述以傳世，成香港大學羅慷烈教授、何沛雄教授、趙令揚教授及香港中文大學常宗豪教授、李達良教授、阮廷焯教授、蘇文擢教授諸先哲之論著知見錄，於期刊發表，使其學問文章得以彰顯於後世，博士誠仁人也。今又成香港中文大學〈王韶生教授論著知見錄〉及〈鍾應梅教授論著知見錄〉二文，用力尤多，篇幅特長，內容特富，於是合二文而成書，以廣流傳，並屬余序之。

王、鍾二先生乃近世碩學，與慷師同輩而年稍長，尊於常公、達公。二先生學通四部，餘事為詩詞，雅潤清麗，足為後學楷式。昔前輩學者既治經子，復喜摛文，尤能詩詞，義理、考據、詞章不偏廢。今則術有專攻，措意於詩詞者鮮矣，此王、鍾二先生之所以為貴也。今廣海博士錄二先生之論著，表其成就，使後學毋忘其盛德文采而效法之，可謂仁術矣。

何文匯誌

二〇二一年，歲次辛丑

林序

〈古體十韻〉

愁困陋居因疫肆，況滯異邦如因羈。
忽有琰章天上降，故人博士上庠師。
素仰湛深目錄學，綜覈考史深邃窺。
此番鴻文關鍾王，文學泰斗長崇基。
憶昔人門擬問道，遺憾俱已榮休離。
眼前竟得睹全帙，展讀琳瑯詞論詩。
搜求辛勤良非易，細密勘正並辨疑。
豈徒翔實串珠玉，亦前修善後來知。
遺行闕文並補足，且為著述樹箴規。
藝彰德顯豈細事，文明遞嬗功在斯。

林翼勳於楓邦溫城揖梅齋
辛丑歲首

馬序

〈緬懷王韶生師訓勉，賦七律一首〉

珠海研尊傳道時，懷冰教授最賢師。
五經精博兼莊老，百史弘通及禮儀。
漢賦宋詞析有法，文心詩品論深思。
當年親炙言猶在，銘感銜恩敬頌之。

八十年代中期，余於珠海文史研究所進修時，懷冰教授應已年過八十，然而魄力驚人，仍任研究所所長職務。教授曾開多門專修研究課題，生有幸追隨門下。其中「史記研究」獲益最多，印象最深。王師親述博覽群經心得，並謂已點讀《通鑑》及《廿四史》數遍。講課期間，輒於黑板默寫原文及注疏佐證，援引無誤，令人佩服。課中講述少年時曾從梁任公、胡適之兩大名家遊學，又談及中日戰亂期間，與鄉民游擊隊逃難，為日寇截查等驚險舊事。荏苒時光，於今回想，先師訓勉聲情，音容宛在，頗多感觸。

日前，孫師兄廣海博士鴻文已成，付梓在即，令書序言。小子不敏，學殖荒落，謹記數言並呈拙詩一首，以表對先師之思念。

馬顯慈謹上

二〇二一年二月四日

凡例

一、本書論著知見錄所收專書編著目錄、創作類目錄、期刊論文、研究評論諸類，悉依寫作年代先後為序，方便檢索。

二、專書編著類，收新中國成立前專書五種，香港刊刻專書十七種，臺灣刊刻專書三種，中國大陸刊刻專書一種，網上拍賣文本兩種，圖書館特藏書一種，圖書館電子書一種，凡卅種。

三、創作類，分詩、詞、文三目。收王韶生、鍾應梅詩詞四十篇，崇基、珠海期刊八十九篇，香港民間雜誌廿五篇，王、鍾同輩友朋論著序跋四十四篇，紀念文集廿一篇，共兩百一十九篇。

四、論文類，收新中國成立前學報一篇，中大崇基、新亞、聯合三院期刊六十七篇，香港大專期刊八篇，香港民間雜誌七篇，中國大陸期刊一篇，文集、論文集三篇，共八十七篇。

五、研究評論類，收王、鍾同輩學者論著四十六篇，王、鍾後學論著卅二篇，報刊學報卅二篇，香港文學史料廿三篇，共一百卅三篇。

六、全書資料來源，主要來自香港各間公立大學圖書館、網上文獻，以及筆者平素讀書經眼所見為限，資料掛一漏萬，在所難免，並希廣大讀者不吝賜教。

目次

上編
王韶生教授論著知見錄[1]

壹　前言

余與王韶生教授（1904-1998）一面緣慳，惟吟詠其詩詞、誦讀其文章，每生欽仰崇敬之情。王韶生教授自二十世紀五十年代起在崇基學院任教，至一九七一年榮退，[2]旋任珠海書院文史研究所教授。[3]余入讀香港中文大學前，一九七二至一九七三年，於大同夜中學攻讀中六年級，校址在九龍亞皆老街一一五號，亦即王韶生教授任教所在。[4]又余之大同中學中六畢業證書，簽署者三人：董事長江茂森[5]、監督李士秀、校長古茂建。王韶

1　關鍵詞：王韶生教授、論著知見錄、懷冰室、華國、崇基校刊、珠海校刊、知用學社（王韶生，原廣州知用學社社員。1955-56年香港知用學社幹事會職員：出版組幹事：陳良烈、王韶生。可參《香港知用學社十周年特輯》，香港知用學社出版，1959年1月。頁106。另參《知用學社五十週年紀念集》編後話：「知用學社自一九七一年改選以來，改為委員制，舉陳宗基為常務委員會主席。舉潘學增、王韶生、黃相華為出版委員會委員。」1972年11月。王韶生通訊地址：九龍油麻地白加士街八號三樓。另《香港知用學社社友錄》（1962年11月）通訊處：九龍油麻地祥瑞街51號5樓。）

2　可參香港中文大學崇基學院中國及東方語文學系印行：《華國》第6期（1971年7月），「王韶生先生秩滿榮退紀念專號」，華國學會同人謹誌云：「王韶生先生教授本系凡十六年，今以秩滿榮退，爰輯斯刊，以誌念焉。」

3　王韶生歷任「本校前文史系及研究所教授、文學院院長。」黃振威編《珠海七十年》，2017年10月。頁128-129。

4　圖片可見《珠海校刊》1989年7月14日、《珠海校刊》1990年7月13日兩期。

5　江茂森先生（1901-1983），珠海書院監督，國立中山大學天算系理學士，先後出任德明中學校長、大同中學董事長、校長，珠海大學校董、教授、副校長、校長、監督。另〈故董事長江茂森先生行述〉，載《珠海校刊》第三十三屆畢業典禮特刊（1983年7月），頁7-9。

生教授便是由江茂森先生聘其任教珠海書院者。[6]時光荏苒幾近半世紀，物換星移，亞皆老街珠海書院曾遷址新界荃灣海濱花園怡樂街（今已搬至屯門），物業已改建，座落東鐵旺角東站。[7]滄海桑田，睹物能不思人乎？於是遍尋香港大學馮平山圖書館、香港中文大學圖書館、新亞書院錢穆圖書館、崇基學院牟路思怡圖書館、珠海學院江茂森圖書館及加拿大英屬哥倫比亞大學圖書館，影印與鈔錄王韶生教授著述後，乃輯成本文。爰分專書編著、詩詞文、論文、王韶生研究四類，並附錄王韶生教授詩詞文篇章創作統計表，以便讀者參考。[8]

貳　王韶生小傳[9]

王韶生教授（1904年9月25日-1998年3月11日），乳名朝忠，字懷冰，生於韶關曲江縣，廣東豐順客家人。[10]一九二二年，入讀國立廣東高等師範

---

6 王韶生教授後記云：「是年（1971）秋，高涼江公茂森聘余任教，移席珠海書院及研究所講授文史之學。」載王韶生著《懷冰室續集》增訂本，香港：現代教育研究社，1993年。頁157。

7 《珠海校刊》1999至2000年畢業禮特刊。

8 羅香林先生序王韶生教授《懷冰室集》云：「其人其學，其詩若文，醞誠至矣。」載王韶生著《懷冰室集》，九龍鄧鏡波學校，1971年。余認為此語亦可作對王韶生教授一生品德之定評。

9 可參何廣棪教授撰〈王韶生先生行狀〉（饒宗頤拜題），1998年3月28日，香港中文大學圖書館特藏部藏。另見王韶生著《懷冰室集三編》，臺北市：天工書局，1998年7月。頁1-6。另可參：徐芷儀（性義）撰紹韶仙卿〈王韶生教授傳1904-1998〉，了閒道社真人先輩網頁。

10 豐順，是粵東的一個山區縣，隸潮州市。可參楊常梧、文衍源編《豐順縣文物志》，1988年2月。另可參清・乾隆葛曙纂修、（清）光緒許普濟續修《豐順縣志》，潮州市地方志辦公室編印，古瀛志乘叢編，2007年10月。王韶生教授平居稱自己為客家人，豐順縣雖隸潮州市，惟居民多為客家人。（口述歷史來源：何廣棪教授、馬顯慈博士。書此誌謝。）

文史部[11]；一九二三年，高師易名廣東大學。一九二六年畢業，續攻讀北京師範大學國文系，又考入北京大學研究所國學門，以迄畢業。[12]王韶生教授師承諸位國學大師，經學則安徽歙縣吳承仕、史學則湖南長沙楊樹達、《選》學則河北霸縣高步瀛、詩學則廣東順德黃晦聞、詞學則浙江江山劉毓盤，由是德業大進，學有所成。[13]一九三〇年，遠赴新加坡，任端蒙學校校長[14]。嗣後，歷任中山大學、嶺南大學、廣州大學、國民大學、文理學院等校教授兼中文系主任。一九四九年遷居香港，初任教廣大、廣僑書院，一九五五年應聘香港中文大學崇基學院，一九七一年七月榮休[15]，九月，江茂森校長、羅香林所長禮聘出任珠海書院文史研究所教授[16]，曾任代所長及文學院

11 王教授家學淵源，五歲開始，由母親授《論語》、《尚書》、《左傳》。十三齡，聽課於族祖講授之《資治通鑑》。載《珠海校刊》四十八屆畢業典禮特刊，1998年7月10日。頁9。

12 王韶生教授憶述其童年所受教育及業師，云：「昔在童年，就讀鄉校，業師特為予授《尚書》及《左傳》，當日已粗解文義，略能上誦，此為予讀經之始。迨負笈遊大學，於中（山）大（學）從楊果庵師受程子《易傳》及朱子《詩集傳》；於北師大，從吳檢齋師受《三禮》；此為予治經之始。」載氏著〈《懷冰室經學論集》自序〉，香港：志文出版社，1981年10月。

13 王韶生教授云：「回溯少日，負笈南北兩大學，禮事碩德耆儒，捧手受教，師門玄言高論，特識鴻裁，中心藏之，何日忘之。若莫為之後，則雖盛而不傳，余滋懼焉。旋以國計身謀，旅食四方，不暇寧處。抗戰期中，游擊於西樵山區，尤為蹈危履險，一心報國，遑恤其他。」載氏著〈《懷冰室文學論集》自序〉，香港：志文出版社，1981年4月。

14 王韶生教授自述來港前經歷云：「余自肄業上庠，治中國文學，禮事碩德耆儒，捧手受教，輾轉南北，先後六年。顧以學術疏淺，平日於考據典章之學，尚有所缺遺。惟歌詩文史之言，則略有創獲。譬若火之始燃，泉之始達，清而易挹，明而未融，未足以華國也。卒業後，逼於課事，偶有所作，成於俄頃，豈復能覃思精研？迨後遵海南行，掌教端蒙，得以餘暇涉獵西洋文學。一時翻譯詩歌頗夥。始知學問之事，非優閒者不足以語此。」載氏著《岳雪廬叢稿》自序，廣州知用中學出版部，1934年4月。

15 王韶生教授又云：「居港而後，環境稍佳，還讀我書，講授於庠序間。作為文章，登載於廣僑、崇基、珠海三學報及《華國雜誌》者，篇數迭增。」載氏著〈《懷冰室文學論集》自序〉，香港：志文出版社，1981年4月。

16 王韶生教授在珠海文史研究所講授「史記研究」、「漢書研究」、「蘇詩研究」、「廣東文學發展史」、「江西文學」、「中國古文字學」、「蘇辛詞研究」、「中國文藝批評專題研究」等課程。可參《珠海校刊》第卅八屆畢業典禮特刊，1988年7月15日。頁8。

院長。[17]又於浸會學院、新亞研究所等校兼課。一九八九年七月，再度榮休。王韶生教授畢生醉心學術研究及詩詞創作，論文五十七篇、專著二十一種（見下文）[18]，親承教澤而獲博士、碩士學位者百數十人，桃李成蹊。[19]夫人賴氏，子七人：建宋、建栩、建東、建南、建圻、建誠、建殷；女二人：建棠、建芬，皆各有所成。[20]

參　論著知見錄

一　專書編著類

1. 柳柳州年譜補訂
   知用叢刊第一輯　1929年
2. 國學概要
   知用學社　1930年
3. 端蒙學校廿五周年紀念刊
   潮州　端蒙學校　1931年　加拿大英屬哥倫比亞大學圖書館電子書

---

17 可參《珠海校刊》第二十九屆畢業典禮特刊，1979年7月13日。校聞輯要：「代所長王韶生曾於去年國父誕辰應邀在中山圖書館演講國父生平事蹟，又於本年四月十五日在中國文化協會應邀講述宋代理學及其影响，聽講者極為踴躍。」頁12。另參《珠海校刊》第三十屆畢業典禮特刊，1980年7月11日。研究所及各系概況：「本年度中國文學、歷史研究所，在王代所長韶生教授主持下，一切均照本校校曆及各項規章，依次進行。」頁14。（口述歷史來源：馬顯慈博士，書此誌謝。）

18 有一言可借之以見王韶生教授著述緣由云：「抑此二十四篇傳記文字，錄而存之者，非敢云敝帚自珍，亦希冀世之尚友今人者，充實自己，完成人格，略效其涓埃之誠。」載氏著〈《當代人物評述》自序〉，臺北市：文鏡文化，1985年6月。

19 門人朱鴻林〈輓王韶生教授詩文〉云：「先生晚歲歸依道教，平生志伊尹之所志，學顏子之所學，樂道人善，淡泊己懷，德行無愧前修，詩文可傳後世，藹然仁者，克享遐齡。」載《珠海校刊》四十八屆畢業典禮特刊，1998年7月10日。頁35。

20 可參何廣棪教授撰：〈王韶生先生行狀〉。

4. 岳雪廬叢稿
   知用學社　1933年
   廣州　知用中學　1934年4月　香港中文大學圖書館特藏部藏
5. 懷冰文錄
   廣州　知用學社　1935年
6. 懷冰詩鈔
   廣州　知用學社紀念刊　1948年[21]
7. 懷冰文鈔
   香港　知用學社　1959年
8. 國學常識新編
   香港　上海印書館　1960年9月
9. 懷冰室詞鈔
   香港　知用學社　1962年　香港大學馮平山圖書館藏[22]
10. 懷冰近詩
   丁未年春著者手寫油印本　1967年　孔夫子舊書網
11. 懷冰近文
   丁未年春著者手寫油印本　1967年　孔夫子舊書網
12. 懷冰室集
   九龍　鄧鏡波學校　1971年
   臺北　文海出版社　1974年　近代中國史料叢刊續編第3輯第30冊
13. 懷冰室文學論集
   香港　志文出版社　1981年4月
14. 懷冰室經學論集
   香港　志文出版社　1981年10月

---

21 本院教授著作一覽，《廣僑學報》第一輯（香港：廣僑書院，1956年），頁207。
22 可參《香港中國筆會通訊錄》（香港：東南印務出版社，1967年），頁13-14。

15. 甬齋叢談・懷冰隨筆
    臺北　文鏡文化　1982年10月　合刊本
16. 懷冰室續集
    香港　志文出版社　1984年8月　涂公遂敬題本
17. 懷冰室續集增訂本
    香港　現代教育研究社　1993年
18. 當代人物評述
    臺北　文鏡文化　1985年6月
19. 懷冰室集三編
    臺北　天工書局　1998年7月　選堂題耑本
20. 世界客屬人物大全
    存目　待檢
21. 卅年潮州海外人物志
    存目　待檢

二　詩詞文類

（一）詩

1. 癸亥（1923）家大人生日
   見《懷冰室集詩》（以下簡稱《集詩》）甲編
   《岳雪廬叢稿》（以下簡稱《叢稿》）　廣州　知用中學　1934年4月
2. 責躬詩一首
   見《集詩》甲編；《叢稿》
3. 哀行役
   見《集詩》甲編；《叢稿》
4. 丁雲波先生輓歌詞二首
   見《叢稿》；本書頁147　001

5. 送別六首有序
   見《叢稿》；本書頁147　002
6. 贈衡陽毛十六有焜
   見《叢稿》；本書頁148　003
7. 泊舟香港二首
   見《叢稿》；本書頁148　004
8. 嵩山丸中作
   見《叢稿》；本書頁149　005
9. 韓江
   見《集詩》甲編；《叢稿》
10. 悲從兄朝實
   見《集詩》甲編；《叢稿》
11. 潮州雜詩四首
   見《集詩》甲編；《叢稿》
12. 甲子（1924）生朝有懷
   見《集詩》甲編；《叢稿》
13. 枯榕
   見《集詩》甲編；《叢稿》
14. 秋日遊黃埔
   見《集詩》甲編；《叢稿》
15. 貧婦行
   見《集詩》甲編；《叢稿》
16. 秋操
   見《集詩》甲編；《叢稿》
17. 再造共和日懷蔡松坡將軍
   見《集詩》甲編；《叢稿》

18. 咏史三絕

見《叢稿》；本書頁150　006

19. 秋夜有懷滄萍北京

見《集詩》甲編；《叢稿》

20. 鸓雀行

見《叢稿》；本書頁150　007

21. 覊旅

見《叢稿》；本書頁150　008

22. 咏懷三首

見《叢稿》；本書頁150　009

23. 榕蔭園觀梅

見《集詩》甲編；《叢稿》；鄧仕樑等編　《歲華——香港中文大學三十五年中國語言及文學系教師文藝作品集》　香港　香港中文大學中國語言及文學系　1998年12月　頁42-44

24. 雜詩五首

見《集詩》甲編；《叢稿》

25. 遊張文襄祠

見《集詩》甲編；《叢稿》

26. 大雪後一日出阜成門書所見

見《集詩》甲編；《叢稿》

27. 春日騎驢遊白雲觀

見《集詩》甲編；《叢稿》

28. 出西直門見粥廠施賑作

見《集詩》甲編；《叢稿》

29. 讀《文文山集》

見《集詩》甲編；《叢稿》

30. 雨雪外歸

見《叢稿》；本書頁151　010

31. 報愚丈鮀江

見《叢稿》；本書頁151　011

32. 春宵

見《叢稿》；本書頁151　012

33. 有懷季弟

見《叢稿》；本書頁152　013

34. 南海舟中

見《叢稿》；本書頁152　014

35. 東海舟中有懷

見《叢稿》；本書頁152　015

36. 重陽日友人招飲

見《叢稿》；本書頁152　016

37. 赴津道中雜詩序

見《叢稿》；本書頁152　017

38. 大沽口二首

見《叢稿》；本書頁154　018

39. 京津車中即事

見《叢稿》；本書頁154　019

40. 深秋過中央公園作

見《叢稿》；本書頁154　020

41. 鐙前

見《叢稿》；本書頁154　021

42. 疾雷

見《叢稿》；本書頁154　022

43. 偶成

見《叢稿》；本書頁155　023

44. 晨興

見《集詩》甲編；《叢稿》

45. 課罷返齋舍作

見《叢稿》；本書頁155　024

46. 五月初十晚別上海

見《叢稿》；本書頁155　025

47. 答友

見《叢稿》；本書頁155　026

48. 歸舟有懷

見《叢稿》；本書頁155　027

49. 過臺灣海峽懷鄭延平

見《集詩》甲編；《叢稿》；何乃文、黃坤堯、洪肇平、劉衛林編　《香港名家近體詩選》　上冊　香港　香港中文大學出版社　2007年；本書頁156　028

50. 贈李衍恂

見《叢稿》；本書頁156　029

51. 夜坐

見《叢稿》；本書頁156　030

52. 山泉茶室

見《叢稿》；本書頁156　031

53. 西郊

見《集詩》甲編；《叢稿》

54. 諸生

見《叢稿》；本書頁156　032

55. 月夜自東山歸

見《集詩》甲編；《叢稿》

56. 送友（守一）入蜀

見《集詩》甲編；《叢稿》

57. 八景贈同筵諸子

見《集詩》甲編；《叢稿》

58. 寄周生

見《集詩》甲編；《叢稿》

59. 述哀詩五章

見《集詩》甲編；《叢稿》

60. 晴日墓道登望作

見《集詩》甲編；《叢稿》

61. 風雨後謁墓

見《叢稿》；本書頁157　033

62. 吳嫂魏夫人輓詩代

見《叢稿》；本書頁157　034

63. 嶽麓

見《叢稿》；本書頁157　035

64. 渡海

見《集詩》甲編；《叢稿》

65. 樓居

見《集詩》甲編；《叢稿》

66. 題萊佛士造像

見《叢稿》；本書頁157　036

67. 題光明畫集

見《叢稿》；本書頁157　037

68. 輓張端甫先生

見《叢稿》；本書頁157　038

69. 詠蘭

見《集詩》甲編；《叢稿》

70. 清明日追思先嚴，淒然有作

見《集詩》甲編；《叢稿》

71. 先嚴忌日行家祭禮畢感賦

見《集詩》甲編；《叢稿》

72. 書憤

見《集詩》甲編；《叢稿》

73. 懷沈氏弟妹

見《叢稿》；本書頁158　039

74. 寄鄭鐸宣博士廣州

見《叢稿》；本書頁158　040

75. 紀夢

見《集詩》甲編；《叢稿》

76. 題畫二首

見《集詩》甲編；《叢稿》

77. 讀史二首

見《集詩》甲編；《叢稿》

78. 月蝕

見《集詩》甲編；《叢稿》

79. 五月十三晚端蒙學生在大世界表演，口占三絕

見《叢稿》；本書頁158　041

80. 天一景啜茗

見《集詩》甲編；《叢稿》

81. 感事

見《集詩》己編；《叢稿》

82. 寄冰如

見《叢稿》；本書頁159　042

83. 六月初旬小病感賦

見《叢稿》；本書頁159　043

84. 朵雲篇寄冰如四首

見《叢稿》；本書頁159　044

85. 夢遊匡廬

見《集詩》甲編；《叢稿》

86. 遣懷

見《叢稿》；本書頁160　045

87. 壬申（1932）除夕

見《叢稿》；本書頁160　046

88. 元旦試筆

見《叢稿》；本書頁160　047

89. 遊新嘉坡植物園

見《集詩》甲編；《叢稿》

90. 壽浩川先生五旬晉四生日

見《集詩》甲編；《叢稿》

91. 放雀

見《集詩》甲編；《叢稿》

92. 接鐵冰訊即寄

見《叢稿》；本書頁160　048

93. 今朝

見《叢稿》；本書頁161　049

94. 郊游

見《集詩》甲編；《叢稿》

95. 輕騎突擊

見《集詩》譯詩；《叢稿》

96. 喬治號失事

見《集詩》譯詩；《叢稿》

97. 愛我祖國

見《集詩》譯詩；《叢稿》

98. 新月

見《集詩》譯詩；《叢稿》

99. 黃花與秀菊

見《集詩》譯詩；《叢稿》

100. 佛蘭戰野

見《集詩》譯詩；《叢稿》

101. 答和

見《集詩》譯詩；《叢稿》

102. 有寄（編按：本詩原題作“to-　”）

見《集詩》譯詩；《叢稿》

103. 奴隸之夢

見《集詩》譯詩；《叢稿》

104. 拿破倫與英國幼年水手

見《集詩》譯詩；《叢稿》

105. 催耕雀

見《集詩》譯詩；《叢稿》

106. 海鷗

見《集詩》譯詩；《叢稿》

107.格亞皮三喀：神勇童子

見《集詩》譯詩；《叢稿》

108.瑪伽甸戰役

見《集詩》譯詩；《叢稿》

109.佛洛田戰役

見《集詩》譯詩；《叢稿》

110.荷恒陵田

見《集詩》譯詩；《叢稿》

111.拓殖者之父

見《集詩》譯詩；《叢稿》

112.北窗

見《民主評論》第1卷第5期　1949年10月　頁6；《崇基校刊》第24期　1960年7月　頁21；香港知用學社編印　《知用學社成立四十周年紀念集》（以下簡稱《四十周年紀念集》）　香港　東南印務出版社　1962年11月；香港中國筆會詩歌選編輯組編　《現代詩歌選》　香港　香港中國筆會　1972年3月；《集詩》丁編；《室集三編》懷冰室詩鈔　頁29；本書頁164　065

113.白沙先生江門釣臺重修落成，其後人柬邀觀禮。余因事不克參與盛典，謹賦一絕表意

見陳應燿編　《白沙先生紀念集》　香港　陳氏耕讀堂　1952年；本書頁167　077

114.馬料水雜詠四首，次常庵韻

其一　兩間元氣自氤氳

見《崇基校刊》第10期　1957年3月　頁3-4、頁10；方寬烈編著　《香港詩詞紀事分類選集》　香港　文史研究會　1998年12月；鄧仕樑等編　《歲華——香港中文大學三十五年中國語言及文學系教師文藝作品集》　香港　香港中文大學中國語言及文學系　1998年12月　頁42-44；《綠水

青山盡是詩：崇基的詩　詩的崇基》　香港　香港中文大學崇基學院 2002年；《室集》頁152；《集詩》丁編；何乃文、黃坤堯、洪肇平、劉衛林編　《香港名家近體詩選》　上冊　香港　香港中文大學出版社 2007年；本書頁170　088

其二　北望雲山別有天

見《崇基校刊》第10期　1957年3月　頁3-4、頁10；方寬烈編著　《香港詩詞紀事分類選集》　香港　文史研究會　1998年12月；鄧仕樑等編《歲華——香港中文大學三十五年中國語言及文學系教師文藝作品集》香港　香港中文大學中國語言及文學系　1998年12月　頁42-44；《綠水青山盡是詩》；《室集》頁152；何乃文、黃坤堯、洪肇平、劉衛林編《香港名家近體詩選》　上冊　香港　香港中文大學出版社　2007年；本書頁170　088

其三　斷續鐘聲報耳來

見《崇基校刊》第10期　1957年3月　頁3-4、頁10；方寬烈編著　《香港詩詞紀事分類選集》　香港　文史研究會　1998年12月；鄧仕樑等編《歲華——香港中文大學三十五年中國語言及文學系教師文藝作品集》香港　香港中文大學中國語言及文學系　1998年12月　頁42-44；《綠水青山盡是詩》；《室集》頁152；《自由人》604期　香港　1956年11月；本書頁170　088

其四　西風古道夕陽斜

見《崇基校刊》第10期　1957年3月　頁3-4、頁10；方寬烈編著　《香港詩詞紀事分類選集》　香港　文史研究會　1998年12月；鄧仕樑等編《歲華——香港中文大學三十五年中國語言及文學系教師文藝作品集》香港　香港中文大學中國語言及文學系　1998年12月　頁42-44；《綠水青山盡是詩》；《四十周年紀念集》；《室集》　頁152；《集詩》丁編；《懷冰室集三編》（以下簡稱《室集三編》）懷冰室詩鈔　頁57；本書頁170　088

115.題許定寰畫絕句九首

見《崇基校刊》第10期　1957年3月　頁3-4、頁10；《室集三編》　頁54-56

116.敬題學鈍室詩卷

見《崇基校刊》第11期　1957年7月　頁8、頁12；《室集三編》　頁50

117.山居漫興

見《崇基校刊》第11期　1957年7月　頁8、頁12；《四十周年紀念集》；《集詩》丁編；《室集三編》懷冰室詩鈔　頁42

118.積雨遣悶

見《崇基校刊》第11期　1957年7月　頁8、頁12；《四十周年紀念集》；《集詩》丁編；《室集三編》懷冰室詩鈔　頁42

119.休沐忽攖小極，擁被高臥，日晡始愈

見《崇基校刊》第11期　1957年7月　頁8、頁12；《四十周年紀念集》；《集詩》丁編；《室集三編》懷冰室詩鈔　頁41

120.樓望

見《崇基校刊》第11期　1957年7月　頁8、頁12；《四十周年紀念集》；《集詩》丁編；《室集三編》懷冰室詩鈔　頁41-42

121.毅庵招賞山杜鵑，與魯柯、蘇圃聚飲花下作

見《崇基校刊》第11期　1957年7月　頁8、頁12；《四十周年紀念集》；《集詩》丁編；《室集三編》懷冰室詩鈔　頁53

122.奉和應梅尊兄秋日登島上高峯之作：登瀛懷學士

見《崇基校刊》第13期　1957年12月　頁15；《室集三編》　頁59-60

123.山居半日雜詠十首丁酉（1957）臘月作

見《崇基校刊》第15期　1958年5月　頁10；《四十周年紀念集》；《集詩》丁編；《室集三編》懷冰室詩鈔　頁60-62

124.續山居雜詠十首戊戌（1958）春日作

見《崇基校刊》第15期　1958年5月　頁10；《四十周年紀念集》；《室集三編》懷冰室詩鈔　頁62-64；《集詩》丁編

125.為卞君孝萱題節母課讀圖

見《新亞生活雙周刊》第1卷第3期　1958年6月　頁8；《四十周年紀念集》；《集詩》丁編；《室集三編》懷冰室詩鈔　頁25-26；本書頁171 089

126.（楊）一飛兄以舊本《散原精舍詩》惠賜，賦此酬答

見《崇基校刊》第16期　1958年7月　頁10；《室集三編》　頁39

127.贈陳少漢兄

見《崇基校刊》第16期　1958年7月　頁10；《室集三編》　頁44

128.敬題《蒹葭樓詩集》

見《崇基校刊》第16期　1958年7月　頁10；《室集三編》　頁43

129.訪岫雲山館，次毅庵韻

見《崇基校刊》第16期　1958年7月　頁10；《室集三編》　頁46

130.九日

見《崇基校刊》第17期　1958年10月　頁7；《室集三編》　頁46

131.九日遙祭先墓

見《崇基校刊》第17期　1958年10月　頁7；《室集三編》　頁47

132.九日過沙田示同游諸子

見《崇基校刊》第17期　1958年10月　頁7；《室集三編》　頁47

133.重九後一日與毅庵、百疇登太平山

見《崇基校刊》第17期　1958年10月　頁7；《室集三編》　頁47

134.次韻答永年

見《崇基校刊》第18期　1959年1月　頁17；《室集三編》　頁65

135.次韻詩戒一首

見《崇基校刊》第18期　1959年1月　頁17；《室集三編》　頁65

136.敬題約庵詩卷己亥（1959）

見《崇基校刊》第19期　1959年4月　頁16-17；《室集三編》　頁67

137.奉贈孝若宗老

見《崇基校刊》第19期　1959年4月　頁16-17；《室集三編》　頁68

138.秋聲兩首

見《崇基校刊》第19期　1959年4月　頁16-17；《四十周年紀念集》；《室集三編》　頁65-66

139.冬日遊東普陀

見《崇基校刊》第19期　1959年4月　頁16-17；《四十周年紀念集》；何乃文、黃坤堯、洪肇平、劉衛林編　《香港名家近體詩選》　上冊　香港　香港中文大學出版社　2007年；《室集三編》懷冰室詩鈔　頁66-67；《集詩》丁編；本書頁171　091

140.晚歸

見《崇基校刊》第19期　1959年4月　頁16-17；《室集三編》　頁67

141.凌雲寺紀遊

見《崇基校刊》第20期　1959年7月　頁8；《室集三編》　頁68-69

142.松園仙館紀遊

見《崇基校刊》第20期　1959年7月　頁8；《室集三編》　頁69-70

143.勁節堂茶座作

見《崇基校刊》第20期　1959年7月　頁8；《室集三編》　頁70

144.許涵青畫展題句

見《崇基校刊》第21期　1959年10月　頁16；《室集三編》　頁73-74

145.少漢招觀蒹葭樓主舊藏畫本，率題四絕句

見《崇基校刊》第21期　1959年10月　頁16；《室集三編》　頁74-75

146.冒疚齋先生挽詞

見《崇基校刊》第22期　1960年1月　頁10；《室集三編》　頁71

147.黃冠嶽教授挽詞

見《崇基校刊》第22期　1960年1月　頁10；《室集三編》　頁71

148.散原先生百年祭感賦，三疊前韻

見《崇基校刊》第23期　1960年4月　頁11-12；《室集三編》　頁39

149.壑泉散人移居詩和韻

見《崇基校刊》第23期　1960年4月　頁11-12；《室集三編》　頁43

150.微雲

見《崇基校刊》第24期　1960年7月　頁21；《四十周年紀念集》；《集詩》丁編；《室集三編》懷冰室詩鈔　頁28

151.林梢

見《崇基校刊》第24期　1960年7月　頁21；《室集三編》　頁30-31

152.敬題問禮草堂師生合繪籬菊圖

見《林德銘師生國畫聯展特刊》（錢穆題）　香港　1962年2月；本書頁172　092

153.尋獲

見《崇基校刊》第31期　1962年10月　頁7；《室續集》譯詩　頁101

154.學步

見《崇基校刊》第31期　1962年10月　頁7；《室續集》譯詩　頁101

155.遊者晚曲

見《崇基校刊》第31期　1962年10月　頁7；《室續集》譯詩　頁102

156.相思曲

見《崇基校刊》第31期　1962年10月　頁7；《室續集》譯詩　頁102

157.菩提樹下

見《崇基校刊》第31期　1962年10月　頁7；《室續集》譯詩　頁102

158.己丑（1949）春詞八首

見《四十周年紀念集》；《室集三編》懷冰室詩鈔　頁22-24

159.遊沙田蕪園呈鄭雲松兄

見《四十周年紀念集》;《集詩》丁編;《室集三編》懷冰室詩鈔　頁25

160.題恒社（西南中學）同學錄壬寅（1962）

見《四十周年紀念集》;《集詩》丁編;《室集三編》懷冰室詩鈔　頁26

161.芙蓉山竹林禪院訪（羅）時憲，別後有寄

見《四十周年紀念集》;《集詩》丁編;《室集三編》懷冰室詩鈔　頁27

162.昔年於役金陵，遊燕子磯，未有詩。頃梅景丈寫示大作，走筆奉和兩絕句

見《四十周年紀念集》;《室集三編》懷冰室詩鈔　頁27

163.錦瑟

見《四十周年紀念集》;《集詩》丁編;《室集三編》懷冰室詩鈔　頁28

164.香江雜句四首

見《四十周年紀念集》;《室集三編》懷冰室詩鈔　頁29-30

165.感事題句辛卯（1951）

見《四十周年紀念集》;《室集三編》懷冰室詩鈔　頁30

166.林梢

見《四十周年紀念集》;《集詩》丁編;《室集三編》懷冰室詩鈔　頁31

167.任俠

見《四十周年紀念集》;《集詩》丁編;《室集三編》懷冰室詩鈔　頁31

168.悼翁秀民兄

見《四十周年紀念集》;《室集三編》懷冰室詩鈔　頁32

169.鵲橋

見《四十周年紀念集》;《集詩》丁編;《室集三編》懷冰室詩鈔　頁32

170.詠錢

見《四十周年紀念集》;《集詩》丁編;《室集三編》懷冰室詩鈔　頁33

171.塘西

見《四十周年紀念集》;《集詩》丁編;《室集三編》懷冰室詩鈔　頁33

172.咏趙陀

見《四十周年紀念集》;《集詩》丁編;《室集三編》懷冰室詩鈔　頁33

173.哭劉氏姊

見《四十周年紀念集》;《集詩》丁編;《室集三編》懷冰室詩鈔　頁34

174.辛卯（1951）清明前夕感賦兩首

見《四十周年紀念集》;《室集三編》懷冰室詩鈔　頁34

175.九日道風山登高

見《四十周年紀念集》;《集詩》丁編;《室集三編》懷冰室詩鈔　頁35

176.九日沙田鄭氏山莊

見《四十周年紀念集》;《集詩》丁編;《室集三編》懷冰室詩鈔　頁35

177.壬辰（1952）元日試筆，次毅庵韻

見《四十周年紀念集》;《集詩》丁編;《室集三編》懷冰室詩鈔　頁36

178.輓劉叔莊先生

見《四十周年紀念集》;《集詩》丁編;《室集三編》懷冰室詩鈔　頁37

179.中秋前夕，迎月西南樓，未有詩。適毅菴詩來，次韻奉答

見《四十周年紀念集》;《室集三編》懷冰室詩鈔　頁37

180.重陽口占

見《四十周年紀念集》;《集詩》丁編;《室集三編》懷冰室詩鈔　頁37

181.和毅庵春日，癸巳（1953）

見《四十周年紀念集》;《集詩》丁編;《室集三編》懷冰室詩鈔　頁38

182.癸巳（1953）元旦試筆，健社社課

見《四十周年紀念集》；鄧仕樑等編　《歲華——香港中文大學三十五年中國語言及文學系教師文藝作品集》　香港　香港中文大學中國語言及文學系　1998年12月　頁42-44；何乃文、黃坤堯、洪肇平、劉衛林編　《香港名家近體詩選》　上冊　香港　香港中文大學出版社　2007年；《集詩》丁編；《室集三編》懷冰室詩鈔　頁38；本書頁169　082

183.楊一飛兄以舊本《散原精舍詩》惠貺，賦詩酬答

見《四十周年紀念集》;《集詩》丁編;《室集三編》懷冰室詩鈔　頁39

184.夜讀散原詩，戲題長句，叠前韻

見《四十周年紀念集》;《集詩》丁編;《室集三編》懷冰室詩鈔　頁39

185.散原先生百年祭感賦，三叠前韻

見《四十周年紀念集》;《集詩》丁編;《室集三編》懷冰室詩鈔　頁39

186.余少颿兄以胡毅生丈《絕塵想室詩》見贈，報之以詩，四叠前韻

見《四十周年紀念集》;《室集三編》懷冰室詩鈔　頁40

187.春寒燈暗，批改課卷，慨然賦此

見《四十周年紀念集》；鄧仕樑等編　《歲華——香港中文大學三十五年中國語言及文學系教師文藝作品集》　香港　香港中文大學中國語言及文學系　1998年12月　頁42-44；何乃文、黃坤堯、洪肇平、劉衛林編　《香港名家近體詩選》　上冊　香港　香港中文大學出版社　2007年;《集詩》丁編;《室集三編》懷冰室詩鈔　頁40；本書頁214　237

188.呈劉子平先生

見《四十周年紀念集》;《室集三編》懷冰室詩鈔　頁41

189.罊泉散人移居詩和韻

見《四十周年紀念集》;《集詩》丁編;《室集三編》懷冰室詩鈔　頁42

190.敬題《蒹葭樓詩集》

見《四十周年紀念集》;《集詩》丁編;《室集三編》懷冰室詩鈔　頁43

191.酬陳少漢兄

見《四十周年紀念集》;《集詩》丁編;《室集三編》懷冰室詩鈔　頁44

192.浴佛節

見《四十周年紀念集》;《集詩》丁編;《室集三編》懷冰室詩鈔　頁44

193.健社成立二週年，置酒高會，賦呈同座諸子

見《四十周年紀念集》;《集詩》丁編;《室集三編》懷冰室詩鈔　頁45

194.訪岫雲山館，次毅庵韻

見《四十周年紀念集》;《集詩》丁編;《室集三編》懷冰室詩鈔　頁46

195.九日

見《四十周年紀念集》;《集詩》丁編;《室集三編》懷冰室詩鈔　頁46

196.九日遙祭先墓

見《四十周年紀念集》;《集詩》丁編;《室集三編》懷冰室詩鈔　頁47

197.九日過沙田，示同遊諸子

見《四十周年紀念集》;《集詩》丁編;《室集三編》懷冰室詩鈔　頁47

198.重九後一日，與毅庵、百疇登太平山

見《四十周年紀念集》;《集詩》丁編;《室集三編》懷冰室詩鈔　頁47

199.陳躍雲教授輓詩

見《四十周年紀念集》;《集詩》丁編;《室集三編》懷冰室詩鈔　頁48

200.次韻幼椿（李璜）先生，癸巳（1953）除夕游灣仔花市

見《四十周年紀念集》;《集詩》丁編;《室集三編》懷冰室詩鈔　頁48

201.甲午（1954）春日，幼椿先生六十初度，次韻奉賀

見《四十周年紀念集》;《集詩》丁編;《室集三編》懷冰室詩鈔　頁49

202.毅庵置酒招賞山杜鵑，魯柯（熊潤桐）詩先成，少颿繼作，次韻奉和

見《四十周年紀念集》;《集詩》丁編;《室集三編》懷冰室詩鈔　頁49

203.幼椿先生手寫《學鈍室詩》三卷寄示，恪誦之餘，敬題長句

見《四十周年紀念集》;《集詩》丁編;《室集三編》懷冰室詩鈔　頁50

204.甲午（1954）七夕

見《四十周年紀念集》;《室集三編》懷冰室詩鈔　頁50

205.中秋風雨不寐

見《四十周年紀念集》;《室集三編》懷冰室詩鈔　頁51

206.雲在酒座，次韻作

見《四十周年紀念集》;《室集三編》懷冰室詩鈔　頁51

207.觀梁燕芳演戲，次季友韻

見《四十周年紀念集》;《集詩》丁編;《室集三編》懷冰室詩鈔　頁52

208.乙未（1955）春日，次毅庵韻

見《四十周年紀念集》;《集詩》丁編;《室集三編》懷冰室詩鈔　頁52

209.次韻答毅庵

見《四十周年紀念集》;《室集三編》懷冰室詩鈔　頁52

210.環翠閣茶座作

見《四十周年紀念集》；劉景堂原著、黃坤堯編纂　《劉伯端滄海樓集》　香港　商務印書館　2001年3月;《集詩》丁編;《室集三編》懷冰室詩鈔　頁53

211.次韻答伯端丈

見《四十周年紀念集》;《室集三編》懷冰室詩鈔　頁54

212.題許定寰畫九首

見《四十周年紀念集》;《集詩》丁編;《室集三編》懷冰室詩鈔　頁54-56

213.送別翁耀雲律師赴台

見《四十周年紀念集》;《室集三編》懷冰室詩鈔　頁56

214.故壘丙申（1956）

見《四十周年紀念集》;《集詩》丁編:《室集三編》懷冰室詩鈔　頁56

215.馬料水車站候車口占丁酉（1957）

見《四十周年紀念集》;《綠水青山盡是詩》;《集詩》丁編;《室集三編》懷冰室詩鈔　頁58

216.讀爾雅

見《四十周年紀念集》;《室集三編》懷冰室詩鈔　頁58

217.半日

見《四十周年紀念集》;《集詩》丁編;《室集三編》懷冰室詩鈔　頁58

218.粉嶺茶寮小坐

見《四十周年紀念集》;《室集三編》懷冰室詩鈔　頁59

219.奉和應梅尊兄秋日登島上高峯之作五律兩首

見《四十周年紀念集》;《室集三編》懷冰室詩鈔　頁59

220.農圃道漫步口占

見《四十周年紀念集》;《集詩》丁編;《室集三編》懷冰室詩鈔　頁60

221.凌晨搭車赴新界口占

見《四十周年紀念集》;《集詩》丁編;《室集三編》懷冰室詩鈔　頁60

222.次韻答永年

見《四十周年紀念集》;《室集三編》懷冰室詩鈔　頁65

223.次韻詩戒一首

見《四十周年紀念集》;《室集三編》懷冰室詩鈔　頁65

224.晚歸

見《四十周年紀念集》;《集詩》丁編;《室集三編》懷冰室詩鈔　頁67

225.敬題約菴詩卷,己亥(1959)

見《四十周年紀念集》;《集詩》丁編;《室集三編》懷冰室詩鈔　頁67

226.奉贈孝若宗老

見《四十周年紀念集》;《集詩》丁編;《室集三編》懷冰室詩鈔　頁68

227.凌雲寺紀遊

見《四十周年紀念集》;《集詩》丁編;《室集三編》懷冰室詩鈔　頁68

228.松園仙館紀遊

見《四十周年紀念集》;《集詩》丁編;《室集三編》懷冰室詩鈔　頁69

229.勁節堂茶座作

見《四十周年紀念集》;《集詩》丁編;《室集三編》懷冰室詩鈔　頁70

230.冒疚齋先生挽詩

見《四十周年紀念集》;《集詩》丁編;《室集三編》懷冰室詩鈔　頁71

231.黃冠嶽教授挽詩

見《四十周年紀念集》;《集詩》丁編;《室集三編》懷冰室詩鈔　頁71

232.丁延標兄挽詩

見《四十周年紀念集》;《集詩》丁編;《室集三編》懷冰室詩鈔　頁72

233.悼李文若硯長

見《四十周年紀念集》;《室集三編》懷冰室詩鈔　頁72

234.許涵青畫展題句

見《四十周年紀念集》;《集詩》丁編;《室集三編》懷冰室詩鈔　頁73

235.少漢招觀蒹葭樓主舊藏畫本，率題四絕句

見《四十周年紀念集》;《集詩》丁編;《室集三編》懷冰室詩鈔　頁74

236.己亥（1959）初夏，與陳吳李余諸友訪海隱樓主，留飲，別後賦寄

見《四十周年紀念集》;《集詩》丁編;《室集三編》懷冰室詩鈔　頁75

237.次韻奉酬孝若宗老

見《四十周年紀念集》;《集詩》丁編;《室集三編》懷冰室詩鈔　頁75

238.再疊逢字韻，奉酬孝若宗老

見《四十周年紀念集》;《集詩》丁編;《室集三編》懷冰室詩鈔　頁76

239.鄧誦先〈春光圖〉，為雲在樓主賦，五古庚子（1960）

見《四十周年紀念集》;《集詩》丁編;《室集三編》懷冰室詩鈔　頁76

240.三疊逢字韻，敬酬孝若宗老

見《四十周年紀念集》;《集詩》丁編;《室集三編》懷冰室詩鈔　頁77

241.題馬浩智小姐〈山居秋暝圖〉

見《四十周年紀念集》;《集詩》丁編;《室集三編》懷冰室詩鈔　頁78

242.馬浩智小姐為余塑臂像賦贈

見《四十周年紀念集》;《集詩》丁編;《室集三編》懷冰室詩鈔　頁78

243.庚子（1960）閏六月十八日，市樓聽曲雜詠

見《四十周年紀念集》;《集詩》丁編;《室集三編》懷冰室詩鈔　頁79-80

244.識曲篇贈陳生慧蓮

見《四十周年紀念集》;《集詩》丁編;《室集三編》懷冰室詩鈔　頁81

245.學文篇贈區生月娥

見《四十周年紀念集》;《集詩》丁編;《室集三編》懷冰室詩鈔　頁82

246.勵志篇贈梁生杏愛

見《四十周年紀念集》;《集詩》丁編;《室集三編》懷冰室詩鈔　頁83

247.辛丑（1961）立春，值東坡生日次孝若宗老

見《四十周年紀念集》;《集詩》丁編;《室集三編》懷冰室詩鈔　頁84

248.辛丑（1961）感事，次韻孝若宗老

見《四十周年紀念集》;《集詩》丁編;《室集三編》懷冰室詩鈔　頁84

249.春日與我生、少颿同訪少漢

見《四十周年紀念集》;《集詩》丁編;《室集三編》懷冰室詩鈔　頁85

250.春日謁幼椿先生

見《四十周年紀念集》;《室集三編》懷冰室詩鈔　頁85-86

251.辛丑（1961）夏曆四月十六日，為太夫人八秩晉一壽辰，昆季旅食港台，久違膝下，親舍白雲，瞻戀無已，成五律四首，以代遙祝

見《四十周年紀念集》;《集詩》丁編;《室集三編》懷冰室詩鈔　頁87

252.中國古裝民族舞蹈題詠，七絕五首

見《四十周年紀念集》;《集詩》丁編;《室集三編》懷冰室詩鈔　頁88

253.七夕後作，次韻千石

見《四十周年紀念集》;《集詩》丁編;《室集三編》懷冰室詩鈔　頁89

254.中秋天台花園賞月

見《四十周年紀念集》;《集詩》丁編;《室集三編》懷冰室詩鈔　頁90

255.題莊一�畫集，七絕五首

見《四十周年紀念集》;《集詩》丁編;《室集三編》懷冰室詩鈔　頁90

256.蔡生淑娟赴美習圖書館學賦贈，七絕四首

見《四十周年紀念集》;《室集三編》懷冰室詩鈔　頁91

257.代題紅棉圖

見《四十周年紀念集》;《室集三編》懷冰室詩鈔　頁92

258.履川（曾克耑）教授郵惠《頌橘廬叢稿》賦贈

見《四十周年紀念集》;《集詩》丁編;《室集三編》懷冰室詩鈔　頁93

259.辛丑（1961）冬日，重遊凌雲寺

見《四十周年紀念集》;《集詩》丁編;《室集三編》懷冰室詩鈔　頁93

260.大寒日，乘車抵馬料水站口占

見《四十周年紀念集》;《綠水青山盡是詩》;《集詩》丁編;《室集三編》懷冰室詩鈔　頁94

261.北圍村喜晤硯臣姊丈，五古三首

見《四十周年紀念集》;《集詩》丁編;《室集三編》懷冰室詩鈔　頁95-96

262.題林德銘兄畫集，七絕六首

見《四十周年紀念集》;《集詩》丁編;《室集三編》懷冰室詩鈔　頁97-98

263.題問禮草堂師生合繪《菊竹圖》

見《四十周年紀念集》;《集詩》丁編;《室集三編》懷冰室詩鈔　頁99

264.十一月十一日赴大會堂參觀白沙文物展覽會，敬賦七絕十首，奉寄元一教授

見《人生》第291期　1962年12月16日　頁30；本書頁172　093

265.次韻少颿壬寅（1962）餞歲

見《崇基校刊》第32期　1963年3月　頁12;《集詩》戊編

266.開歲十日得絕句兩首，寫寄問禮草堂師弟

見《崇基校刊》第32期　1963年3月　頁12；本書頁173　094

267.黃子君實任助教本院喜贈

見《崇基校刊》第32期　1963年3月　頁12;《集詩》戊編

268.寄懷譚子煥廷加州五律兩首

見《崇基校刊》第32期　1963年3月　頁12;《集詩》戊編

269.游子返鄉吟德國席勒作,池載青述,王韶生譯

見《崇基校刊》第32期　1963年3月　頁12;《人生》第304期　1963年7月1日　頁31;《室續集》　頁148;《室續集》增訂本卷四譯詩;本書頁173　095

270.同人雅集沙田畫舫,餞別容(啟東)校長伉儷赴美

見《崇基校刊》第33期　1963年7月　頁17;《集詩》戊編

271.廣才篇贈陳生耀南

見《崇基校刊》第33期　1963年7月　頁17;《集詩》戊編

272.梁、陳二生執贄,從友人德銘學畫,為詩張之

見《崇基校刊》第33期　1963年7月　頁17;《集詩》戊編

273.次韻孝若宗老壬寅(1962)月當頭長句

見《崇基校刊》第33期　1963年7月　頁17;本書頁174　096

274.幼椿(李璜,1895-1985)先生郵示長句,次韻奉和

見《崇基校刊》第33期　1963年7月　頁17;本書頁174　097

275.寄懷韋齋(勞思光,1927-2012),用元韻

見《崇基校刊》第33期　1963年7月　頁17;本書頁174　098

276.哭鄭振文五兄

見《人生》第321期　1964年3月16日　頁29、31;《室集》;《集詩》戊編;本書頁174　099

277.唐君毅教授之母陳太夫人於甲辰(1964)上元節病逝蘇州,聞訃成詩敬輓

見《人生》第321期　1964年3月16日　頁29、31;《室集》;《集詩》戊編;本書頁175　100

278.九龍城碼頭送別啟真道副校長回加拿大

見《崇基校刊》第33期　1963年7月　頁17;《集詩》戊編

279.崇基遠東學術研究所同人假座樂宮樓，餞別曾副所長昭森赴美考察

見《崇基校刊》第34期　1963年12月　頁12；《集詩》戊編

280.曾院長昭森邀觀所藏古本十六羅漢圖，敬題

見《崇基校刊》第34期　1963年12月　頁12；《集詩》戊編

281.送元一兄（羅香林1905-1978）伉儷赴日遊歷

見《崇基校刊》第34期　1963年12月　頁12；《集詩》戊編

282.癸卯（1963）重九日清晨，邂逅黃道章博士於九龍，云往香港掃墓。念予不獲展拜先塋者，於茲十四年矣。思之不禁泫然，為賦此篇

見《崇基校刊》第35期　1964年4月　頁34；《集詩》戊編

283.陳榮捷博士由美抵港，崇基遠東學術研究所同人舉行公宴賦贈

見《崇基校刊》第35期　1964年4月　頁34；《集詩》戊編

284.（余）少颿（1903-1990）郵寄《癸卯詩草》一帙，用石字韻酬答

見《崇基校刊》第35期　1964年4月　頁34；本書頁175　101

285.韓江癸亥（1923）之春

見僑港潮汕文教聯誼會會刊第1期編撰委員會編印　《僑港潮汕文教聯誼會會刊》第1期　1964年6月；《集詩》甲編；本書頁175　102

286.潮州雜詩四首

見僑港潮汕文教聯誼會會刊第1期編撰委員會編印　《僑港潮汕文教聯誼會會刊》第1期　1964年6月；《集詩》甲編；本書頁176　103

287.送何子朋（孟熊）留學日本京都大學研究所

見《崇基校刊》第36期　1964年8月　頁21；《綠水青山盡是詩》；《集詩》戊編；本書頁177　105

288.得何子朋（孟熊）自日本來書，以詩代柬

見《崇基校刊》第36期　1964年8月　頁21；見《綠水青山盡是詩》；《集詩》戊編；本書頁177　106

289.送余國強兄赴哥倫比亞大學進修

見《崇基校刊》第36期　1964年8月　頁21；《綠水青山盡是詩》；本書頁178　107

290.次韻幼老奉題后希香港畫展

見《崇基校刊》第36期　1964年8月　頁21；《集詩》戊編

291.感事次（王）貫之兄韻

見《人生》第333期　1964年9月16日　頁16；《集詩》戊編；本書頁178　108

292.港大林仰山教授榮休，親薦羅元一兄於賴德爵士主持中文系務賦寄

見《人生》第333期　1964年9月16日　頁16；本書頁178　109

293.羅文世講考取哈佛碩士，喜寄七言長句

見《人生》第333期　1964年9月16日　頁16；《集詩》戊編；本書頁178　110

294.高仲華教授惠贈大著《禮學新探》，賦詩言謝

見《人生》第333期　1964年9月16日　頁16；《集詩》戊編；本書頁178　111

295.送寶堯兄赴美進修

見《崇基校刊》第37期　1965年1月　頁24-25；《集詩》戊編

296.送謝蘭安兄赴日訪問

見《崇基校刊》第37期　1965年1月　頁24-25；《綠水青山盡是詩》；本書頁179　112

297.送黃壽林兄赴日訪問

見《崇基校刊》第37期　1965年1月　頁24-25；《綠水青山盡是詩》；《集詩》戊編；本書頁179　113

298.文哲篇上　吳先生

見《崇基校刊》第37期　1965年1月　頁24-25；《集詩》戊編

299.敬軒師由臺莅港評閱試卷，香林教授設宴樂都，賦呈同座諸公

見《崇基校刊》第37期　1965年1月　頁24-25；《集詩》戊編

300.雍雅山房宴集，為訪日團諸君子洗塵

見《崇基校刊》第37期　1965年1月　頁24-25；《集詩》戊編

301.雍雅山房餞別盧君寶堯赴美

見《崇基校刊》第37期　1965年1月　頁24-25；《集詩》戊編

302.七月一日颶風艾黛襲港

見《崇基校刊》第37期　1965年1月　頁24-25；何乃文、黃坤堯、洪肇平、劉衛林編　《香港名家近體詩選》　上冊　香港　香港中文大學出版社　2007年；《集詩》戊編；本書頁180　114

303.颶風莎利襲港作

見《崇基校刊》第37期　1965年1月　頁24-25；《集詩》戊編

304.八月五日颶風過後作

見《崇基校刊》第37期　1965年1月　頁24-25；《集詩》戊編

305.三原于先生哀挽

見《崇基校刊》第38期　1965年6月　頁20；《集詩》戊編

306.馬炎璋兄賢郎紹援考取英國皇家會計師，紹融考取墨爾本大學醫學士，敬賦俚句奉賀

見《崇基校刊》第38期　1965年6月　頁20；《集詩》戊編

307.幼子建誠生，承陳少漢兄惠賜賀章，次韻酬答

見《崇基校刊》第38期　1965年6月　頁20；《集詩》戊編

308.寄懷謝永年博士北投

見《崇基校刊》第38期　1965年6月　頁20；《集詩》戊編

309.送童冠賢先生赴美

見《崇基校刊》第39期　1965年12月　頁8-9；《集詩》戊編

310.送黃旍世講赴美留學

見《崇基校刊》第39期　1965年12月　頁8-9；《集詩》戊編

311.石梨背

見《崇基校刊》第39期　1965年12月　頁8-9；《集詩》戊編

312.地龍口

見《崇基校刊》第39期　1965年12月　頁8-9；《集詩》戊編

313.大圍村

見《崇基校刊》第39期　1965年12月　頁8-9；《集詩》戊編

314.銅鑼灣

見《崇基校刊》第39期　1965年12月　頁8-9；《集詩》戊編

315.下禾輋

見《崇基校刊》第39期　1965年12月　頁8-9；《集詩》戊編

316.火炭坑

見《崇基校刊》第39期　1965年12月　頁8-9；《集詩》戊編

317.何東樓

見《崇基校刊》第39期　1965年12月　頁8-9；《集詩》戊編

318.至善亭

見《崇基校刊》第39期　1965年12月　頁8-9；《集詩》戊編

319.贈蘇瑞熊兄

見《知用通訊》　1966年1月1日；本書頁180　115

320.贈陳克文兄

見《知用通訊》　1966年1月1日；本書頁180　116

321.贈潘學增兄

見《知用通訊》　1966年1月1日；本書頁180　117

322.寄懷（謝）永年兄臺北

見《知用通訊》　1966年1月1日；本書頁180　118

323.壽方啟東學長七十榮慶

見《知用通訊》　1966年1月1日；本書頁181　119

324.白蓮市弔劉三甲戌（1934）

見僑港潮汕文教聯誼會會刊第2期編撰委員會編印　《僑港潮汕文教聯誼會會刊》第2期　1966年9月；《集詩》乙編；本書頁182　121

325.鮀江公園夜坐

見僑港潮汕文教聯誼會會刊第2期編撰委員會編印　《僑港潮汕文教聯誼會會刊》第2期　1966年9月；《集詩》乙編；本書頁182　122

326.與鄭鐸宣伉儷遊白雲，歸倚雲別墅小憩感賦

見僑港潮汕文教聯誼會會刊第2期編撰委員會編印　《僑港潮汕文教聯誼會會刊》第2期　1966年9月；《集詩》乙編；本書頁182　123

327.一九六六年聖誕節，童老自美遠惠蛋糕

見《崇基校刊》第42期　1967年6月　頁31-33；《集詩》戊編

328.讀曾昭森院長撰鍾惺可先生傳

見《崇基校刊》第42期　1967年6月　頁31-33；《集詩》己編

329.次韻我生硯長行字韻，並柬君實日本

見《崇基校刊》第42期　1967年6月　頁31-33；《香港知用學社廿週年紀念特刊》　1967年10月；本書頁184　129

330.次韻我生硯長，丙午（1966）歲暮立春書感

見《崇基校刊》第42期　1967年6月　頁31-33；本書頁184　130

331.次韻孝若宗老，丁未（1967）元旦試筆

見《崇基校刊》第42期　1967年6月　頁31-33；本書頁184　131

332.丁未（1966）春分前夕，日本松本信廣教授招飲九龍東京料理。酒罷，敬賦七言長律奉酬，共柬可兒弘明、中原道子兩君

見《崇基校刊》第42期　1967年6月　頁31-33；《集詩》己編；《室集》；《綠水青山盡是詩》；本書頁184　132

333.丙午（1966）閏三月蘇熊瑞社兄長公子超邦受室，敬賦七言長句奉賀

見《香港知用學社廿週年紀念特刊》　1967年10月；本書頁185　134

334.我生硯長喬遷新廈招飲，仍次前韻奉賀

見《香港知用學社廿週年紀念特刊》　1967年10月；本書頁185　135

335.題崇基學院恒社同學錄

見《香港知用學社廿週年紀念特刊》　1967年10月；本書頁185　136

336.壽莫培遠社兄六十生日，敬次元韻

見《香港知用學社廿週年紀念特刊》　1967年10月；本書頁185　137

337.疊孤字韻呈我生

見《香港知用學社廿週年紀念特刊》　1967年10月；《集詩》已編；本書頁186　138

338.再疊前韻和少漢

見《香港知用學社廿週年紀念特刊》　1967年10月；《集詩》已編；本書頁186　139

339.三疊前韻呈翼詒

見《香港知用學社廿週年紀念特刊》　1967年10月；《集詩》已編；本書頁186　140

340.次韻孝若宗老丙午（1966）九日作

見《香港知用學社廿週年紀念特刊》　1967年10月；《集詩》已編；本書頁186　141

341.潘學增〈《浮生回味錄》豐順王韶生贈詩〉

見《香港知用學社廿週年紀念特刊》　1967年10月；本書頁187　144

342.丁未（1967）初伏後一日，寄懷韋齋

見《崇基校刊》第43期　1967年12月　頁20；《集詩》已編

343.邢協中博士哀挽

見《崇基校刊》第43期　1967年12月　頁20；《集詩》已編

344.丁未（1967）重九，偕兒輩窩打老道山登高

見《崇基校刊》第44期　1968年6月　頁17；《集詩》已編

345.奕芳邀宴潮州園林酒家

見《崇基校刊》第47期　1969年12月　頁54；《集詩》已編

346.重遊芙蓉山竹林禪

見《崇基校刊》第47期　1969年12月　頁54；《集詩》已編

347.伍藻池夫人挽詩

見《崇基校刊》第47期　1969年12月　頁54；《集詩》已編

348.藻池教授自紐約來書，附示七言長句奉答

見《崇基校刊》第47期　1969年12月　頁54；《集詩》已編

349.寄澄平教授加州大學

見《崇基校刊》第47期　1969年12月　頁54；本書頁187　145

350.忼烈寫寄戲嵌詞牌七言長句，彌歎運思工巧，聊效顰為之，仿韓致堯體

見香港大學《中文學會年刊》　1968-1969年　頁24；本書頁187　146

351.山園賞杜鵑用東坡松風亭下梅花盛開韻

見《崇基校刊》第48期　1970年5月　頁8；《集詩》已編

352.海上夜歸用東坡峽山寺韻

見《崇基校刊》第48期　1970年5月　頁8；《集詩》已編

353.齋中靜坐作效暮遠體

見《崇基校刊》第48期　1970年5月　頁8；《集詩》已編

354.次韻少颿筆會春茗

見《崇基校刊》第48期　1970年5月　頁8；《集詩》已編

355.次韻曉峯歲暮寄懷之作

見《崇基校刊》第48期　1970年5月　頁8；《集詩》已編

356.幼老手寫酬曉峯曼谷七言長句，次韻奉和

見《崇基校刊》第48期　1970年5月　頁8；《集詩》已編

357.四月十一日啟德機場送別幼老赴美

見《崇基校刊》第48期　1970年5月　頁8；《集詩》已編

358.次韻奉和健增先生退職七言長句，兼明本志

見《崇基校刊》第48期　1970年5月　頁8；《集詩》已編

359.敬輓張君勱先生（1887-1969）

見《自由鐘》港字第1卷第1期（50期）　1970年7月　頁37；本書頁188 150

360.送元一、凌霜兩兄飛漢城出席三十七屆國際筆會

見《崇基校刊》第49期　1970年12月　頁10-11；本書頁189　151

361.端午百樂門酒會，次韻呈琳園鄉丈

見《崇基校刊》第49期　1970年12月　頁10-11；本書頁189　152

362.次韻奉酬（易）君左前輩

見《崇基校刊》第49期　1970年12月　頁10-11；本書頁189　153

363.和陶公歸園田居五首辛亥（1971）春日作

見《崇基校刊》第50期　1971年6月　頁20；《集詩》己編

364.宿東齋作

見《懷冰室集》（以下簡稱《室集》）九龍　鄧鏡波學校　1971年；《集詩》乙編

365.謁虞帝廟

見《室集》；《集詩》乙編

366.飛龍車中

見《室集》；《集詩》乙編

367.瓶桃

見《室集》；《集詩》乙編

368.寺貝底河泛舟

見《室集》；《集詩》乙編

369.奉答滄萍

見《室集》；《集詩》乙編；本書頁189　154

370.飲酒

見《室集》；《集詩》乙編

371.西濠口送別愚公先生

見《室集》；《集詩》乙編

372.贈莫儉溥

見《室集》；《集詩》乙編；本書頁189　155

373.閒居效梁節庵先生體

見《室集》;《集詩》乙編

374.平湖車站遇雨

見《室集》;《集詩》乙編

375.夜別香江

見《室集》;《集詩》乙編

376.海上夜望

見《室集》;《集詩》乙編

377.舟入內河曉望

見《室集》;《集詩》乙編

378.西園

見《室集》;《集詩》乙編

379.彈鋏

見《室集》;《集詩》乙編

380.贈衍孔博士

見《室集》;《集詩》乙編

381.海濱

見《室集》;《集詩》乙編

382.聽琴

見《室集》;《集詩》乙編

383.祝捷會上為雄壯社社員作歌

見《室集》;《集詩》乙編

384.寄懷士堅連縣

見《室集》;《集詩》乙編

385.闕聞

見《室集》;《集詩》乙編

386.白蓮洞

見《室集》;《集詩》乙編

387.海濱漫步

見《室集》;《集詩》乙編

388.贈鄺生景岐

見《室集》;《集詩》乙編

389.隱青道侶招飲文園

見《室集》;《集詩》乙編

390.暮春遊氹仔五律四首

見《室集》;《集詩》乙編

391.辛巳（1941）清明行家祭禮畢感賦

見《室集》;《集詩》乙編

392.母親節

見《室集》;《集詩》乙編

393.永先招飲大同頂樓遙對南屏諸山口占

見《室集》;《集詩》乙編

394.送吳黃兩生負笈赴粵北五古四首

見《室集》;《集詩》乙編

395.壽愚公先生五十生日

見《室集》;《集詩》乙編

396.敬和重有感一首

見《室集》;《集詩》乙編

397.玲瓏館

見《室集》;《懷冰室集詩》丙編

398.寄懷余處長俊賢陪都

見《室集》;《集詩》丙編

399.遊倚南小築遇雨賦

見《室集》;《集詩》丙編

400.家叔路騰贈詩敬步原韻兩首

見《室集》;《集詩》丙編

401.閒居

見《室集》;《集詩》丙編

402.倒疊前韻一首

見《室集》;《集詩》丙編

403.題青潭青光旅社壁

見《室集》;《集詩》丙編

404.三枝嶂五穀宮題壁

見《室集》;《集詩》丙編

405.七夕七律一首

見《室集》;《集詩》丙編

406.送舍姪兆堅赴邑任都講幹訓所

見《室集》;《集詩》丙編

407.重九登鳳凰山

見《室集》;《集詩》丙編

408.寄鄭鐸宣兄陪都

見《室集》;《集詩》丙編

409.中原壁報題詞

見《室集》;《集詩》丙編

410.來桂頭半年矣追念濠鏡偶成二章

見《室集》;《集詩》丙編

411.桂頭閒居

見《室集》;《集詩》丙編

412.桃苑茗座同永年、士堅，時永年將有遠行

見《室集》;《集詩》丙編

413.江樓雅集餞別謝永年入蜀

見《室集》;《集詩》丙編

414.偶感

見《室集》;《集詩》丙編

415.晚步

見《室集》;《集詩》丙編

416.江樓兩院同人雅集

見《室集》;《集詩》丙編

417.武江早眺

見《室集》;《集詩》丙編

418.贈周學栻

見《室集》;《集詩》丙編

419.黃天鵬秘書四十初度，並值錫婚紀念，賀之以詩

見《室集》;《集詩》丙編

420.小站

見《室集》;《集詩》丙編

421.趣園晚會

見《室集》;《集詩》丙編

422.長夏山村遣興五律四首

見《室集》;《集詩》丙編

423.東陂冼子造訪偕遊郊坰作五律兩首

見《室集》;《集詩》丙編

424.連陽感事次冼子韻

見《室集》;《集詩》丙編

425.冼子假館燕喜書院郵寄新作，次韻奉答

見《室集》;《集詩》丙編

426.咏鯨岩石乳次何乙冰韻二首

見《室集》;《集詩》丙編

427.寄皮秘書松年

見《室集》;《集詩》丙編

428.奉贈何乙冰

見《室集》;《集詩》丙編

429.遣悶

見《室集》;《集詩》丙編

430.次韻何乙冰東陂閒居

見《室集》;《集詩》丙編

431.西溪喜晤鄭師許教授

見《室集》;《集詩》丙編

432.三江

見《室集》;《集詩》丙編

433.鹿鳴關

見《室集》;《集詩》丙編

434.鷹揚關

見《室集》;《集詩》丙編

435.篙師行贈甘船戶

見《室集》;《集詩》丙編

436.淘金

見《室集》;《集詩》丙編

437.火石

見《室集》;《集詩》丙編

438.浮山懷古

見《室集》;《集詩》丙編

439.雞嘴巖

見《室集》;《集詩》丙編

440.象鼻巖

見《室集》;《集詩》丙編

441.張將軍廟行廟在鬱南連灘

見《室集》;《集詩》丙編

442.赴內翰

見《室集》;《集詩》丙編

443.夜步口占

見《室集》;《集詩》丙編

444.諤諤

見《室集》;《集詩》丙編

445.佛子墈投簡謝桂生先生

見《室集》;《集詩》丙編

446.譴瘧鬼

見《室集》;《集詩》丙編

447.西江戰事甫定，黃院長希聲由連縣間關至㬍濮，同人設宴洗塵

見《室集》;《集詩》丙編

448.旅居生江黃伯庸伉儷造訪市樓共飲

見《室集》;《集詩》丙編

449.甲申（1944）冬日旅居㬍濮，林復真兄招飲，出示轂音柵寫意詩三章，敬次韻奉答

見《室集》;《集詩》丙編

450.次韻奉答胡寶盦一首

見《室集》;《集詩》丙編

451.甘泉山館雅集，賦呈羅委員元一、陸議長幼剛

見《室集》;《集詩》丙編

452.慕韓先生丁亥（1947）生日，次韻奉賀

見《室集》;《集詩》丙編

453.次幼椿先生韻即寄

見《室集》;《集詩》丙編

454.白雲機場送鄭鐸宣兄飛鮀江轉京

見《室集》;《集詩》丙編

455.林溫伯先生招飲，出示佳篇，次韻奉答

見《室集》;《集詩》丙編

456.弔聖雄甘地

見何乃文、黃坤堯、洪肇平、劉衛林編　《香港名家近體詩選》　上冊　香港　香港中文大學出版社　2007年；《室集》;《集詩》丙編；本書頁213　236

457.除夕得星熒書即寄

見《室集》;《集詩》丙編

458.題朱慕蘭女棣畫集

見《室集》;《集詩》戊編

459.敬題惠安曾氏一貫七葉集

見《室集》;《集詩》戊編

460.送元一（羅香林）教授長公子（羅）文留學哈佛

見《室集》;《集詩》戊編

461.溫黛颶風襲港

見《室集》;《集詩》戊編

462.克諧同年六十初度賦詩奉賀

見《室集》;《集詩》戊編

463.送舜老赴紐約講學

見《室集》;《集詩》戊編

464.香港大會堂參觀白沙文物展覽會，賦寄元一教授

見《室集》;《集詩》戊編

465.訪允廬主人有贈

見《室集》;《集詩》戊編

466.春日寄懷達道

見《室集》;《集詩》戊編

467.春日寄懷希文

見《室集》;《集詩》戊編

468.送元一教授赴日美兩國考察

見《室集》;《集詩》戊編

469.壽曾曉峯六十初度

見《室集》;《集詩》戊編

470.送霍生秀森赴美留學

見《室集》;《集詩》戊編

471.甲辰（1964）春分前夕，同人宴集市樓，補祝幼老七秩壽辰，敬次元韻

見《室集》;《集詩》戊編

472.參觀雲門四屆畫展奉寄曉雲法師甲辰（1964）二月廿五日作

見《室集》;《集詩》戊編

473.曉雲法師惠贈《原泉》期刊，賦此敬謝甲辰二月廿五日作

見《室集》;《集詩》戊編

474.蓮岸與衛漢居士同訪曉雲法師，別後奉寄

見《室集》;《集詩》戊編

475.前國民大學校長吳君在民哀挽五律四首

見《室集》;《集詩》戊編

476.六月二十日，浩翁生日感賦

見《室集》;《集詩》戊編

477.六月二十一日，歐公生日感賦

見《室集》;《集詩》戊編

478.海上七夕

見《室集》;《集詩》戊編

479.連朝風雨遣悶

見《室集》;《集詩》戊編

480.甲辰（1964）除日，聽應麟伉儷錄音歌曲

見《室集》;《集詩》戊編

481.余朗誦古文，伉姪錄音重播

見《室集》;《集詩》戊編

482.三原于先生哀挽七律兩首以下乙巳（1965）

見《室集》;《集詩》戊編

483.奉長沙李印農先生伉儷八秩雙慶

見《室集》;《懷冰室集詩》己編

484.次少颿韻即寄

見《室集》;《集詩》己編

485.曾昭森博士秩滿告退，同人等設宴漢宮，敬賦五律兩章誌別

見《室集》;《集詩》己編

486.（張）翼詒硯長寫示「年過五十始為詩」七言長句，次韻奉酬

見《室集》;《集詩》己編

487.寄辛之紐約

見《室集》;《集詩》己編

488.辛之寫寄在美遊覽詩三章，讀畢賦答一首

見《室集》;《集詩》己編

489.感事

見《室集》;《集詩》己編

490.人生頌九首

見《室集》;《集詩》譯詩

491.觀梁燕芳演劇次季友韻

見香港中國筆會詩歌選編輯組編　《現代詩歌選》(以下簡稱《詩歌選》)　香港　香港中國筆會　1972年3月;《集詩》丁編

492.故壘丙申(1956)

見《詩歌選》;《集詩》丁編

493.凌雲寺紀遊

見《詩歌選》;《集詩》丁編

494.松園仙館紀遊

見《詩歌選》;《集詩》丁編

495.馬浩智女史為余塑臂像賦贈

見《詩歌選》;《集詩》丁編

496.乙巳(1965)牛朝述懷,並寄舍弟健生。用東坡壽子由韻

見《詩歌選》;《集詩》己編

497.馬料水瀑布用東坡百步洪韻

見《詩歌選》;《集詩》己編;《綠水青山盡是詩》

498.酬呂靜庵再疊東坡韻

見《詩歌選》;《集詩》己編

499.次韻幼老奉題后希畫展

見《詩歌選》;本書頁190　156

500.香江喜晤劉茂華都講有贈,用海隱樓主韻

見《崇基校刊》第52期　1972年6月　頁22;《室續集》詩甲編;《室續集》增訂本卷二

501.辛亥（1971）歲暮，承勞墨齋贈詩，次韻奉酬

見《崇基校刊》第52期　1972年6月　頁22；《室續集》詩甲編；《室續集》增訂本卷二

502.讀在山堂《辛亥詩稿》奉寄墨齋

見《崇基校刊》第52期　1972年6月　頁22；《室續集》詩甲編；《室續集》增訂本卷二

503.墨齋招飲，次文擢韻賦謝，並柬同席諸君

見《崇基校刊》第52期　1972年6月　頁22；《室續集》詩甲編；《室續集》增訂本卷二

504.辛亥（1971）秋日郊遊

見《崇基校刊》第52期　1972年6月　頁22；《室續集》詩甲編；《室續集》增訂本卷二

505.子畏宗丈哀挽五律四首

見《崇基校刊》第53期　1972年12月　頁23-24；《室續集》詩甲編

另見《室續集》卷二詩；《室續集》增訂本卷二

506.題李撫虹畫展

見《崇基校刊》第53期　1972年12月　頁23-24；《室續集》詩甲編；《室續集》卷二詩；《室續集》增訂本卷二

507.方永祥碩士由循道調長華英賦贈

見《崇基校刊》第54期　1973年6月　頁11-12；《室續集》詩甲編；《室續集》卷二詩；《室續集》增訂本卷二

508.月宮酒座，友人即席集句贈詩，次韻奉酬

見《崇基校刊》第54期　1973年6月　頁11-12；《室續集》詩甲編；《室續集》卷二詩；《室續集》增訂本卷二

509.題粉嶺寶靜安老院

見《崇基校刊》第54期　1973年6月　頁11-12；《室續集》詩甲編；《室續集》卷二詩；《室續集》增訂本卷二

510.旂亭小飲，幼老有詩，次韻作

見《崇基校刊》第54期　1973年6月　頁11-12；《室續集》詩甲編；《室續集》卷二詩；《室續集》增訂本卷二

511.送鄭生萼芊赴瑞士，任職蘇黎世大學

見《崇基校刊》第54期　1973年6月　頁11-12；《室續集》詩甲編；《室續集》卷二詩

512.癸丑（1973）上巳，髯招往淺水灣修禊，以事未赴，賦詩一首

見《崇基校刊》第54期　1973年6月　頁11-12；《室續集》詩甲編；《室續集》卷二詩；《室續集》增訂本卷二

513.周白菡小姐獲港大高級學位，聘任加州大學研究院動物學研究員，治裝赴美，賦詩贈行

見《崇基校刊》第54期　1973年6月　頁11-12；《室續集》詩甲編；《室續集》卷二詩；《室續集》增訂本卷二

514.癸丑（1973）上巳，少颿招往荃灣弘法精舍修禊，以事未赴，賦詩一首代柬

見《崇基校刊》第54期　1973年6月　頁11-12；《室續集》詩甲編；《室續集》卷二詩；《室續集》增訂本卷二

515.癸丑（1973）春，謝扶雅丈自美東寄示八十自輓詩，勉和一律，藉廣其意

見《崇基校刊》第55期　1973年12月　頁10；《綠水青山盡是詩》；《室續集》詩編；《室續集》卷二詩；《室續集》增訂本卷二；本書頁191 160

516.癸丑（1973）秋，香港大會堂酒會，次韻賦呈琳園鄉先生

見《崇基校刊》第55期　1973年12月　頁10；《室續集》詩甲編；《室續集》卷二詩；《室續集》增訂本卷二

517.癸丑（1973）重陽，天香樓酒集，次（涂）公遂主任韻

見《崇基校刊》第55期　1973年12月　頁10；《室續集》詩甲編；《室續集》卷二詩；《室續集》增訂本卷二

518.贈徐生

見《崇基校刊》第55期　1973年12月　頁10；《室續集》詩甲編；《室續集》卷二詩；《室續集》增訂本卷二

519.敬題龍放之畫展

見珠海書院文史學會編印　《文史學報》第10期　1974年3月；《崇基校刊》第56期　1974年6月　頁30；《珠海校刊》第24屆畢業典禮特刊　1974年7月；《室續集》詩甲編；《室續集》卷二詩；《室續集》增訂本卷二

520.謝大癸丑（1973）初度招飲，感念星洲舊遊，賦詩代祝

見珠海書院文史學會編印　《文史學報》第10期　1974年3月；《崇基校刊》第56期　1974年6月　頁30；《珠海校刊》第24屆畢業典禮特刊1974年7月；《室續集》詩甲編；《室續集》卷二詩；《室續集》增訂本卷二詩

521.次韻遯翁（何敬群，1903-1994）春磡角秋遊

見珠海書院文史學會編印　《文史學報》第10期　1974年3月；《珠海校刊》第24屆畢業典禮特刊　1974年7月；《崇基校刊》第57期　1974年12月　頁9-10；《室續集》詩甲編；《室續集》卷二詩；《室續集》增訂本卷二詩

522.香江喜晤樸生學長

見珠海書院文史學會編印　《文史學報》第10期　1974年3月；見《崇基校刊》第56期　1974年6月　頁30；《室續集》詩甲編；《室續集》卷二詩；《室續集》增訂本卷二詩

523.讀《思復堂遺詩》，呈唐君毅教授

見《崇基校刊》第56期　1974年6月　頁30；《珠海校刊》第24屆畢業典禮特刊　1974年7月；《室續集》詩甲編；《室續集》卷二詩；《室續集》增訂本卷二詩

524.甲寅（1974）春夜獨酌薄醉，戲題歌德造像，並柬池在青醫生

見《崇基校刊》第56期　1974年6月　頁30；《珠海校刊》第24屆畢業典禮特刊　1974年7月；《室續集》詩甲編；《室續集》卷二詩；《室續集》增訂本卷二詩

525.曾曉峯兄自曼谷郵寄《紅杏山房詩鈔》賦此答謝

見《崇基校刊》第56期　1974年6月　頁30；《珠海校刊》第24屆畢業典禮特刊　1974年7月；《室續集》詩甲編；《室續集》卷二詩；《室續集》增訂本卷二詩

526.甲寅（1974）春日，寄懷李鼎元督學臺北

見《珠海校刊》第24屆畢業典禮特刊　1974年7月；《崇基校刊》第57期　1974年12月　頁9-10；《室續集》卷二詩；《室續集》增訂本卷二詩

527.池在青醫生謂余貌肖德國詩人歌德，購其臂像詒贈，厚意拳拳，賦此答謝

見《珠海校刊》第24屆畢業典禮特刊　1974年7月；《崇基校刊》第57期　1974年12月　頁9-10；《室續集》詩甲編；《室續集》卷二詩；《室續集》增訂本卷二詩

528.伯鳴學長暨夫人七十雙壽，敬賦拙句二十二韻奉祝

見《珠海校刊》第24屆畢業典禮特刊　1974年7月；《室續集》卷二詩；《室續集》增訂本卷二詩

529.次琳園先生端午節後市樓小集原韻

見僑港潮汕文教聯誼會第3期會刊編撰委員會編印　《僑港潮汕文教聯誼會會刊》第3期　1974年10月；本書頁191　161

530.書懷次韻

見僑港潮汕文教聯誼會第3期會刊編撰委員會編印　《僑港潮汕文教聯誼會會刊》第3期　1974年10月；本書頁191　162

531.甲寅（1974）秋九月，蔡俊光兄招飲九華新邨，寫示新作，次韻奉酬

見《崇基校刊》第57期　1974年12月　頁9-10；《室續集》卷二詩；《室續集》增訂本卷二詩

532.乙卯（1975）初秋，容校長啟東榮休，為賦小詩八首誌念

見《崇基校刊》第58期　1975年6月　頁4、頁18；《室續集》詩甲編；《室續集》卷二詩；《室續集》增訂本卷二詩

533.和少颿七律一首

見《崇基校刊》第58期　1975年6月　頁4、頁18；本書頁192　163

534.拜東坡生日

見《崇基校刊》第58期　1975年6月　頁4、頁18；《室續集》詩甲編；《室續集》卷二詩；《室續集》增訂本卷二詩

535.送夏書枚先生（1892-1984）赴美定居

見《崇基校刊》第58期　1975年6月　頁4、頁18；《室續集》詩甲編；《室續集》卷二詩；《室續集》增訂本卷二詩

536.乙卯（1975）人日宴集，呈幼老一首

見《崇基校刊》第58期　1975年6月　頁4、頁18；《室續集》詩甲編；《室續集》卷二詩；《室續集》增訂本卷二詩

537.乙卯（1975）上巳雅集暨詩學研究所成立七週年紀念，分韻得覽字

見《崇基校刊》第58期　1975年6月　頁4、頁18；《室續集》詩甲編；《室續集》卷二詩；《室續集》增訂本卷二詩

538.校友日重蒞崇基校園，雜詠八首

其一　陽月風光似早秋

見《崇基校刊》第59期　1975年12月　頁22；方寬烈編著　《香港詩詞紀事分類選集》　香港　文史研究會　1998年12月；《懷冰室續集》（以下簡稱《室續集》）詩甲編；《室續集》卷二詩；《室續集》增訂本卷二詩；本書頁192　164

其二　睽違朋舊今重聚

見《崇基校刊》第59期　1975年12月　頁22；《綠水青山盡是詩》；《室續集》詩甲編；《室續集》卷二詩；《室續集》增訂本卷二詩；本書頁192　164

其三　上庠都講多英俊

見《崇基校刊》第59期　1975年12月　頁22；《綠水青山盡是詩》；《室續集》詩甲編；《室續集》卷二詩；《室續集》增訂本卷二詩；本書頁192　164

其四　挈婦將雛喜再臨

見《綠水青山盡是詩》；《室續集》詩甲編；《室續集》卷二詩；《室續集》增訂本卷二詩；本書頁192　164

其五　春風披拂柳條新

見《崇基校刊》第59期　1975年12月　頁22；《綠水青山盡是詩》；《室續集》詩甲編；《室續集》卷二詩；《室續集》增訂本卷二詩；本書頁192　164

其六　傳奇扮演說東林

見《崇基校刊》第59期　1975年12月　頁22；《綠水青山盡是詩》；《室續集》詩甲編；《室續集》卷二詩；《室續集》增訂本卷二詩；本書頁192　164

其七　絲絃揮手聽清歌

見《崇基校刊》第59期　1975年12月　頁22；《綠水青山盡是詩》；《室續集》詩甲編；《室續集》卷二詩；《室續集》增訂本卷二詩；本書頁192　164

其八　聚散原同水上萍

見《崇基校刊》第59期　1975年12月　頁22；方寬烈編著　《香港詩詞紀事分類選集》　香港　文史研究會　1998年12月；《綠水青山盡是

詩》；《室續集》詩甲編；《室續集》卷二詩；《室續集》增訂本卷二詩；本書頁192　164

539.郭君霖沅長潮州公學

見《崇基校刊》第59期　1975年12月　頁22；《室續集》詩甲編；《室續集》卷二詩；《室續集》增訂本卷二詩

540.南薰詩社成立，分韻得路字，呈社長涂君

見《室續集》詩甲編；《室續集》卷二詩；《室續集》增訂本卷二詩

541.曾昭森社長病逝美洲聞耗，哭之以詩

見《室續集》詩甲編；《室續集》卷二詩；《室續集》增訂本卷二詩

542.乙卯（1975）除夕守歲，煎糕宵夜。阿圻請作詩。率賦

見《崇基校刊》第60期　1976年10月　頁19-20；《室續集》詩甲編；《室續集》卷二詩；《室續集》增訂本卷二詩

543.即事六言兩首

見《崇基校刊》第60期　1976年10月　頁19-20；《室續集》詩甲編；《室續集》卷二詩；《室續集》增訂本卷二詩

544.題蕭立聲繪醉春圖，步蘇圃原玉

見《崇基校刊》第60期　1976年10月　頁19-20；《室續集》詩甲編；《室續集》卷二詩；《室續集》增訂本卷二詩

545.壽少颿嫂夫人七秩生日

見《崇基校刊》第60期　1976年10月　頁19-20；《室續集》詩甲編；《室續集》卷二詩；《室續集》增訂本卷二詩

546.敬步幼老丙辰（1976）元宵節前一日家宴，酒酣感事，長律原韻呈政

見《崇基校刊》第60期　1976年10月　頁19-20；《室續集》詩甲編；《室續集》卷二詩；《室續集》增訂本卷二詩

547.南薰詩社春集，拈韻得壽字

見《崇基校刊》第60期　1976年10月　頁19-20；《室續集》詩甲編；《室續集》卷二詩；《室續集》增訂本卷二詩

548.弔周君億孚

見《崇基校刊》第60期　1976年10月　頁19-20；《室續集》詩甲編；《室續集》卷二詩；《室續集》增訂本卷二詩

549.題詞

見呂偉東（1905-？）　《靜庵詩鈔》　1977年7月　李璜署耑本；本書頁193　165

550.王韶生酬呂偉東

見呂偉東（1905-？）　《靜庵詩鈔》　1977年7月　李璜署耑本；本書頁193　166

551.士選先生八秩榮壽，敬賦七言長句祝賀，即希郢正

見吳俊升　《庚年酬唱續集》　美國洛杉磯　寄廬　1980年冬月　俊升署耑本；本書頁193　167

552.題韋生金滿《懷燕廬吟草》

見韋金滿（1944-2015）　《懷燕廬吟草》　香港浸會學院中國語文學會出版　1982年7月增訂版　文擢署耑；《室續集》增訂本詩卷二；本書頁194　168

553.疊感春韻寄蘇文擢

見蘇文擢　《邃加室詩文續稿》　1984年9月　甲子初秋龍磵居士署本；本書頁194　169

554.（陳）伯祺先生（1902-1993）贈詩敬賦七古一篇奉酬

見香港《嶺雅》第8期　1986年；《室續集》增訂本卷三詩；本書頁194　170

555.楊允元教授寫示近作，次韻奉和，並呈涂（公遂）所長

見《珠海校刊》1985-1986　1986年7月11日　頁88；《室續集》卷三詩；《室續集》增訂本卷三詩

556.利苑午宴賦謝允元教授，兼送何炳明留美

見《珠海校刊》1985-1986　1986年7月11日　頁88；《室續集》卷三詩；《室續集》增訂本卷三詩

557.文史研究所師生假日郊遊，涂所長詩先成，次韻奉和

見《珠海校刊》1985-1986　1986年7月11日　頁88；《室續集》卷三詩；《室續集》增訂本卷三詩

558.題梅州李書城《覆韻集》

見《珠海校刊》1985-1986　1986年7月11日　頁88；《室續集》卷三詩；《室續集》增訂本卷三詩

559.輓陳永昌都講

見《珠海校刊》1985-1986　1986年7月11日　頁88；《室續集》卷三詩；《室續集》增訂本卷三詩

560.送劉哲暉校長赴溫哥華定居

見《珠海校刊》1985-1986　1986年7月11日　頁88；《室續集》卷三詩；《室續集》增訂本卷三詩

561.勗阿殷

見《珠海校刊》1985-1986　1986年7月11日　頁88；《室續集》卷三詩；《室續集》增訂本卷三詩

562.鑄禹丈病起，晤於市樓，遁翁（何敬群）有詩，步原玉

見《珠海校刊》1985-1986　1986年7月11日　頁88；《室續集》卷三詩；《室續集》增訂本卷三詩

563.次韻遂老（涂公遂）除夕

見《珠海校刊》1985-1986　1986年7月11日　頁88；《室續集》卷三詩；《室續集》增訂本卷三詩

564.答米子至仁次元韻

見《珠海校刊》1985-1986　1986年7月11日　頁88；《室續集》卷三詩；《室續集》增訂本卷三詩

565.次韻和墨齋（勞天庇，1918-1995）「有酒且斟之」五古一篇

見《珠海校刊》1985-1986　1986年7月11日　頁88；《室續集》卷三詩；《室續集》增訂本卷三詩

566.奉贈陳伯祺丈（1902-1993）七言長句

見《珠海校刊》1985-1986　1986年7月11日　頁88；《室續集》卷三詩；《室續集》增訂本卷三詩

567.挽孔鑄禹丈

見《珠海校刊》1985-1986　1986年7月11日　頁88；《室續集》卷三詩；《室續集》增訂本卷三詩

568.讀（涂公）遂翁、（曾）希穎（1903-1985）翁、遯翁（何敬群）「思子苦懷聯榻夢」唱和詩，走筆奉和

見《珠海校刊》1985-1986　1986年7月11日　頁88；《室續集》卷三詩；《室續集》增訂本卷三詩；本書頁195　171

569.寒夜

見《珠海校刊》1985-1986　1986年7月11日　頁88；《室續集》卷三詩；《室續集》　增訂本卷三詩

570.七古一首

見梁譚玉櫻　《燕居叢憶錄》　香港　廣記印務 1986年7月；本書頁195　172

571.丙寅（1986）端午感事

見黃毓民主編　《珠海書院四十周年紀念集》　1987年10月　江可伯題耑本；《室續集》卷三詩；《室續集》增訂本卷三詩

572.丙寅（1986）詩人節

見黃毓民主編　《珠海書院四十周年紀念集》　1987年10月　江可伯題耑本；《室續集》卷三詩；《室續集》增訂本卷三詩

573.題洪煨蓮先生遺墨

見黃毓民主編　《珠海書院四十周年紀念集》　1987年10月　江可伯題耑本;《室續集》卷三詩;《室續集》增訂本卷三詩

574.和文擢丁卯（1987）開歲書懷

見黃毓民主編　《珠海書院四十周年紀念集》　1987年10月　江可伯題耑本:《室續集》卷三詩;《室續集》增訂本卷三詩

575.和荔莊丁卯（1987）元日

見黃毓民主編　《珠海書院四十周年紀念集》　1987年10月　江可伯題耑本;《室續集》卷三詩;《室續集》增訂本卷三詩

576.珠城春茗遁翁（何敬群）未至，有詩步原玉作

見黃毓民主編　《珠海書院四十周年紀念集》　1987年10月　江可伯題耑本;《室續集》卷三詩;《室續集》增訂本卷三詩；本書頁195　173

577.瓊華酒會，晉偉詞作袖新詩，步韻奉酬

見黃毓民主編　《珠海書院四十周年紀念集》　1987年10月　江可伯題耑本;《室續集》卷三詩;《室續集》增訂本卷三詩

578.次韻奉酬陳伯元教授臺北

見黃毓民主編　《珠海書院四十周年紀念集》　1987年10月　江可伯題耑本;《室續集》卷三詩;《室續集》增訂本卷三詩；本書頁196　174

579.德超郵寄次韻伯元教授贈余七言長句，和作一篇報之

見黃毓民主編　《珠海書院四十周年紀念集》　1987年10月　江可伯題耑本;《室續集》卷三詩;《室續集》增訂本卷三詩

580.叠前韻答伯元教授

見黃毓民主編　《珠海書院四十周年紀念集》　1987年10月　江可伯題耑本;《室續集》卷三詩;《室續集》增訂本卷三詩

581.利苑小酌，兆聯有詩步韻作，並柬同座諸君

見黃毓民主編　《珠海書院四十周年紀念集》　1987年10月　江可伯題耑本;《室續集》卷三詩;《室續集》增訂本卷三詩

582.瓊華茶座次前韻作，示一民、文華兩博士

見黃毓民主編　《珠海書院四十周年紀念集》　1987年10月　江可伯題耑本；《室續集》卷三詩；《室續集》增訂本卷三詩

583.龍騰閣茶座作

見黃毓民主編　《珠海書院四十周年紀念集》　1987年10月　江可伯題耑本；《室續集》卷三詩；《室續集》增訂本卷三詩

584.答李生孟晉

見黃毓民主編　《珠海書院四十周年紀念集》　1987年10月　江可伯題耑本；《室續集》卷三詩；《室續集》增訂本卷三詩

585.哭陳錫餘教授

見黃毓民主編　《珠海書院四十周年紀念集》　1987年10月　江可伯題耑本；《室續集》卷三詩；《室續集》增訂本卷三詩

586.珠海四十週年校慶

見黃毓民主編　《珠海書院四十周年紀念集》　1987年10月　江可伯題耑本；《室續集》增訂本卷三詩；本書頁196　175

587.《未肥樓吟草》題詩三

見余璞慶　《未肥樓吟草》　1987年　涂公遂敬題本；本書頁196　176

588.江（茂森）監督、梁（永燊）校長利苑設宴，餞別涂所長公遂榮休返台北，賦贈五律一首

見《珠海校刊》第卅八屆畢業典禮特刊　1988年7月15日　頁67；《室續集》卷三詩；《室續集》增訂本卷三詩

589.江監督、梁校長設席利苑，歡宴戴玄之、程之行兩所長，余敬陪末座賦贈

見《珠海校刊》第卅八屆畢業典禮特刊　1988年7月15日　頁67；《室續集》卷三詩；《室續集》增訂本卷三詩

590.賦贈黃興華副訓導長

見《珠海校刊》第卅八屆畢業典禮特刊　1988年7月15日　頁67；本書頁196　177

591.賦贈何文華、黃毓民兩系主任

見《珠海校刊》第卅八屆畢業典禮特刊　1988年7月15日　頁67；《室續集》卷三詩；《室續集》增訂本卷三詩

592.士選先生自美赴台北，出席孔學討論會，經港返加州。詩壇同人邀宴瓊華酒家，七律一首求政

見《珠海校刊》第卅八屆畢業典禮特刊　1988年7月15日　頁67；《室續集》卷三詩；《室續集》增訂本卷三詩

593.題少旅近代名畫續集

見《珠海校刊》第卅八屆畢業典禮特刊　1988年7月15日　頁67；《室續集》卷三詩；《室續集》增訂本卷三詩

594.心齋學長草書歌七古

見《珠海校刊》第卅八屆畢業典禮特刊　1988年7月15日　頁67；《室續集》卷三詩；《室續集》增訂本卷三詩

595.次韻奉和大鈍詞長戊辰（1988）開歲寄詩

見《珠海校刊》第卅八屆畢業典禮特刊　1988年7月15日　頁67；《室續集》卷三詩；《室續集》增訂本卷三詩

596.迎春社課

見《珠海校刊》第卅八屆畢業典禮特刊　1988年7月15日　頁67；《室續集》卷三詩；《室續集》增訂本卷三詩

597.讀陶詩簡文擢教授

見《珠海校刊》第卅八屆畢業典禮特刊　1988年7月15日　頁67；《室續集》卷三詩；《室續集》增訂本卷三詩

598.和陶示招祥麒、朱冠華二生

見《珠海校刊》第卅八屆畢業典禮特刊　1988年7月15日　頁67；《室續集》卷三詩；《室續集》增訂本卷三詩

599.和陶一首呈遯翁

見《珠海校刊》第卅八屆畢業典禮特刊　1988年7月15日　頁67；《室續集》卷三詩；《室續集》增訂本卷三詩；本書頁196　178

600.題葉燕峯《歐遊詩草》

見《珠海校刊》第卅八屆畢業典禮特刊　1988年7月15日　頁67；《室續集》卷三詩；《室續集》增訂本卷三詩

601.黎心齋（1901-1988）學長哀挽

見《珠海校刊》第卅八屆畢業典禮特刊　1988年7月15日　頁67；《室續集》卷三詩；《室續集》增訂本卷三詩

602.春霧

見《珠海校刊》第卅八屆畢業典禮特刊　1988年7月15日　頁67；《室續集》卷三詩；《室續集》增訂本卷三詩

603.龍騰閣春茗呈璞翁

見《珠海校刊》第卅八屆畢業典禮特刊　1988年7月15日　頁67；《室續集》卷三詩；《室續集》增訂本卷三詩

604.遂老自台北郵寄戊辰（1988）清明感賦詩，吟壇諸公約和作

見《珠海校刊》第卅八屆畢業典禮特刊　1988年7月15日　頁67；《室續集》卷三詩；《室續集》增訂本卷三詩

605.讀遂老題蔡公時烈士遺墨詩，慨然有作

見《珠海校刊》第卅八屆畢業典禮特刊　1988年7月15日　頁67；《室續集》卷三詩；《室續集》增訂本卷三詩

606.次韻遂翁乙丑（1985）重九登爐峯

見珠海書院文史學會編刊　《文薈》〈爐峯酬唱集〉（涂公遂、王韶生、蘇文擢、何敬群、李任難、文疊山、袁子予、林仁超、王淑陶、張壽平、岑衍璟、吳灝溟）　1989年6月　（劉）十覺題耑；本書頁197　179

607.疊韻和作柬文擢、遂翁

見珠海書院文史學會編刊　《文薈》〈爐峯酬唱集〉（涂公遂、王韶生、蘇文擢、何敬群、李任難、文疊山、袁子予、林仁超、王淑陶、張壽平、岑衍璟、吳瀨溟）　1989年6月　（劉）十覺題耑；本書頁197　180

608.疊韻敬和遂翁書懷，並柬敬羣、文擢兩教授

見珠海書院文史學會編刊　《文薈》〈爐峯酬唱集〉（涂公遂、王韶生、蘇文擢、何敬群、李任難、文疊山、袁子予、林仁超、王淑陶、張壽平、岑衍璟、吳瀨溟）　1989年6月　（劉）十覺題耑；本書頁197　181

609.三疊前韻，敬和遂翁書感

見珠海書院文史學會編刊　《文薈》〈爐峯酬唱集〉（涂公遂、王韶生、蘇文擢、何敬群、李任難、文疊山、袁子予、林仁超、王淑陶、張壽平、岑衍璟、吳瀨溟）　1989年6月　（劉）十覺題耑；本書頁197　182

610.四疊前韻，呈遂老並柬詩吟壇諸公

見珠海書院文史學會編刊　《文薈》〈爐峯酬唱集〉（涂公遂、王韶生、蘇文擢、何敬群、李任難、文疊山、袁子予、林仁超、王淑陶、張壽平、岑衍璟、吳瀨溟）　1989年6月　（劉）十覺題耑；本書頁198　183

611.醉時歌

見香港《嶺雅》第13期　1990年12月；《室續集》卷三詩；本書頁198　184

612.（余）少颿（1903-1990）病歿羊城，以詩哭之

見香港《嶺雅》第13期　1990年12月；《室續集》卷三詩；本書頁198　185

613.羅鶴鳴先生文人畫冊題詞

見羅鶴鳴（1922-2001）繪圖、七十名家題詠　《歷代文壇名人造象》香港　當代教育出版社　1991年12月；《室續集》卷三詩；見本書頁198　186

614.贈同筵諸子韻

見香港《嶺雅》第15期　1992年3月；潘兆賢　《采薇廔吟草》　香港科華圖書公司　2005年3月　頁92；本書頁199　187

615.無題三首

見《室續集》卷三詩；《室續集》增訂本

616.伯元教授寄示感事七律一首寒食獨坐，走筆奉和

見《室續集》卷三詩；《室續集》增訂本

617.松竹樓午飲有會而作

見《室續集》卷三詩；《室續集》增訂本

618.聽建圻彈箏

見《室續集》卷三詩；《室續集》增訂本

619.翊偉詞作寫示雲泉仙館賞菊詩，次韻奉和

見《室續集》卷三詩；《室續集》增訂本

620.龍騰閣公宴，賦贈及門諸子

見《室續集》卷三詩；《室續集》增訂本

621.敘福樓午餐，賦贈及門諸子

見《室續集》卷三詩；《室續集》增訂本

622.讀《簡齋詩草》，賦贈（梁）簡能都講

見《室續集》卷三詩；《室續集》增訂本

623.定安兄八九壽辰賦詩奉賀

見《室續集》卷三詩；《室續集》增訂本

624.珠海佛教同學會諸子馬鞍山施賑

見《室續集》卷三詩；《室續集》增訂本

625.珠海書院佛教同學會諸子西貢放生

見《室續集》卷三詩；《室續集》增訂本

626.放生歌

見《室續集》卷三詩；《室續集》增訂本

627.大網口放生歌

見《室續集》卷三詩;《室續集》增訂本

628.戒殺歌

見《室續集》卷三詩;《室續集》增訂本

629.寄藥

見《室續集》卷三詩;《室續集》增訂本

630.寄書

見《室續集》卷三詩;《室續集》增訂本

631.林仁超會長郵寄乙丑(1985)開歲詩和韻

見《室續集》卷三詩;《室續集》增訂本

632.仁超會長招飲

見《室續集》卷三詩;《室續集》增訂本

633.壽幹卿詩翁八十

見《室續集》卷三詩;《室續集》增訂本

634.壽李任老八十

見《室續集》卷三詩;《室續集》增訂本

635.寄懷天白詩翁台中並謝惠詒詩詞集

見《室續集》卷三詩;《室續集》增訂本

636.(陳)一豫詩人惠詒《山近樓詩》賦酬

見《室續集》卷三詩;《室續集》增訂本

637.次韻奉和蘇文擢教授危巢詩一首

見《室續集》卷三詩;《室續集》增訂本

638.(潘)小磐詞長惠詒《餘庵詩續集》賦謝

見《室續集》卷三詩;《室續集》增訂本

639.(黎)晉偉詞長惠詒〈鷓鴣天〉詞百詠賦謝

見《室續集》卷三詩;《室續集》增訂本

640.試院作呈委員諸公並示李生志文

見《室續集》卷三詩；《室續集》增訂本

641.莫子雲漢呈近作五古一篇，慨然賦答

見《室續集》卷三詩；《室續集》增訂本；見本書頁199　188

642.種菜歌一首奉酬雪梨大鈍詩人

見《室續集》卷三詩；《室續集》增訂本

643.恭祖詞長自台北惠寄乙丑（1985）元旦古詩四章，敬賦五律奉酬

見《室續集》卷三詩；《室續集》增訂本

644.如柏學長惠贈大著《論語新釋》，獻詩奉酬

見《室續集》卷三詩；《室續集》增訂本

645.奉贈徐良安並柬定安五律兩首

見《室續集》卷三詩；《室續集》增訂本

646.阿芬與校隊旅行西貢，值雷雨有作

見《室續集》卷三詩；《室續集》增訂本

647.不匱室詩慨賦七律四首用師期韻

見《室續集》卷三詩；《室續集》增訂本

648.（涂）公遂所長寫示返台北內湖寓廬七律四首，次韻奉酬

見《室續集》卷三詩；《室續集》增訂本

649.和陶一首再答文擢教授

見《室續集》卷三詩；《室續集》增訂本

650.雲泉仙館主柬邀賞菊，設齋款客。余以事未赴約，賦句奉酬

見《室續集》卷三詩；《室續集》增訂本

651.能仁校監寶燈、永惺兩法師宴（羅）時憲講座教授招陪，適余有夜課未赴，賦句奉酬

見《室續集》卷三詩；《室續集》增訂本

652.次韻奉和任難庚午（1990）元旦七律一首

見《室續集》卷三詩；《室續集》增訂本

653.庚午（1990）春正月，阿圻初度切餅，賦句勗之

見《室續集》卷三詩；《室續集》增訂本

654.庚午（1990）二月阿棠生朝，賦詩一篇以示勉勵之意，並寄阿東倫敦

見《室續集》卷三詩；《室續集》增訂本

655.夜坐

見《室續集》卷三詩；《室續集》增訂本

656.（劉）翊偉詩翁七十七生日，賦句奉賀

見《室續集》卷三詩；《室續集》增訂本

657.次韻奉酬（陳）伯祺詩翁

見《室續集》卷三詩；《室續集》增訂本

658.大華酒會靜庵（傅子餘）袖示八三自壽詩，步韻奉賀

見《室續集》卷三詩；《室續集》增訂本

659.題蘇文擢教授編纂《梁譚玉櫻居士所藏書翰圖照影存》古風一首

見《室續集》卷三詩；《室續集》增訂本

660.題梁譚玉櫻女史《燕居叢談》五律一首

見《室續集》卷三詩；《室續集》增訂本

661.壽（徐）定安八十四

見《室續集》卷三詩；《室續集》增訂本

662.題《徐氏古今詩文選集》並柬定安美洲

見《室續集》卷三詩；《室續集》增訂本

663.紀念羅香林教授逝世十周年學術討論會中，賦詩六首

見《室續集》卷三詩；《室續集》增訂本

664.慰遯翁（何敬群）傷足

見《室續集》卷三詩；《室續集》增訂本；見頁200　189

665.次韻奉和翊偉閒居兩首

見《室續集》卷三詩；《室續集》增訂本

666.遣懷兩首

見《室續集》卷三詩;《室續集》增訂本

667.墨齋(勞天庇)寄示清流七律一首，次韻奉和，並柬璞翁(劉景堂)

見《室續集》卷三詩;《室續集》增訂本

668.珠海文史研究所故所長羅元一(香林)教授逝世十年，清明後一日，偕同學諸子謁墓

見《室續集》卷三詩;《室續集》增訂本

669.(劉)翊偉詞長約赴嘉禾酒家品茗有作

見《室續集》卷三詩;《室續集》增訂本

670.墨齋寫示九日不出，讀陶公九日閒居，得句七律，次韻奉和

見《室續集》卷三詩;《室續集》增訂本

671.慧蓮女史約赴六榕菜館素食率賦

見《室續集》卷三詩;《室續集》增訂本

672.翊偉詞長寄示寒流七律，午夜展讀，依韻奉和

見《室續集》卷三詩;《室續集》增訂本

673.贈麥子秀岐

見《室續集》卷三詩;《室續集》增訂本

674.贈孔東

見《室續集》卷三詩;《室續集》增訂本

675.仰山移居紐西蘭，賦詩贈別

見《室續集》卷三詩;《室續集》增訂本

676.妙法寺瞻禮

見《室續集》卷三詩;《室續集》增訂本

677.(朱)鴻林學棣新著《明儒學案點校釋誤》出版喜賦

見《室續集》卷三詩;《室續集》增訂本

678.題(朱鴻林)亮父詩卷

見《室續集》卷三詩;《室續集》增訂本

679.（劉）翊偉詞長約赴嘉禾酒家品茗有作

見《室續集》卷三詩；《室續集》增訂本

680.戲嵌詞牌名，用孤雁入羣格作長律一首，答（羅）慷烈教授

見《室續集》卷三詩；《室續集》增訂本

681.士選（吳俊升）先生九秩誌慶

見《室續集》卷三詩；《室續集》增訂本

682.贈馬桂綿

見《室續集》卷三詩；《室續集》增訂本

683.消費歌贈黃穗總幹事

見《室續集》卷三詩；《室續集》增訂本

684.次韻文擢兄答遯翁茶敘

見《室續集》增訂本；本書頁200　190

685.奉答遯翁見寄之作

見《室續集》增訂本；本書頁200　191

686.何敬群教授八十

見《室續集》增訂本；本書頁200　192

687.送李生念儀赴斯丹福大學攻讀翻譯科

見《崇基校刊》第53期　1972年12月　頁23-24；《綠水青山盡是詩》；《室續集》詩甲編；《室續集》卷二詩；《室續集》增訂本卷二；香港《嶺雅》第21期　1999年12月；本書頁190　158

688.贈鄒孟生

見香港《嶺雅》第21期　1995年12月；《室續集》增訂本卷二詩；本書頁201　195

689.隱青道侶招飲文園

見方寬烈編　《澳門當代詩詞紀事》　1996年3月　頁297-342；本書頁201　196

690.闗閘

見方寬烈編　《澳門當代詩詞紀事》　1996年3月　頁297-342；本書頁201　197

691.暮春遊氹仔四首錄二

見方寬烈編　《澳門當代詩詞紀事》　1996年3月　頁297-342；本書頁202　198

692.南薰詩社春集拈韻得壽字

見香港《嶺雅》第22期　1996年7月；《室續集》增訂本卷二詩；本書頁202　199

693.贈林子天蔚

見香港《嶺雅》第22期　1996年7月；《室續集》增訂本卷二詩；本書頁202　200

694.獨坐

見香港《嶺雅》第23期　1996年12月；《室續集》增訂本卷三詩；本書頁202　201

695.顧影

見香港《嶺雅》第23期　1996年12月；《室續集》增訂本卷三詩；本書頁203　202

696.寒夜

見香港《嶺雅》第23期　1996年12月；《室續集》增訂本卷三詩；本書頁203　203

697.陳魯慎、張佩常伉儷由加拿大經臺北來港，公宴於松竹樓，敬賦五律二首

見香港《嶺雅》第24期　1997年6月；見《室續集》增訂本卷二詩；本書頁203　204

698.次韻奉和健增先生惠示七言長句

見蔣英豪主編　《綠水青山盡是詩》；本書頁204　205

699.奉和（鍾）應梅尊兄，秋日登島上高峰之作

見《綠水青山盡是詩》；本書頁204　206

700.送童冠賢先生赴美

見《綠水青山盡是詩》；本書頁205　208

701.一九六六年聖誕節童老自美遠惠蛋糕

見《綠水青山盡是詩》；本書頁205　209

702.送（盧）寶堯兄赴美進修

見《綠水青山盡是詩》；本書頁205　210

703.雍雅山房餞別寶堯赴美

見《綠水青山盡是詩》；本書頁206　211

704.寄懷譚子煥廷加州五律兩首

見《綠水青山盡是詩》；本書頁206　214

705.九龍碼頭送別啟真道副校長回加拿大

見《綠水青山盡是詩》；本書頁207　215

706.送鄭生萼芊赴瑞士任職蘇黎世大學

見《綠水青山盡是詩》；本書頁207　216

707.乙卯（1975）初秋，容校長啟東榮休，為賦小詩八首誌念

見《綠水青山盡是詩》；本書頁207　217

708.讀曾昭森院長撰鍾惺可先生傳

見《綠水青山盡是詩》；本書頁208　218

709.曾昭森先生病逝美洲，聞耗，哭之以詩

見《綠水青山盡是詩》；本書頁208　219

710.癸卯（1963）重九，邂逅黃道章博士於九龍，云往香港掃墓。念予不獲展拜先塋者，於茲十四年矣！思之不禁泫然，為賦此篇

見《綠水青山盡是詩》；本書頁208　220

711.黃子君實任助教本院，喜贈

見《綠水青山盡是詩》；本書頁209　221

712.題朱慕蘭女棣畫集

見《綠水青山盡是詩》;《室集》頁168；見本書頁209　222

713.送霍生秀森赴美留學

見《綠水青山盡是詩》;《文訊》第6期　1964年4月；本書頁210　223

714.贈陳子炎生

見《崇基校刊》第37期　1965年1月　頁24-25；《集詩》戊編；《綠水青山盡是詩》；本書頁210　224

715.贈徐生（芷儀）

見《綠水青山盡是詩》；本書頁210　225

716.送鄧生可笑赴東京參加世界大學（生）運動會

見《崇基校刊》第44期　1968年6月　頁17；《綠水青山盡是詩》；《集詩》己編；本書頁210　226

717.至善亭

見《綠水青山盡是詩》；本書頁211　227

718.癸卯（1963）歲首，崇基同寅團拜，用滄翁韻

見《崇基校刊》第32期　1963年3月　頁12；《綠水青山盡是詩》；《集詩》戊編；《室集》　頁172；本書頁211　228

719.同人雅集沙田畫舫，餞別容校長（啟東）伉儷赴美

見《綠水青山盡是詩》；本書頁211　229

720.研究所同人，假座樂宮樓餞別曾副所長昭森赴美考察

見《綠水青山盡是詩》；本書頁212　230

721.陳榮捷博士由美抵港，崇基遠東學術研究所同人舉行公宴賦贈

見《綠水青山盡是詩》；本書頁212　231

722.雍雅山房宴集，為訪日團諸君子洗塵

見《綠水青山盡是詩》；本書頁212　232

723.贈招生祥麒

見招祥麒　《風蔚樓叢稿》　獲益出版事業公司　2003年6月　頁115；本書頁213　234

724.潮汕車中書所見

見何乃文、黃坤堯、洪肇平、劉衛林編　《香港名家近體詩選》　上冊　香港　香港中文大學出版社　2007年；《集詩》乙編；本書頁213　235

725.春寒燈暗，批改課卷，慨然賦此

見《四十周年紀念集》；鄧仕樑等編　《歲華——香港中文大學三十五年中國語言及文學系教師文藝作品集》　香港　香港中文大學中國語言及文學系　1998年12月　頁42-44；何乃文、黃坤堯、洪肇平、劉衛林編　《香港名家近體詩選》　上冊　香港　香港中文大學出版社　2007年；《集詩》丁編；《室集三編》懷冰室詩鈔　頁40；本書頁214　237

726.獨坐

見何乃文、黃坤堯、洪肇平、劉衛林編　《香港名家近體詩選》　上冊　香港　香港中文大學出版社　2007年；本書頁214　238

727.謁楊果庵先生墓

見陳寂、傅靜庵主編　《嶺雅》　廣州　廣東人民出版社　2013年12月；《集詩》丙編

728.石腳村

見陳寂、傅靜庵主編　《嶺雅》　廣州　廣東人民出版社　2013年12月；《集詩》丙編

729.贈姚淵如

見陳寂、傅靜庵主編　《嶺雅》　廣州　廣東人民出版社　2013年12月；見本書頁215　243

730.《學鈍室詩草》跋，1974年秋月

見李璜（1895-1991）　《學鈍室詩草選書百首》　香港　田風印刷廠　1975年12月　王世昭敬署本；本書頁193　244

（二）詞

1. 浣溪沙夏景：葉底桐花轉午陰
   見《懷冰室集詞》（以下簡稱《集詞》）甲編；《叢稿》
2. 浪淘沙感事：風雨打簾鈎
   見《叢稿》；本書頁161　050
3. 卜算子聽衛西琴博士奏琴：好曲幾回聞
   見《集詞》甲編；《叢稿》
4. 齊天樂越秀山懷古：此中邱壑真如畫
   見《叢稿》；本書頁161　051
5. 生查子閨怨：念細柳營前
   見《叢稿》；本書頁161　052
6. 柳梢青西村道中：疾走雷車
   見《集詞》甲編；《叢稿》
7. 西江月飲酒：花下一觴獨進
   見《集詞》甲編；《叢稿》
8. 點絳唇：飯煮胡麻
   見《叢稿》；本書頁161　053
9. 鷓鴣天：手自拈花面世尊
   見《叢稿》；本書頁162　054
10. 虞美人：驚鴻飛向瀟湘去
    見《叢稿》；本書頁162　055
11. 踏沙行：枕角留香
    見《叢稿》；本書頁162　056
12. 水龍吟陪克諧登粵秀山：天涯漂泊何之
    見《叢稿》；本書頁162　057

13. 憶江南：春睡起

見《叢稿》；本書頁162　058

14. 長相思

其一　數清宵

其二　思華年

見《叢稿》；本書頁163　059

15. 減字木蘭花城西古剎同劉君賓

其一　蕭梁古寺

其二　紅塵不到

其三　六榕那去

見《集詞》甲編；《叢稿》

16. 唐多令別意：烟霧鎖秦樓

見《叢稿》；本書頁163　060

17. 滿庭芳春思：園柳鳴禽

見《叢稿》；本書頁163　061

18. 齊天樂廢園代作：賞心應向園林裏

見《集詞》甲編；《叢稿》

19. 昭君怨本意：省識生涯是夢

見《叢稿》；本書頁163　062

20. 多麗五仙觀劉薛兩君偕遊：訪名城

見《集詞》甲編；《叢稿》

21. 滿江紅吊紹金：大樹飄零

見《叢稿》；本書頁164　063

22. 水調歌頭：海闊碧天靜

見《叢稿》；本書頁164　064

23. 桂枝香榆關懷古：金風鐵雨
見《集詞》甲編；《叢稿》
24. 沁園春：思發花前
見《集詞》甲編；《叢稿》
25. 堅社社課：1950年冬，念奴嬌懺菴（廖恩燾）丈招飲山樓賦呈，並柬同社諸子：蓬萊高會
見鄒穎文編　《番禺林碧城先生藏故舊翰墨選輯》（以下簡稱《選輯》）　香港　香港中文大學圖書館　2018年　頁38-51；《四十周年紀念集》；《集詞》乙編　頁218；《室集三編》詞鈔　頁102；本書頁164　066
26. 堅社社課：1951年春，一萼紅初春雅集山樓，鳳老（廖恩燾）拈此題命賦，次石帚韻：問晴陰
見《選輯》；《四十周年紀念集》；《崇基校刊》第19期　1959年4月　頁16-17；《集詞》乙編　頁220；《室集三編》詞鈔　頁106；本書頁165　067
27. 堅社社課：1951年春，風入松清明：槐烟新散入春城
見《選輯》；《四十周年紀念集》；鄧仕樑等編　《歲華——香港中文大學三十五年中國語言及文學系教師文藝作品集》　香港　香港中文大學中國語言及文學系　1998年12月　頁42-44；《集詞》乙編　頁221；《室集三編》詞鈔　頁107；本書頁165　068
28. 堅社社課：1951年冬，過秦樓石塘晚眺：水拖湘裙
見《選輯》；《四十周年紀念集》；方寬烈（1925-2013）編　《二十世紀香港詞鈔》　香港　香港文學研究社　2010年9月；林汝珩（1907-1959）著、魯曉鵬編注　《碧城樂府：林碧城詞集》（以下簡稱《碧城樂府》）　香港　香港大學出版社　2011年；《集詞》乙編　頁222；《室集三編》詞鈔　頁110；本書頁165　069
29. 堅社社課：1951年冬，酷相思：夏雪冬雷情不改
見《選輯》；《四十周年紀念集》；方寬烈（1925-2013）編　《二十世紀

香港詞鈔》　香港　香港文學研究社　2010年9月；《碧城樂府》；僑港潮汕文教聯誼會會刊第2期編撰委員會編印　《僑港潮汕文教聯誼會會刊》第2期　1966年9月；《集詞》乙編　頁221；《室集三編》詞鈔　頁108；本書頁166　070

30. 堅社社課：1951年冬，憶舊遊敬和伯端詞丈：伯端丈五十年前侍太夫人課讀花下，適有落瓣飄墜，拾置卷中，今檢舊帙，靚色轉淡黃。理如蟬翼，因賦此調，約社侶同作，余漫成一闋：迴藼庭日暖

見《崇基校刊》第13期　1957年12月　頁15；《選輯》；《四十周年紀念集》；《碧城樂府》；《集詞》乙編　頁222；《室集三編》詞鈔　頁109；本書頁166　071

31. 憶舊遊與元珍別二年矣！頃讀新詞，倚聲奉和：正東風凍雨

見《崇基校刊》第18期　1959年1月　頁17；《四十周年紀念集》；《集詞》乙編；《室集三編》詞鈔　頁103

32. 堅社社課：1952年初，渡江雲辛卯（1951）除夕花市：浮雲低巘崿

見《選輯》；《四十周年紀念集》；《集詞》乙編　頁221；《室集三編》詞鈔　頁109；《碧城樂府》；本書頁166　072

33. 堅社社課：1952年春，喜遷鶯春山看杜鵑：空山延佇

見《選輯》；《四十周年紀念集》；《集詞》乙編　頁222；《室集三編》詞鈔　頁110；《碧城樂府》；本書頁166　073

34. 堅社社課：1952年春，南浦春水：綠漲岸痕平

見《選輯》；《四十周年紀念集》；《集詞》乙編　頁223；《室集三編》詞鈔　頁111；《碧城樂府》；本書頁167　074

35. 堅社社課：1952年，西江月舞會：舞苑歌聲曼曼

見《選輯》；《室續集》詞　頁106；《碧城樂府》；本書頁167　075

36. 堅社社課：1952年春，滿庭芳聽艷娘（芳艷芬）度曲：檀板敲殘

見《選輯》；《四十周年紀念集》；黃坤堯〈燕芳詞冊〉《學海書樓八十

年》香港　香港學海書樓　2003年頁67；方寬烈（1925-2013）編《二十世紀香港詞鈔》　香港　香港文學研究社　2010年9月；本書頁000　000；林汝珩（1907-1959）著、魯曉鵬編注　《碧城樂府：林碧城詞集》　香港　香港大學出版社　2011年；《集詞》乙編頁225；《室集三編》詞鈔　頁114；本書頁167　076

37. 堅社社課：1953年春，碧牡丹咏紅棉：託體靈根在

    見《崇基校刊》第17期　1958年10月　頁7；《四十周年紀念集》；《集詞》乙編　頁224；《室集三編》　頁113；《選輯》；本書頁168　078

38. 堅社社課：1953年春，浪淘沙慢送春：倚欄處

    見《崇基校刊》第23期　1960年4月　頁11-12；《四十周年紀念集》；《集詞》乙編　頁225；《室集三編》詞鈔　頁113；《選輯》；林汝珩（1907-1959）著　魯曉鵬編注　《碧城樂府：林碧城詞集》　香港　香港大學出版社　2011年；本書頁168　079

39. 堅社社課：1953年，金縷曲次韻璞翁題艷娘詞冊：醉賞簪花格

    見《集詞》乙編　頁225；《選輯》；本書頁168　080

40. 堅社社課：1953年秋，鷓鴣天落葉：一曲哀蟬不忍聽

    見《四十周年紀念集》；《集詞》乙編　頁226；《室集三編》詞鈔　頁115；《選輯》；本書頁168　081

41. 浣溪紗：海角春深聽子規

    見《崇基校刊》第9期　1956年11月　頁10；《四十周年紀念集》；《集詞》乙編；《室集三編》詞鈔　頁119；僑港潮汕文教聯誼會會刊第1期編撰委員會編印　《僑港潮汕文教聯誼會會刊》第1期　1964年6月；本書頁169　083

42. 木蘭花咏蟬：庭陰槐影勤將護

    見《崇基校刊》第9期　1956年11月　頁10；《四十周年紀念集》；方寬烈（1925-2013）編　《二十世紀香港詞鈔》　香港　香港文學研究社

2010年9月；僑港潮汕文教聯誼會會刊第2期編撰委員會編印　《僑港潮汕文教聯誼會會刊》第2期　1966年9月；《集詞》乙編；《室集三編》詞鈔　頁119；本書頁169　084

43. 蝶戀花甲午（1954）春三月，鳳老（廖恩燾，1864-1954）病歿香江，越半月，余賦悼亡，匆匆已三年矣！適璞翁（劉伯端）寫示新作，感事懷人，泫然不知涕淚之何從也。遂繼聲焉：影樹亭空人不見

見《崇基校刊》第9期　1956年11月　頁10；《四十周年紀念集》；《集詞》乙編；《室集三編》詞鈔　頁119；本書頁169　085

44. 西江月和饒固庵韻：朝露花叢粉墜

見《崇基校刊》第9期　1956年11月　頁10；《四十周年紀念集》；方寬烈（1925-2013）編　《二十世紀香港詞鈔》　香港　香港文學研究社　2010年9月；僑港潮汕文教聯誼會會刊第2期編撰委員會編印　《僑港潮汕文教聯誼會會刊》第2期　1966年9月；《集詞》乙編；《室集三編》詞鈔　頁120；本書頁170　086

45. 小重山殘梅，和饒固庵韻：數朵嬌紅似戀春

見《崇基校刊》第9期　1956年11月　頁10；《四十周年紀念集》；方寬烈（1925-2013）編　《二十世紀香港詞鈔》　香港　香港文學研究社　2010年9月；《集詞》乙編；《室集三編》詞鈔　頁120；僑港潮汕文教聯誼會會刊第1期編撰委員會編印　《僑港潮汕文教聯誼會會刊》第1期　1964年6月；本書頁170　087

46. 沁園春幼椿先生寫示卅七年前養病青島勞山新詩一首，屬譜入樂府：門外青松

見《崇基校刊》第11期　1957年7月　頁8、頁12；《四十周年紀念集》；《集詞》乙編；《室集三編》詞鈔　頁121

47. 蝶戀花和饒固庵韻：玉葉瓊枝花結處

見《崇基校刊》第11期　1957年7月　頁8、頁12；《四十周年紀念集》；《集詞》乙編；《室集三編》詞鈔　頁120；本書頁171　090

48. 念奴嬌和伯端（劉景堂）丈遊赤柱峯感懷：登高懷遠

見《崇基校刊》第13期　1957年12月　頁15；《四十周年紀念集》；《室集三編》詞鈔　頁103

49. 蝶戀花：寶篆春銷庭院靜

見《崇基校刊》第14期　1958年2月　頁17；《四十周年紀念集》；《集詞》乙編；《室集三編》詞鈔　頁107

50. 念奴嬌次半塘韻望明陵：園陵聳目

見《崇基校刊》第14期　1958年2月　頁17；《四十周年紀念集》；《集詞》乙編；《室集三編》詞鈔　頁104

51. 浣溪紗（1953）春日，有懷璞翁：解凍風凝二月寒

見《崇基校刊》第17期　1958年10月　頁7；《四十周年紀念集》；劉景堂原著、黃坤堯編纂　《劉伯端滄海樓集》　香港　商務印書館　2001年3月；《集詞》乙編；《室集三編》詞鈔　頁112

52. 臨江仙：欲覓芳菲春畹晚

見《崇基校刊》第17期　1958年10月　頁7；《四十周年紀念集》；鄧仕樑等編　《歲華——香港中文大學三十五年中國語言及文學系教師文藝作品集》　香港　香港中文大學中國語言及文學系　1998年12月　頁42-44；《集詞》乙編；《室集三編》詞鈔　頁112

53. 蝶戀花題（方乃斌）《青山草廬詞稿》：鐵板銅琵歌曲子

見方乃斌（字啟東，1895-1991）編著　《葵廬文鈔》　香港　僑港潮汕文教聯誼會出版部　1959年；《四十周年紀念集》；《集詞》乙編；《室集三編》詞鈔　頁121

54. 水龍吟庚寅（1950）除夕，次蔣鹿潭韻，寄舍弟臺北：天涯共惜時光

見《崇基校刊》第18期　1959年1月　頁17；《四十周年紀念集》；《集詞》乙編；《室集三編》詞鈔　頁105

55. 浣溪沙：薄霧籠紗暖似春

見《崇基校刊》第19期　1959年4月　頁16-17；《四十周年紀念集》；《集詞》乙編；《室集三編》詞鈔　頁122（附有順德潘學增識語，從略）

56. 畫堂春題梅景丈山樓曉起圖：疏鐘清澈響迴廊

見《崇基校刊》第22期　1960年1月　頁10；《四十周年紀念集》；《集詞》乙編；《室集三編》詞鈔　頁101

57. 渡江雲除夕花市：樓臺低海岱

見《崇基校刊》第22期　1960年1月　頁10；《室集三編》　頁109

58. 齊天樂雨夜市樓小飲、（羅）慷烈袖示璞翁（劉伯端）新作，傷離吊往，不能已於懷，依韻奉和：淒迷零雨春容黯

見《崇基校刊》第22期　1960年1月　頁10；《四十周年紀念集》；《室集三編》詞鈔　頁107

59. 鷓鴣天悼翁秀民（青萍）：馬革屍還事豈殊

見《崇基校刊》第23期　1960年4月　頁11-12；《四十周年紀念集》；《集詞》乙編；《室集三編》詞鈔　頁112

60. 念奴嬌菩苑小飲：江山天助

見《崇基校刊》第24期　1960年7月　頁21；《四十周年紀念集》；《集詞》乙編；《室集三編》詞鈔　頁105

61. 蝶戀花己丑（1949）由廣州赴港：一夜西風凋碧樹

見《四十周年紀念集》；《集詞》乙編；《室集三編》詞鈔　頁100

62. 虞美人海天眺望和叔儔韻：西風漸緊關河冷

見《四十周年紀念集》；《集詞》乙編；《室集三編》詞鈔　頁100

63. 浣溪沙：一寸相思一寸灰

見《四十周年紀念集》；《集詞》乙編；《室集三編》詞鈔　頁101

64. 鷓鴣天：疏雨微雲冷畫圖

見《四十周年紀念集》；《集詞》乙編；《室集三編》詞鈔　頁101

65. 好事近春日書事：煙雨話江南

見《四十周年紀念集》;《集詞》乙編;《室集三編》詞鈔　頁102

66. 念奴嬌陪伯端丈游東蓮覺苑：蓮龕燈照

見《四十周年紀念集》;劉景堂原著、黃坤堯編纂　《劉伯端滄海樓集》　香港　商務印書館　2001年3月;《室續集》卷五;《室集三編》詞鈔　頁104

67. 六醜辛卯（1951）春日作：正陽春有腳

見《四十周年紀念集》;《集詞》乙編;《室集三編》詞鈔　頁106

68. 謝池春慢立夏用李端叔韻：鶯聆鶗鴃

見《四十周年紀念集》;《集詞》乙編;《室集三編》詞鈔　頁108

69. 畫堂春一飛兄以小影屬題，為賦此調：閒從綠野窺新堂

見《四十周年紀念集》;《集詞》乙編;《室集三編》詞鈔　頁111

70. 鷓鴣天和霜青韻：往事縈迴寸寸心

見《四十周年紀念集》;《集詞》乙編;《室集三編》詞鈔　頁111

71. 清平樂壽雷任蓀生日：天生耆耇

見《四十周年紀念集》;《集詞》乙編;《室集三編》詞鈔　頁113

72. 金縷曲次韻璞翁題艷孃詞冊：醉潑胸中墨

見《四十周年紀念集》;《集詞》乙編;《室集三編》詞鈔　頁114

73. 踏莎行前夕：雪藕調冰

見《四十周年紀念集》;《集詞》乙編;《室集三編》詞鈔　頁115

74. 踏莎行題芳園雅集圖：空谷幽蘭

見《四十周年紀念集》;《集詞》乙編;《室集三編》詞鈔　頁116

75. 鷓鴣天辛丑（1961）重陽：秋氣森森入戶涼

見《四十周年紀念集》;《室集三編》詞鈔　頁116

76. 鷓鴣天讀（林汝珩）《碧城樂府》：玉樹歌殘苦費思

見《四十周年紀念集》;《集詞》乙編;《室集三編》詞鈔　頁116

77. 鷓鴣天題一妹紅棉：樹號英雄本不多

見《四十周年紀念集》；《集詞》乙編；《室集三編》詞鈔　頁117

78. 鷓鴣天題雞雛覓食圖：繪事如詩竟起予

見《四十周年紀念集》；《集詞》乙編；《室集三編》詞鈔　頁117

79. 鷓鴣天題魚游春水圖：又是春江綠滿時

見《四十周年紀念集》；《集詞》乙編；《室集三編》詞鈔　頁117

80. 鷓鴣天題湖石牡丹圖：魏紫姚黃各擅名

見《四十周年紀念集》；《集詞》乙編；《室集三編》詞鈔　頁118

81. 鷓鴣天題劍蘭枇杷圖：海國名葩獨費尋

見《四十周年紀念集》；《集詞》乙編；《室集三編》詞鈔　頁118

82. 浣溪沙題冼玉芳紀念冊子：推手為琵卻作琶

見《崇基校刊》第35期　1964年4月　頁34；《四十周年紀念集》；《綠水青山盡是詩》；《人生》第326期　1964年6月1日　頁29；《集詞》乙編；《室集三編》詞鈔　頁118；本書頁177　104

83. 鷓鴣天用伯端丈韻，寄呈幼椿先生，並柬劉祖霞醫生

其一　玉宇瓊樓特地寒

見《崇基校刊》第34期　1963年12月　頁12；《室續集》

其二　目送長空萬里晴

見《崇基校刊》第34期　1963年12月　頁12；《室續集》

84. 減字木蘭花兩首丙午（1966）六月，敬軒師（吳康博士）由臺來港，詳定中文大學文科學位試卷，（鍾）應梅主任置酒沙田畫舫，即席填〈減蘭〉兩首，詞旨甚美。酒罷，濡筆敬和：其一、岩嶢畫舫　其二、侯芭誰是

見羅香林藏　《乙堂函牘》　香港　香港大學馮平山圖書館羅香林特藏；《懷冰室集詞》丙編；《綠水青山盡是詩》；《文訊》第10期　1967年4月　頁3；本書頁181　120

85. 蘭陵王和固庵（饒宗頤）江戶聽樂：富山直

見《崇基校刊》第41期　1966年12月　頁17；《室集》；《集詞》丙編

86. 淒涼犯和固庵秋塞吟：古松萬壑
見《崇基校刊》第41期　1966年12月　頁17；《集詞》丙編；本書頁183　126
87. 蘭陵王和慷烈賦梅花：峭崖直
見《崇基校刊》第41期　1966年12月　頁17；《室集》;《集詞》丙編
88. 一寸金和（羅）慷烈懷堅社之作：州棄珠崖
見《崇基校刊》第41期　1966年12月　頁17；《碧城樂府》;《集詞》丙編；本書頁183　127
89. 鵲橋仙丙午（1966）七夕：明河影淡
見《崇基校刊》第41期　1966年12月　頁17；《集詞》丙編
90. 望湘人丁未（1967）初夏，海角日戒。固庵以畫自適，摹寫夏禹《玉溪山清遠圖》八幅，一揮而就，恍若神遇。慷烈見而悅之，獲贈此卷。為賦〈望湘人〉一闋，來書告其事，倚聲奉和：信危峯赤靄
見《崇基校刊》第43期　1967年12月　頁20；香港大學《中文學會年刊》（饒宗頤題）　1966-1967年　頁54-55；《集詞》丙編；本書頁183　128
91. 齊天樂前年何子孟熊（朋）自日本京都來東，盛道山陰神社風物之美，宗炳臥游，印象彌深。丁未（1967）初夏夜坐，爰撮取其意，譜入此闋：湖山廟貌千秋壯
見《崇基校刊》第42期　1967年6月　頁31-33；《綠水青山盡是詩》；《集詞》丙編；本書頁185　133
92. 蝶戀花丙午（1966）中秋：望月凝思窮宇宙
見《崇基校刊》第42期　1967年6月　頁31-33；《集詞》丙編
93. 蝶戀花中秋登天台，望海濱放煙花：火箭騰空推直矢
見《崇基校刊》第42期　1967年6月　頁31-33；《集詞》丙編
94. 踏莎行送黃簡世講留學美洲：楓樹林邊
見《崇基校刊》第42期　1967年6月　頁31-33；《香港知用學社廿週年紀念特刊》　1967年10月；《集詞》丙編；本書頁187　142

95. 鷓鴣天丙午（1966）秋日登山訪友：筋力年來似弗如

見《崇基校刊》第42期　1967年6月　頁31-33；《香港知用學社廿週年紀念特刊》　1967年10月；《集詞》丙編；本書頁187　143

96. 慶春宮移居：煙艇籬東

見《崇基校刊》第44期　1968年6月　頁17；《室集》；《集詞》丙編

97. 浣溪沙休沐日，偕兒輩赴漆咸道花園小池放船：不藉風帆自在行

見《崇基校刊》第46期　1969年6月　頁10；《集詞》丙編

98. 減字木蘭花題陳公達博士〈萬里封侯圖冊〉：西陲邁往

見《崇基校刊》第46期　1969年6月　頁10；《集詞》丙編

99. 桂枝香（龍）宇純自寶島來書，盛道石門水庫遊覽之美，爰將詞意譜入此調：清遊聳目

見《崇基校刊》第46期　1969年6月　頁10；《綠水青山盡是詩》；《集詞》丙編；本書頁188　147

100.瑞鶴仙依樵隱體和忼烈，並柬藥園山居：北窗清睡足

見《崇基校刊》第46期　1969年6月　頁10；《室續集》詞

101.臺城路送（張）翼詒赴美：江郎偏恨工愁賦

見《崇基校刊》第46期　1969年6月　頁10；《集詞》丙編

102.鶯啼序香港大會堂餞別固庵赴星洲主講上庠：瓊筵夜來正啟

見《崇基校刊》第46期　1969年6月　頁10；《集詞》丙編

103.南鄉子城門水塘書所見：環翠眾山橫

見《崇基校刊》第47期　1969年12月　頁54；《集詞》丙編

104.南歌子週末偕阿南、阿圻，兒童遊樂場玩秋千：撲索凝香在

見《崇基校刊》第47期　1969年12月　頁54；《集詞》丙編

105.浣溪沙試院監考作：不待槐黃已赴闈

見《崇基校刊》第47期　1969年12月　頁54；《集詞》丙編

106.減蘭滿堂紅宴集，即席和藥園，並贈畢業諸君：金鞍玉勒

見《崇基校刊》第47期　1969年12月　頁54；《綠水青山盡是詩》；《集詞》丙編；本書頁213　233

107.鷓鴣天己酉（1969）端午：蒲綠榴紅勝事稠

見《崇基校刊》第47期　1969年12月　頁54；《集詞》丙編

108.宴清都紅梅閣公宴饒固庵教授：高閣陪華宴

見《崇基校刊》第47期　1969年12月　頁54；《集詞》丙編

109.紅林檎近柳存仁教授造訪，雍雅山房留飲，並柬藥園：檻外波光綠

見《崇基校刊》第47期　1969年12月　頁54；《綠水青山盡是詩》；《集詞》丙編；本書頁188　148

110.思佳客（即〈鷓鴣天〉）己酉（1969）歲晚，伉烈招飲樂宮，坐中錄示集杜新詞。庚戌（1970）初吉，讀蘇詩，爰集句奉和，並柬石禪（潘重規）、藥園（鍾應梅）：江上東風浪接天

見香港大學《中文學會年刊》　1968-1969年　頁24；《集詞》丙編；本書頁188　149

111.浣溪沙秋興六首和慷烈，並柬固庵

其一　惘惘情懷未易捐

其二　渺渺秋心卻付誰

其三　輸與夭桃紫陌妍

其四　燕市秋風憶舊遊

其五　目注黃花洒滿巵

其六　秋水澄鮮滌客心

見《崇基校刊》第50期　1971年6月　頁20；《集詞》丙編

112.思佳客庚戌（1970）元日：丹橘纍纍種滿盆

見《室集》；《集詞》丙編

113.崇基學院學生會會歌（王懷冰詞、黃友棣曲）：鞍山蒼蒼

見中大學生會編印　《中大學生歌集》　1972年；本書頁190　157

114.宴桃源辛亥（1971）迎月詞：走了廣寒嬋兔

見《崇基校刊》第54期　1973年6月　頁11-12；《室續集》詞；本書頁191　159

115.浣溪沙季謀詞丈惠贈新作，繼聲奉酬：燕語鶯啼喜共鳴

見《崇基校刊》第54期　1973年6月　頁11-12；《室續集》詞

116.蝶戀花：兩岸潮平人悅喜

見《室續集》增訂本；本書頁200　193

117.滿庭芳題（朱鴻林）《亮父詞稿》：喜誦新詞

見《室續集》增訂本；本書頁201　194

118.沁園春蘗園落成，賦呈應梅兄：針嶺橫馳

見《綠水青山盡是詩》；本書頁204　207

119.臺城路送（張）翼詒赴美：江郎偏恨工愁賦

見《綠水青山盡是詩》；本書頁206　212

120.減蘭滿堂紅宴集，即席和蘗園，並贈畢業諸君：金鞍玉勒

見《崇基校刊》第47期　1969年12月　頁54；《綠水青山盡是詩》；《集詞》丙編；本書頁213　233

121.鷓鴣天：叵耐封家十八姨

見方寬烈（1925-2013）編　《二十世紀香港詞鈔》　香港　香港文學研究社　2010年9月；《室續集》詞錄；本書頁214　239

122.浣溪沙秋興：燕市秋風憶舊遊

見方寬烈（1925-2013）編　《二十世紀香港詞鈔》　香港　香港文學研究社　2010年9月；本書頁214　240

123.好事近雙調　春日書事：煙雨話江南

見方寬烈（1925-2013）編　《二十世紀香港詞鈔》　香港　香港文學研究社　2010年9月；《室集三編》詞鈔；本書頁215　241

124.鷓鴣天讀《碧城樂府》：玉樹歌殘苦費思

見林汝珩（1907-1959）著、魯曉鵬編注　《碧城樂府：林碧城詞集》　香港　香港大學出版社　2011年；《室集三編》詞鈔；本書頁215　242

（三）文

1. 來今雨軒集序
   見《懷冰室集文》（以下簡稱《集文》）甲編；《叢稿》
2. 逵園夜宴序
   見《集文》甲編；《叢稿》
3. 柳柳州年譜補訂序
   見《集文》甲編；《叢稿》
4. 端蒙學校二十五週年紀念發刊辭
   見《集文》甲編；《叢稿》
5. 新嘉坡中華總商會籌賑特刊序
   見《集文》甲編；《叢稿》
6. 新嘉坡大世界國貨展覽會特刊序
   見《集文》甲編；《叢稿》
7. 唐克繩先生六十一壽序
   見《集文》甲編；《叢稿》
8. 譚曉雲先生八旬開一壽序
   見《集文》甲編；《叢稿》
9. 送姚萬邦君北歸序
   見《叢稿》
10. 顧亭林先生祠堂記
    見《集文》甲編；《叢稿》；鄧仕樑等編　《歲華——香港中文大學三十五年中國語言及文學系教師文藝作品集》　香港　香港中文大學中國語言及文學系　1998年12月　頁42-44
11. 嶺學祠記
    見《集文》甲編；《叢稿》

12. 譚琅玉哀詞

    見《集文》甲編；《叢稿》

13. 四箴有序：急箴、癡箴、怒箴、簡箴

    見《集文》甲編；《叢稿》

14. 遊頤和園賦

    見《叢稿》

15. 《文論》序二

    見鍾應梅著、麥健增署　《文論》　香港　金強印務公司印刷　1956年6月

16. 悼鍾魯齋博士

    見《崇基校刊》第10期　1957年3月　頁3-4、頁10

17. 送何約翰留學西德序（1957）

    見《崇基校刊》第12期　1957年9月　頁11；《懷冰文鈔》　收入香港知用學社編　《十周年特輯》　頁73-83；《集文》丙編

18. 送薛海天赴曼谷佈道序

    見《崇基校刊》第12期　1957年9月　頁11；《懷冰文鈔》　收入香港知用學社編　《十周年特輯》　頁73-83；《集文》丙編

19. （金師湘帆）重印澄宇齋詩存序

    見金湘帆（1878-1958）　《澄宇齋詩存》　1958年3月　鄒魯署本；《懷冰文鈔》　收入香港知用學社編　《十周年特輯》　頁73-83；《集文》丙編

20. （謝永年）《瀛海詩集》序（1958）

    見謝康（謝永年，1899-1994）　《瀛海集詩詞》　香港　南天書業　1958年11月；《懷冰文鈔》　收入香港知用學社編　《十周年特輯》　頁73-83；《集文》丙編

21. （謝永年）《瀛海詞集》序

    見謝康（永年，1899-1994）　《瀛海集詩詞》　香港　南天書業　1958

年11月；《懷冰文鈔》　收入香港知用學社編　《特輯》　頁73-83；《集文》丙編

22. 《葵廬文鈔》序（1958年12月）

見方乃斌（字啟東，1895-1991）編著　《葵廬文鈔》　僑港潮汕文教聯誼會出版部　1959年；《集文》丁編

23. 知用中學民三十年級畢業同學錄序（1941）

見《懷冰文鈔》　收入香港知用學社編　《香港知用學社十周年特輯》（以下簡稱《十周年特輯》）　九龍　大中國印刷廠　1959年1月　頁73-83；《集文》丙編

24. 羅孟韋教授父母六十雙壽序

見《懷冰文鈔》　收入香港知用學社編　《十周年特輯》頁73-83；《集文》丙編

25. 鄭良懷先生暨德配魏夫人八十雙壽序

見《懷冰文鈔》　收入香港知用學社編　《十周年特輯》頁73-83；《集文》丙編

26. 黃介軒先生碑

見《懷冰文鈔》　收入香港知用學社編　《十周年特輯》頁73-83；《集文》丙編

27. 黃樹烱君誄（1942）

見《懷冰文鈔》　收入香港知用學社編　《十周年特輯》頁73-83；《集文》丙編

28. 吳美齋先生墓誌銘（1949）

見《懷冰文鈔》　收入香港知用學社編　《十周年特輯》頁73-83；《集文》丙編；陳寂、傅靜庵主編　《嶺雅》　廣州　廣東人民出版社　2013年12月

29. 樂昌吳母譚太夫人墓誌銘（1949）

見《懷冰文鈔》　收入香港知用學社編　《十周年特輯》頁73-83；《集文》丙編；陳寂、傅靜庵主編　《嶺雅》　廣州　廣東人民出版社　2013年12月

30. 送張海亮君留學美洲序

見《懷冰文鈔》　收入香港知用學社編　《十周年特輯》頁73-83

31. 送余傳弢留學美洲序

見《懷冰文鈔》　收入香港知用學社編　《十周年特輯》頁73-83

32. 謝生燕祺哀辭

見《懷冰文鈔》　收入香港知用學社編　《十周年特輯》頁73-83；《集文》丙編

33. 田園記（1949）

見《懷冰文鈔》　收入香港知用學社編　《十周年特輯》頁73-83；《集文》丙編

34. 贈舒生潔雯序

見《懷冰文鈔》　收入香港知用學社編　《十周年特輯》頁73-83

35. 旅港民大通訊弁言（1955）

見《懷冰文鈔》　收入香港知用學社編　《十周年特輯》頁73-83

36. 送羅香林、饒宗頤兩教授赴巴黎出席漢學會議序

見《懷冰文鈔》　收入香港知用學社編　《十周年特輯》頁73-83；僑港潮汕文教聯誼會會刊第1期編撰委員會編印　《僑港潮汕文教聯誼會會刊》第1期　1964年6月；《集文》丙編

37. （鍾應梅）文論序（1956）

見《懷冰文鈔》　收入香港知用學社編　《十周年特輯》頁73-83；《集文》丙編

38. 馬來亞獨立頌代作（1957）

見《懷冰文鈔》　收入香港知用學社編　《十周年特輯》頁73-83；僑

港潮汕文教聯誼會會刊第1期編撰委員會編印　《僑港潮汕文教聯誼會會刊》第1期　1964年6月；《集文》丙編

39. 吳在民先生八十壽序（1957）

見《懷冰文鈔》　收入香港知用學社編　《十周年特輯》頁73-83；僑港潮汕文教聯誼會會刊第1期編撰委員會編印　《僑港潮汕文教聯誼會會刊》第1期　1964年6月；《集文》丙編

40. 劉百閔先生六十壽序（1957）

見《懷冰文鈔》　收入香港知用學社編　《十周年特輯》頁73-83；《集文》丙編

41. （鄭雲松）蕪園記（1949）

見《懷冰文鈔》　收入香港知用學社編　《十周年特輯》頁73-83；《集文》丙編

42. 廣東省立文理學院第十二屆畢業同學錄代作（1948）

見《懷冰文鈔》　收入香港知用學社編　《十周年特輯》頁73-83；

43. （林天蔚）《宋代香藥貿易史稿》序（1959年12月30日）

見曾一民編　《林天蔚（1924-2005）教授紀念文集》　臺北　文史哲出版社　2009年12月　頁428；《集文》丁編

44. 林德銘先生師生畫展弁言辛丑（1961）冬節後二日，王韶生拜撰於九龍寓廬

見《林德銘師生國畫聯展特刊》　（錢穆題）　香港　1962年2月

45. 丘鎮英《西洋哲學史》評介

見《人生》第283期　1962年8月16日　頁20

46. 譯歌德詩小序

見《崇基校刊》第31期　1962年10月　頁7；《室續集》譯詩　頁101

47. 〈師友教益錄〉三十一，王韶生老師：「接五月四日惠書。承寄《九江先生集》。已收閱。吾弟學有宗主，文筆淵雅，闡揚鄉邦文獻，誠有足多者。近何以自娛？頗有所述作否？1962年香港」

見關殊鈔（1918-2009）　《少石書室詩稿：二隨集續稿》　1994年　梁簡能題耑本

48. 《惠安曾氏一貫七葉詩集》題詞

見曾紀棠（1896-）　《惠安曾氏一貫七葉詩集》　1962年　綫裝

49. 豐順縣紀要

見僑港潮汕文教聯誼會會刊第1期編撰委員會編印　《僑港潮汕文教聯誼會會刊》第1期　1964年6月

50. 葵廬文鈔序

見僑港潮汕文教聯誼會會刊第1期編撰委員會編印　《僑港潮汕文教聯誼會會刊》第1期　1964年6月；《集文》丁編

51. 惠來方挺芳先生家傳

見僑港潮汕文教聯誼會會刊第1期編撰委員會編印　《僑港潮汕文教聯誼會會刊》第1期　1964年6月

52. 羅鴻詔教授誄

見僑港潮汕文教聯誼會會刊第1期編撰委員會編印　《僑港潮汕文教聯誼會會刊》第1期　1964年6月；《集文》丙編

53. 《乙堂文存》序

見羅香林　《乙堂文存》　香港　中國學社　1965年3月；《崇基校刊》第38期　1965年6月；《集文》丁編

54. 白沙門人考序（1964）

見《崇基校刊》第38期　1965年6月　頁20；《集文》丁編

55. 致羅香林書（1965年9月7日）

見馬楚堅編　《羅香林論學書札》　廣州　廣東人民出版社　2009年　頁507

56. 與劉百閔先生論易第一書

見《人生》第30卷第6期（354期）　1965年10月16日　頁42；《集文》丁編

57. 送童冠賢先生榮休序

見《崇基校刊》第39期　1965年12月　頁8-9；《集文》丁編

58. 贈傅元國序

見《崇基校刊》第39期　1965年12月　頁8-9；《集文》丁編

59. 與何子朋（孟熊）論學第一書

見《崇基校刊》第40期　1966年7月　頁25；《集文》丁編

60. 與何子朋（孟熊）論學第二書

見《崇基校刊》第40期　1966年7月　頁25；《集文》丁編

61. 與黃君實書

見《崇基校刊》第41期　1966年12月　頁17；《集文》戊編

62. 讀陶詩札記

《人生》第31卷第8期（368期）1966年12月16日　頁29

63. 陳瑞華女史傳

見《香港知用學社廿週年紀念特刊》　1967年10月；《集文》戊編

64. 吳笑生君家傳

見《香港知用學社廿週年紀念特刊》　1967年10月；《集文》戊編

65. 楊慧父先生家傳

見《香港知用學社廿週年紀念特刊》　1967年10月；《集文》戊編

66. 賀循道方永祥校長小啟

見《崇基校刊》第43期　1967年12月　頁20

67. （黃聲伯）老棋詞稿跋

見《崇基校刊》第44期　1968年6月　頁17；《集文》戊編

68. （馮霜青）翠瀾堂詞甲稿跋

見《崇基校刊》第44期　1968年6月　頁17；《集文》戊編

69. （陳恩良）陸機文學研究序

見《崇基校刊》第45期　1968年12月　頁17；《集文》戊編

70. 與陳梅谿論詩書

見《崇基校刊》第45期　1968年12月　頁17；《集文》戊編

71. 劉伯端先生遺著四種序（196？年）

見廣東崇正2015年秋季拍賣會

72. 歐豪年、朱慕蘭伉儷國畫展覽弁言

見《崇基校刊》第49期　1970年12月　頁10-11；《集文》戊編

73. （陳耀南）清代駢文通義序

見《崇基校刊》第49期　1970年12月　頁10-11；《集文》戊編

74. 《樂觀室存稿》序

見潘學增　《樂觀室存稿》　香港　友信印務　1971年6月　黃維琩署本；《紀念集》　1962年11月

75. 李我生《萬葉樓詩集》序辛亥（1971年）八月初吉

見李我生（1895-1971）　《萬葉樓詩集》　1971年　香港　香港中文大學圖書館特藏部藏　曾如柏題本；《室續集》增訂本卷一

76. 新嘉坡端蒙學生日記文選序

見《室集》；《集文》乙編；《室集三編》

77. 送薛衡之君留學日本序

見《室集》；《集文》乙編；《室集三編》

78. 丁母張太夫人六十一生日壽序

見《室集》；《集文》乙編；《室集三編》

79. 吳少蓬先生八十壽序

見《室集》；《集文》乙編；《室集三編》

80. 知用甲戌（1934）畢業同學錄序

見《室集》；《集文》乙編；《室集三編》

81. 經訓班結業序

見《室集》；《集文》乙編

82. 吊高奇峯文代作

見《室集》;《集文》乙編

83. 祭胡展堂先生文一代作、祭胡展堂先生文二代作

見《室集》;《集文》乙編

84. 醫師蔡君（卓文）墓誌銘

見《室集》;《集文》乙編

85. 文昌蔡夫人墓誌銘

見《室集》;《集文》乙編

86. 瓊山成君（弼文）墓誌銘

見《室集》;《集文》乙編

87. 黃母藍太夫人八秩開一壽言代作

見《室集》;《集文》乙編

88. （陳應燿）白沙先生遺蹟跋

見《室集》;《集文》丙編

89. 吳在民先生戊戌（1958）重遊泮水唱酬集弁言

見《室集》;《集文》丁編

90. （張斗衡）新文藝論序

見《室集》;《集文》丁編

91. （林旅芝）匈奴史序

見《室集》;《集文》丁編

92. （陳應耀）文章學序

見《室集》;《集文》丁編

93. 林德銘師生畫展弁言

見《室集》;《集文》丁編

94. 祭胡校長適之文

見《室集》;《集文》丁編

95. 王世昭先生家藏書畫碑帖展覽弁言
見《室集》;《集文》丁編
96. 何賜乾醫生哀辭
見《室集》;《集文》丁編
97. 與劉百閔先生論易第二書
見《室集》;《集文》丁編
98. 與羅香林教授書
見《室集》;《集文》丁編
99. 刁作謙先生七十晉九壽言
見《室集》;《集文》丁編
100.題莊一郫畫冊
見《室集》;《集文》丁編
101.送吳潤江上師赴美弘法序
見《室集》;《集文》丁編
102.與黃旌世講論學書
見《室集》;《集文》丁編
103.賀循道方永祥校長得港大碩士小啟
見《室集》;《集文》戊編
104.恭祝吳校長敬軒師七秩晉一榮慶通啟
見《室集》;《集文》戊編
105.賀林蓮仙女史得港大碩士學位小啟
見《室集》;《集文》戊編
106.賀何孟熊得中大碩士學位小啟
見《室集》;《集文》戊編
107.（黃聲伯）《老楳詞稿》跋
見《室集》;《集文》戊編

108.（馮霜青）《翠瀾堂詞甲稿》跋

見《室集》;《集文》戊編

109.陳母蔡太夫人八秩晉一壽言集序

見《室集》;《集文》戊編

110.閒居閣主傳

見《室集》;《集文》戊編

111.贈陳公達博士序

見《室集》;《集文》戊編

112.祭鄭茀庭大使文

見《室集》;《集文》戊編

113.林母吳太夫人八十壽序

見《室集》;《集文》戊編

114.王玉麟傳

見《室集》;《補修豐順縣志稿》附錄

115.丁國樑傳

見《室集》;《補修豐順縣志稿》附錄

116.丁國煌傳

見《室集》;《補修豐順縣志稿》附錄

117.丁敬辰傳

見《室集》;《補修豐順縣志稿》附錄

118.饒育鎮傳

見《室集》;《補修豐順縣志稿》附錄

119.陳祥光傳

見《室集》;《補修豐順縣志稿》附錄

120.陳晉祺傳

見《室集》;《補修豐順縣志稿》附錄

121.徐名鴻傳

見《室集》;《補修豐順縣志稿》附錄

122.劉世騏傳

見《室集》;《補修豐順縣志稿》附錄

123.吳震傳

見《室集》;《補修豐順縣志稿》附錄

124.徐興濱傳

見《室集》;《補修豐順縣志稿》附錄

125.萬葉樓詩集序

見《崇基校刊》第52期　1972年6月　頁22；《室續集》文甲編

126.（李孟晉）夢真軒詩稿序

見《崇基校刊》第53期　1972年12月　頁23-24；《室續集》文甲編；《室續集》增訂本卷一

127.《青萍詞》序

見《崇基校刊》第53期　1972年12月　頁23-24；莫秀馨　《青萍詞》　香港　香港志強書社　1973年10月　羅香林署耑本；《室續集》文甲編；《室續集》增訂本卷一

128.陳母蔡太夫人八秩晉一壽言集序

陳禮傳　《思源堂雜鈔》第一集　香港　正風教育出版社　1972年　張維翰題耑本

129.（何廣棪）《漢賦與楚文學之關係》序

見《崇基校刊》第55期　1973年12月　頁10；《室續集》文甲編；《室續集》增訂本卷一；何廣棪　《漢賦與楚文學之關係》　珠海書院中國文學歷史研究所學會叢刊之一　1973年6月；何廣棪　《何廣棪論學雜著續編（下）》新北　花木蘭文化事業公司　2018年12月　頁339-349

130.（鄒孟生）香港名探實錄卷首弁言

見《崇基校刊》第55期　1973年12月　頁10；《室續集》文甲編

131.倫理科學與民主（1974年5月23日）
　見劉哲暉編　《諸聖學術講座文萃》諸聖學術講座一百講紀念　香港　香港諸聖中學出版　1980年
132.（李孟晉）《夢真軒詩稿》序
　見《室續集》文甲編；李孟晉撰　《夢真軒詩稿》　香港　珠海中國文史研究所學會　1974年6月
133.（林蓮仙）《重訂楚辭韻譜序》
　見《崇基校刊》第56期　1974年6月　頁30；《室續集》文甲編；《室續集》增訂本卷一
134.（方啟東乃斌）《千家詞續編》序
　見《崇基校刊》第57期　1974年12月　頁9-10；見《室續集》文甲編；《室續集》增訂本卷一
135.（呂靜庵偉東）《靜庵詩選》序
　見《崇基校刊》第57期　1974年12月　頁9-10；見《室續集》文甲編；《室續集》增訂本卷一
136.怎樣作專題研究
　見珠海書院文史學會編印　《文史學報》第11期　1975年　頁17-19
137.《學鈍室詩草》跋（1974年秋月）
　見李璜（1895-1991）　《學鈍室詩草選書百首》　香港　田風印刷廠　1975年12月　王世昭敬署本；《室續集》文甲編；《室續集》增訂本卷一
138.《赤馬謠》題詞
　見翁一鶴（1911-1993）《赤馬謠》　臺北　文海出版社　1975年
139.《說劍堂集》序
　見潘飛聲（1858-1934）《說劍堂集》　香港　龍門書店　1977年頁1-3
140.《靜庵詩鈔》王序（1976年）
　見呂偉東（1905-？）《靜庵詩鈔》　1977年7月　李璜署耑本

141.王韶生致羅香林（1906-1978）書信六十四紙

見羅香林藏　《乙堂函牘》　香港　香港大學馮平山圖書館　羅香林特藏

142.孔子與詩教

見香港孔聖堂編　《孔道專刊》第2期　1978年

143.致陳伯祺書

見陳伯祺　《穎廬詩草》　1978年　黃維琩題本

144.國父的生平事蹟——在中山圖書館紀念國父一百十三年誕辰會上之講詞

見《珠海文史研究所學會會訊》第2期　1979年1月　頁1-2

145.十週年紀念獻詞

見《珠海文史研究所學會會訊：十週年專刊》　1979年10月　頁1；《室續集》文甲編；《室續集》增訂本卷一

146.悼念羅故所長羅香林教授

見余偉雄、何廣棪編　《羅香林教授紀念集》（顧問：王韶生教授）香港　1979年8月

147.中國古典文學二十年來在香港之發展：在「香港中國筆會」二十周年紀念文藝座談會講述

見香港中國筆會文選委員會編　《二十年來的中國文學》　香港中國筆會　東南印務出版社　1979年10月　李秋生題耑本

148.珠海文史研究所畢業論文提要第一集序黃季陸題

見余偉雄主編　《珠海文史研究所畢業論文提要第一集》　香港　珠海書院中國文學歷史研究所　1980年8月；《室續集》文甲編；《室續集》增訂本卷一

149.《懷冰室文學論集》自序

見《懷冰室文學論集》；《室續集》文丙編

150.《懷冰室經學論集》自序

見王韶生　《懷冰室經學論集》　香港　志文出版社　1981年10月；《室續集》文丙編

151.《翼雲詩詞集》跋（1982年2月）

見王弼卿　《翼雲詩詞集》　香港　了閒道社　1982年　涂公遂敬署本

152.《甬齋叢談》《懷冰隨筆》合刊序　1981年

見王韶生　《懷冰隨筆》　臺北　文鏡文化　1982年10月

153.《靜庵詩詞續集》序（王韶生評語：「靜庵詩五七言古體及近體皆備。而以五古七古及七律最工。」）

見呂偉東　《靜庵詩詞續集》　1983年10月　李璜署本；《室續集》文編；《室續集》增訂本卷一

154.《當代人物評述》自序（1982年12月）

見王韶生　《當代人物評述》　臺北　文鏡文化　1985年6月；《室續集》文丙編

155.《懷冰室續集》後序（1983）

見《室續集》

156.香港中文大學成立獻詞代容校長作

見《室續集》文甲編

157.國父銅像贊並序代作

見《室續集》文甲編

158.《東華三院百年史略》序代作

見《室續集》文甲編

159.邢協中博士傳

見《室續集》文甲編

160.（何廣棪）《李清照研究》序

見《室續集》文甲編

161.廣東文徵跋

見《室續集》文甲編

162.蔡孑民先生墓表

見《室續集》文甲編

163.（梅翼樞）梅著朱九江學術思想之研究序

見《室續集》文甲編

164.（吳洪亢）吳著分期文學史序

見《室續集》文乙編

165.（羅桂成）《唐宋陰陽五行論集》序

見《室續集》文乙編

166.題何夫人陳明琛女史畫冊

見《室續集》文乙編

167.龍君放之師生書畫展覽序

見《室續集》文乙編

168.了閒新壇記

見《室續集》文乙編

169.李家璧孝廉傳

見《室續集》文乙編

170.王弼卿（翼雲）教授傳

見《室續集》文乙編

171.周醒南（煜卿）先生傳

見《室續集》文乙編

172.李世華監督傳

見《室續集》文乙編

173.林翼中先生八十壽序代作

見《室續集》文乙編

174.徐夢巖先生百年紀念獻詞

見《室續集》文乙編

175.（馬翰如）馬著易元會通序
見《室續集》文乙編
176.樂善堂陳祖澤學校碑記代作
見《室續集》文乙編
177.梁黃蕙芳太君象贊代作
見《室續集》文乙編
178.樂善堂梁黃蕙芳紀念學校碑記代作
見《室續集》文乙編
179.樂善堂朱定昌頤養院碑記代作
見《室續集》文乙編
180.（林蓮僊）蘘浦文集序
見《室續集》文丙編
181.薔色園九龍壁記
見《室續集》文丙編
182.送吳士選（俊升）先生赴美序
見《室續集》文丙編
183.香港崇正總會陳金枝會長八秩晉一祝詞
見《室續集》文丙編
184.何愛蓮女史畫展序
見《室續集》文丙編
185.（馬文驥）岫雲盧詩稿序
見《室續集》文丙編
186.黃尊生教授述懷詩評述
見香港《嶺雅》第3期　1984年
187.《黎心齋草書聯摘》序
見黎廷桀心齋（1901-1988）　《黎心齋草書聯摘》　1985年　自署題耑本

188.《香江遊草》序（1985年10月）

見黃克剛　《香江遊草》　1986年1月　谷正綱題本

189.致潘小磐書（1986）

見《順德潘小磐先生藏故舊翰墨選輯》頁3

190.信札兩封　水墨紙本（1986年9月）

見陳萬雄、鄧偉雄編撰　《承前啟後：近代旅港學人墨跡》　香港　饒宗頤文化館　2013年6月　頁24

191.《靜庵樂餘詩稿》序

呂偉東　《靜庵樂餘詩稿》（餘菴題耑）　1987年12月

192.黃達道先生八十晉五壽序代作

見《室續集》卷一文；《室續集》增訂本

193.梵音雜誌序

見《室續集》卷一文；《室續集》增訂本

194.（韋金滿）韋著周邦彥詞研究序

見《室續集》卷一文；《室續集》增訂本

195.黃作牧師榮休頌

見《室續集》卷一文；《室續集》增訂本

196.珠海新聞系系慶祝詞

見《室續集》卷一文；《室續集》增訂本

197.祭瀾洲張先生文

見《室續集》卷一文；《室續集》增訂本

198.祭王鐵髯文

見《室續集》卷一文；《室續集》增訂本

199.祭陳錫餘教授文

見《室續集》卷一文；《室續集》增訂本

200.祭涂公遂先生文

見《室續集》卷一文；《室續集》增訂本

201.（鄺國強）全真教北宗研究序
見《室續集》卷一文；《室續集》增訂本
202.新嘉坡端蒙學生日記文選序
見《室集三編》懷冰室文鈔
203.知用甲戌畢業同學錄序
見《室集三編》懷冰室文鈔
204.吳少蓬先生八十壽序
見《室集三編》懷冰室文鈔
205.丁母張太夫人六十一生日壽序
見《室集三編》懷冰室文鈔
206.送薛衡之君留學日本序
見《室集三編》懷冰室文鈔
207.（吳伯華）獨樂軒詩詞稿序
見《室集三編》懷冰室文鈔
208.送勷勤大學附中畢業同學序
見《室集三編》懷冰室文鈔
209.知用畢業同學錄序
見《室集三編》懷冰室文鈔
210.吳生（毓森）字說
見《室集三編》懷冰室文鈔
211.弔高奇峰文
見《室集三編》懷冰室文鈔
212.祭胡展堂先生文一
見《室集三編》懷冰室文鈔
213.祭胡展堂先生文二
見《室集三編》懷冰室文鈔

214.祭邱琦君文

見《室集三編》懷冰室文鈔

215.醫師蔡君（卓文）墓志銘

見《室集三編》懷冰室文鈔

216.文昌蔡夫人墓志銘

見《室集三編》懷冰室文鈔

217.成君（弼文）墓誌銘

見《室集三編》懷冰室文鈔

218.姚母劉太夫人七旬開一壽言

見《室集三編》懷冰室文鈔

219.黃母藍太夫人八秩開一壽言

見《室集三編》懷冰室文鈔

220.《燃藜集》序

見馬桂綿（1947-）　《燃藜集》　2002年　香港　香港中文大學圖書館香港文學特藏；《室續集》卷一文；《室續集》增訂本卷一

221.（潘兆賢）《采薇廔吟草》題詞

見潘兆賢　《采薇廔吟草》　香港　科華圖書公司　2005年3月　頁92

222.《楚江集》序

見黃希聲（1892-1981）　《楚江集》　張隆延題籤本；鄒穎文編《香港古典詩文集經眼錄》　香港　中華書局　2011年2月；《室續集》文乙編；《室續集》增訂本卷一

223.《鑪峰雜詠》序

見劉翊偉（1913-？）　《鑪峰雜詠》；鄒穎文編　《香港古典詩文集經眼錄》　香港　中華書局　2011年2月

224.吳美齋先生墓誌銘

見陳寂、傅靜庵主編　《嶺雅》　廣州　廣東人民出版社　2013年12月

225.輓蘇熊瑞：熊瑞學長千古

論生平如端木子貢之賢　貨殖儒林為子傳

悵親故有山陽范式之痛　素車白馬哭君來

同學 弟王韶生拜輓

見知用學社編印　《蘇熊瑞先生逝世週年紀念集》（羅香林敬署）　1975年8月

226.悼梁隱盦輓聯

鳳嶺才名　由佛入儒　壽僅古稀傷怛化

加山講貫　鎔經鑄史　詩題歸夢待成編

見《梁隱盦先生（1911-1980）哀思錄》（蘇文擢題）　1982年

三　論文類

1. 唐宋詩體述略

   見《廣東國民大學文風學報》　1949年5月；《懷冰室文學論集》

2. 陳白沙先生之理學與詩學

   見陳應燿編　《白沙先生紀念集》　香港　陳氏耕讀堂　1952年9月；《懷冰室經學論集》

3. 春秋左氏學與公羊學

   《廣僑學報》第1輯　1956年；《懷冰室經學論集》

4. 書評：（一）羅香林教授著《百越源流與文化》

   見《廣僑學報》第1輯　1956年

5. 書評：（二）羅香林教授著《唐代文化史》

   見《廣僑學報》第1輯　1956年

6. 書評：（三）饒宗頤教授著《楚辭書錄》

   見《廣僑學報》第1輯　1956年

7. 書評：（四）饒宗頤教授著《老子想爾注校箋》
   見《廣僑學報》第1輯　1956年
8. 書評：（五）鍾應梅教授著《文論》
   見《廣僑學報》第1輯　1956年
9. 大戴禮興廢考
   見崇基學院中國語文學會編　《華國》創刊號　1957年7月；《懷冰室經學論集》
10. 中國語文輸入越南考
    見《崇基校刊》第13期　1957年12月
11. 鄭和與回教關係考
    見《崇基校刊》第14期　1958年2月
12. 彊村論詞
    見《崇基校刊》第16期　1958年7月；《懷冰室文學論集》
13. 經之齊魯學
    見崇基學院中文系　《華國》第2期　1958年9月；《懷冰室經學論集》
14. 白沙學述——為陳白沙先生五百三十周年紀念而作
    見《崇基校刊》第18期　1959年1月；《懷冰室經學論集》
15. 中國文化問題的探討
    見《廣州大學學報》陳博士炳權環曆紀念專號　1959年3月
16. 王維詩研究
    見《文學世界》第25期　國際筆會香港中國筆會　1960年3月；《懷冰室文學論集》
17. 中世紀的歐洲文學思潮——從黑暗時代到文藝復興
    見《香港知用學社成立二周年紀念特刊》　1960年；《懷冰室文學論集》
18. 論詩序
    見崇基學院中文系　《華國》第3期　1960年6月；《懷冰室經學論集》

19. 論小說作法
見《崇基校刊》第24期　1960年7月
20. 漢學與宋學之對立與調和
見《崇基校刊》第27期　1961年7月；《懷冰室經學論集》
21. 論皮錫瑞之經學
見《崇基學報》第1卷第1期　1961年7月；《懷冰室經學論集》
22. 論陳蘭甫先生之經學
見《崇基學報》第2卷第1期　1962年11月；《懷冰室經學論集》
23. 宋詞流變論
見《文學世界》第6卷第4期　第36期　國際筆會香港中國筆會　1962年12月；《懷冰室文學論集》
24. 潘岳文補箋
見《華國》第4期　1963年
25. 何晏與魏晉學術的關係
見《崇基學報》第3卷第1期　1963年11月；《懷冰室經學論集》
26. 讀湛甘泉詩教解並申論白沙學說
見《白沙學刊》第3期　1963年12月；《懷冰室經學論集》
27. 讀《孟子》札記
見《崇基校刊》第35期　1964年4月；《懷冰室經學論集》
28. 紀香港兩大詞人：廖鳳舒、劉伯端
見《崇基學報》第3卷第2期　1964年5月；《懷冰室文學論集》
29. 荊州學派與三國學術之關係
見《崇基學報》第4卷第1期　1964年11月；《懷冰室經學論集》
30. 黃晦聞先生之詩學
見《崇基學報》第4卷第2期　1965年5月；《懷冰室文學論集》
31. 朱彊村〈望江南詞〉箋識
見《崇基學報》第5卷第1期　1965年11月；《懷冰室文學論集》

32. 元遺山《論詩三十首》箋釋

見《崇基學報》第5卷第2期　1966年5月；《懷冰室文學論集》

33. 讀陶詩札記

見《崇基校刊》第40期　1966年7月；《人生》31卷8期　1966年12月16日；《懷冰室文學論集》

34. 唐代散文

見《崇基校刊》第41期　1966年12月；《懷冰室文學論集》

35. 論《桐花閣詞》

見《崇基校刊》第42期　1967年6月；《懷冰室文學論集》

36. 高閬仙先生與古典文學（上）

見《崇基學報》第7卷第1期　1967年11月；《懷冰室文學論集》

37. 高閬仙先生與古典文學（下）

見《崇基學報》第7卷第2期　1968年5月；《懷冰室文學論集》

38. 《論語》中涉及《易經》部分之考索

見《崇基校刊》第44期　1968年6月

39. 王國維文學批評著述疏論

見《崇基學報》第8卷第1期　1968年11月；《懷冰室文學論集》

40. 論王靜安之文學

見《崇基校刊》第45期　1968年12月；《懷冰室文學論集》

41. 韓柳文之比較

見《新亞書院中國文學系年刊》第6期　1969年1月；《懷冰室文學論集》

42. 中國詩詞在香港之發展

見《崇基校刊》第46期　1969年6月；《懷冰室文學論集》

43. 論杜甫咏物詩

見《崇基校刊》第47期　1969年11月；《懷冰室文學論集》

44. 論寒山詩
見《崇基校刊》第48期　1970年5月；《懷冰室文學論集》
45. 《文心雕龍》對於中國文論的影響
見《崇基校刊》第49期　1970年12月；《懷冰室文學論集》
46. 禮與中國文化之關係
見《崇基校刊》第50期　1971年2月；《懷冰室經學論集》
47. 書評：水原子瑞《琴窗詞稿》
《珠海學報》第5期　1972年1月；《懷冰室文學論集》
48. 姚鼐文學批評論述評
見《新亞書院中國文學系年刊》第9期　1972年1月；《懷冰室文學論集》
49. 丘倉海（逢甲）先生詩之研究
見《珠海學報》第6期　1973年1月；《懷冰室文學論集》
50. 宋芷灣先生詩之研究
見《珠海學報》第7期　1974年1月；《懷冰室文學論集》
51. 讀說劍堂集
見潘飛聲　《說劍堂集》　香港　龍門書店　1977年6月
52. 宋代理學及其影響
見珠海文史學會　《文史學報》第15期　1981年2月　頁19-22
53. 廣東詞人與香港之因緣
見《壽羅香林教授論文集》　香港　萬有圖書公司　1970年；《懷冰室文學論集》
54. 七十年來香港之中國文學〉
見《珠海學報》第12期　1981年8月
55. 讀湛甘泉詩教解並申論白沙學說
見《白沙學刊》第3期　1963年12月；《懷冰室經學論集》

56. 黃尊生教授述懷詩評述
    見《嶺雅》第3期　1984年
57. 洪範釋義
    見《珠海學報》第14期　1985年5月

四　王韶生研究類

（一）詩

1. 李滄萍（1897-1949）〈贈王韶生詩〉
   弟兄交好廿年前，在昔相期事簡編。
   世業未緣情易復，身謀不計意能平。
   寒花寂寞秋當放，孤月遲迴夜始妍。
   定有澗松拔天壁，塞門願你謝時緣。
   見王韶生　《懷冰室集》　懷冰室編輯委員會　1971年

2. 莫儉溥〈和王韶生詩〉
   飲河鼴鼠倍懷源，學海無涯敢自尊。
   欲反三隅資孔聖，偶然一得媿劉蕡。
   民生畢竟知何似，國事如斯未忍言。
   效力有心同寸草，誰從幽澗拔溪蓀。
   見王韶生　《懷冰室集》　懷冰室編輯委員會　1971年

3. 鍾應梅（1906-1985）〈秋日陪（伍）叔儻先生登島上高峰賦呈，並簡同游邵（鏡人）、王（韶生）、楊（睿聰）諸公〉
   其一
   不作蓬萊客，天南喜再逢。仙槎來紫氣，采筆健猶龍。
   一髮雲間路，三秋海上峯。卅年彈指過，此日興無窮。

其二

勝侶王楊輩，同遊樂素心。天風鳴萬籟，雲影落層陰。

趣共清言發，涼添海氣侵。河山真錦繡，懷土動吾吟。

見《崇基校刊》第13期　1957年12月13日

4. 李我生（？-1971）〈次韻王韶生見寄〉

數載參商感孤陋，彩雲飛渡入蓬廬。

騰驤自是空群選，驅使猶能醉詠無。

暫到華胥惟短夢，久安橫舍亦良圖。

隆汙吾道關時運，儒術由來被笑迂。

見李我生　《萬葉樓詩集》　1971年　曾如柏題本

5. 李我生〈韶生數惠和章奉酬絕句〉

敢稱好德願康寧，吉語傳來春滿庭。

叔夜疎狂人共笑，眼看惟有阮公青。

見李我生　《萬葉樓詩集》　1971年　曾如柏題本

6. 潘學增（1899-1992）《浮生回味錄》贈友詩〈贈王韶生〉

少年羣籍究，燕粵得名師。文史詩詞就，風騷典雅宜。

方圓均可備，沈實不須奇。桃李繁榮日，上庠告退時。

見香港知用學社編印　《知用學社五十周年紀念集》　1972年11月

7. 潘小磐（1914-2001）〈春盡前一日，淡翁招過海隱樓，同筱雲、子健兩丈，及少漢、訥夫、幹卿、少帆、韶生〉

不妨高齋已五年，此來還復附羣賢。

一園花木遲春日，四壁圖書擁老仙。

起曳簾波將海入，坐驚雲氣挾山遷。
羡公別會逃虛意，鶴氅焚香似蜕蟬。
見潘小磐　《餘菴詩草》　1974年甲寅冬　小磐自署本

8. 余璞慶〈乙卯（1975）春集珠城，文擢、幹卿、遯翁、靜菴、墨齋諸老未預，即呈公遂、韶生、伯祺、乃文、靜寰諸公〉
香風帶暖拂衣襟，春集珠樓大雅吟。
一座清樽宜共醉，幾人玉步未曾臨。
風流靜默傳詩案，倜儻蘇陳設帳心。
遯老書來稱目疾，何時佳景與同尋。
見余璞慶　《未肥樓吟草》　新中國柯式廠　1995年　增訂版　頁76

9. 呂偉東（1905-）〈酧王韶生見贈〉疊東坡壽子由韻
鸞牋展誦滿室芬，益以佳章更香薰。
所喜蘭桂有同羣，盥手摳衣瞻卿雲。
慨從山澤烈烈焚，逐客勞生起皺紋。
眼中世局早評分，聊撐窮骨待氤氳。
羣中挺拔應推君，爛熟經書與典墳。
州人共道最能文，大氣磅礴驚飢蚊。
淮南雞犬何足云，言詩敢對杜司勳。
憶昔投筆能從軍，橫戈擊賊竭忠勤。
淺酌低斟酒半醺，荷耒欲將嘉蔬耘。
吾愛國家亦愛枌，怎堪狐鼠亂紛紛。
為喚火師聚木焄，雷動南山天下聞。
見呂偉東　《靜庵詩鈔》　1977年7月　李璜署耑本

10. 呂偉東〈贈豐順王大韶生〉

鳳鳥高巢第一枝，自來自去意遲遲。

經書滿腹生華氣，桃李盈門發異姿。

宜有楷模為士範，即言儒雅亦吾師。

嶺南代有詞章客，管領風騷樹鼓旗。

見呂偉東　《靜庵詩鈔》　1977年7月　李璜署耑本

11. 何敬群（1903-1994）〈韶生以感春索和，即次其韻，時一九八一年三月〉

春光駘蕩招留眼，春氣氤氳待寫心。

權當武陵遊且釣，慣經滄海淺還深。

忘機世外閒消領，把酒花前細酌斟。

我自放懷風日好，任地鳩鵲鬧陰晴。

見何敬群　《遯翁詩詞曲集》　香港　志文出版社　1983年8月　頁75、頁78

12. 何敬群〈讀《懷冰室經學文學論集》〉

超超元箸五雲騰，文苑經畬論可徵。

瑜瑾在懷冰在抱，廢衰能起道能凝。

嶺南學術張流派，海外儒林有準繩。

貽我案頭添氣象，夜深光照作明燈。

見何敬群　《遯翁詩詞曲集》　香港　志文出版社　1983年8月　頁75、頁78

13. 涂公遂（1905-1991）〈次韻懷冰感懷〉辛酉（1981）

早知文字非祥物，頗悔墳丘苦用心。

避地傳經安淡泊，養生問道諱玄深。

臨川勁節成孤往，彭澤高懷合獨斟。
蒿目千秋嗤凡輩，風流畢竟仰山陰。
見涂公遂　《浮海集》　珠海書院文史學會　1981年9月

14. 涂公遂〈再次前韻〉
填膺建武中興願，壓夢蘭成暮齒心。
古道幽懷欣共往，暴行邪說感同深。
安身且復忘榮辱，把酒何妨自酌斟。
放眼天涯春色老，書城偃仰任晴陰。
見涂公遂　《浮海集》　珠海書院文史學會　1981年9月

15. 涂公遂〈南薰詩社中秋前一夕，雅集未赴，再次前韻，呈懷冰、少颿及諸友好〉
疏懶平生拙送迎，不除庭草宗大程。
焚香繞繚消金獸，望月玲瓏透玉晶。
憂樂毋違他日願，窮通有賴自知明。
老來一事溫懷抱，水淡蘭薰識友情。
見涂公遂　《浮海集》　珠海書院文史學會　1981年9月

16. 梁簡能〈九月初六，李我生詩人追思會歸來後作，分寄黃文山、曾如柏、莫培遠、黎子俊、林伯雅、溫心園、王韶生、洪濤飛、區季子、王淑陶、余少颿、陳幹卿、區少幹、陳湛銓、王季友、吳天任與會諸君子，用蒹葭體。〉
遺象高懸仰淑清，遺編絕筆附微名。
登壇感愴猶歌輓，去國艱難且息生。
落照沉山雲亦倦，百蟲叫月夜無明。

歸來尚有流餘淚，盡向新磨古墨傾。

見梁簡能（1907-1991）《簡齋詩草》 1983年 馮康侯署本

17. 蘇文擢〈懷冰詞老屬和感春七律，次韻呈正〉

近聞上酒饒詩興，便覺逢春長道心。

柳綠風前初景革，花開陌上客年深。

書城坐擁微茫意，茗席相招次第斟。

物態得時人自寂，起看天際是清陰。

辛酉（1981）二月十三日 文擢初稿

見蘇文擢 《邃加室詩文續稿》 1984年9月甲子初秋 龍磵居士署本

18. 蘇文擢〈懷冰詩翁賜和，偶書七律，並以扶樹教道共勉，仍用韻奉答〉

誰言糟粕與殘骸，萬古羣經聖道偕。

觀世早忘蕉下鹿，吠天長厭井中蛙。

偶然放眼無窮地，陡覺吾生詎有涯。

一片冰心寧觸熱，好音時喜與君諧。

辛酉（1981）臘月十一日 文擢

見蘇文擢 《邃加室詩文續稿》 1984年9月甲子初秋 龍磵居士署本

19. 蘇文擢〈亦用偶書韻奉酬懷冰詞翁見和〉

嵯峨詩筆卓筋骸，淑世心期道力偕。

終古羣鴟工嚇鳳，清才繡虎與潛蛙。

毫芒自識文章貴，涵泳同歸聖哲涯。

坐接秋霜眉髮古，醇醪苦茗助談諧。

辛酉（1981）祀竈日　文擢

見蘇文擢　《邃加室詩文續稿》　1984年9月甲子初秋　龍磵居士署本

20. 蘇文擢〈懷冰翁賜和甲子（1984）迎年五首，即次所示。癸亥（1983）歲暮懷，答墨齋四律韻奉寄〉

其一

簫咽東南氣，詩情上下絃。徂年如電幻，
去路有冰淵。玄豹山前霧，醯雞甕裏天。
九衢燈市鬧，欻報歲時遷。

其二

抱獨德鄰在，孰云吾道非。黃唐嗟莫逮，
洙泗寐交揮。跂彼靈光老，由來髦士歸。
更聞通道力，高詠得忘機。

其三

久作逃秦客，相看白首民。迎年無好語，
含意待誰申。眾蟄紛潛駭，凡紅競占春。
世情方海沸，吾輩苦藏身。歲末移家荃灣三十一樓

其四

豈為廛居好，臨高憫世頑。用於無用地，
材與不材間。塵跡虛勞止，齋心望了閒。韶翁道壇名了閒堂
知君空劫壞，何事問丹還。韶翁去歲兩施手術

甲子（1984）元宵　文擢

見蘇文擢　《邃加室詩文續稿》　1984年9月甲子初秋　龍磵居士署本

21. 勞天庇（1918-1995）〈丙寅（1986）九月朔，香港寧波會館雅集，賦呈公遂、韶生、荊鴻、晉偉、淑陶、文擢、璞慶、襄陵、乃殷諸老；敬群、天任、子餘三翁事阻未預，翌日補呈。〉
旗亭載酒待高儒，問字看花舉白餘。
諸老春秋週甲外，滿城風雨入玄初。
欹風珠樹香難掩，帶雨霜枝蕾尚舒。
同是天涯今日會，豈唯眇眇獨愁予。
見《嶺雅》第9期　1987年

22. 余璞慶〈次韻墨齋。丙寅（1986）九月朔，招飲寧波會館。賦呈公遂、韶生、荊鴻、晉偉、淑陶、文擢、璞慶、襄陵、乃殷諸老。敬羣、天任、子餘三翁，事阻未預，翌日補呈〉
新秋華館集諸儒，雅論高談詩酒餘。
九月爐峯啼鳥換，卅年江畔落花初。
霜來草木皆凋脫，風挾煙雲任卷舒。
此日瓊筵應共醉，好隨眾樂漫愁予。
見余璞慶　《未肥樓吟草》　新中國柯式廠　1995年　增訂版　頁88

23. 呂偉東〈乙丑（1985）新春賦呈王韶生教授〉
太原信是黨之英，學博才高四座驚。
貢獻國家全力赴，栽培桃李滿園榮。
未酬素願頭先白，猶望舊邦雪快晴。
攜手同心觀世變，兔年旗鼓取龍城。
見呂偉東　《靜庵樂餘詩稿》（餘庵題耑）　1987年

24. 呂偉東〈日壁吟贈王韶生〉

豐順王夫子，昭明如白日。眇眇克岐嶷，
聞一而知十。弱冠遊太學，崢崢其願絀。
春風施教澤，程門無立隙。同舟謀共濟，
苕岑契今昔。報國有文章，多士居首席。
師古法前賢，匡衡曾鑿壁。
見呂偉東　《靜庵樂餘詩稿》（餘庵題耑）　1987年

25. 呂偉東〈次韶生寒夜韻〉
陋室無塵氣，不雕亦不磨。知非金玉屋，算是靜安窩。
樂道居中正，修身養太和。邀朋寒夜飲，相對嘯新歌。
見呂偉東　《靜庵樂餘詩稿》（餘庵題耑）　1987年

26. 呂偉東〈酧韶生次墨齋（勞天庇，1918-1995），有酒且斟之韻，並柬墨齋〉
見說香港好，江上巨輪舶。美哉東方珠，
繁榮仗眾力。天地心至仁，留此地保赤。
羣彥自北來，過江道路塞。相逢若比隣，
接談想疇昔。勝日會羣賢，飲酒意自適。
吟詩言己志，願人肥我瘠。爐峯佳士多，
勞王此隱匿。斗酒掃百愁，豪情深千尺。
勞子是良醫，活人又活國。王子踵河汾，
文名震異域。各有樓樂居，不求五畝宅。
國手紹岐黃，人師徒千百。同是浮海人，
樂共數晨夕。不佞思齊賢，斯文相愛惜。
次韻索枯腸，詩成月漸側。
見呂偉東　《靜庵樂餘詩稿》（餘庵題耑）　1987年

27. 呂偉東〈步公遂、韶生、文擢乙丑重九唱和韻〉

中夜依稀尋好夢，耳邊忽聽嘯哀猿。
富人急急移家眷，游子淒淒斷客魂。
風雨暴狂天變色，是非顛倒士爭論。
山翁了解淳風語，黑兔侵龍起亂源。
見呂偉東　《靜庵樂餘詩稿》(餘庵題耑)　1987年

28. 呂偉東〈韶生兄賜和六三慶典兩首〉

春秋大義守《麟經》，朵朵梅花播逸馨。
留寫中興歌大業，摩崖刻石遠山青。
報國何曾惜羽翎，醍醐灌注醉人醒。
補天終賴榛苓手，齊唱鐃歌處處聽。
見呂偉東　《靜庵樂餘詩稿》(餘庵題耑)　1987年

29. 呂偉東〈韶生兄疊韻和余、謝諸吟侶七律〉

尊賢有自更親親，晉接周旋額抹巾。
歷遍梁園多倦客，情縻好爵亦天民。
草庵老學耽黃卷，淇澳風清植綠筠。
山號太平供嘯傲，明珠在握不沾塵。
見呂偉東　《靜庵樂餘詩稿》(餘庵題耑)　1987年

30. 呂偉東〈謝韶生兄疊韻賜和美意〉

赫赫皇天德是親，故勞君子汗沾巾。
志同道合成良友，身潔行芳屬舜民。
桃李盈門皆俊秀，文章壽世比松筠。

同明相照相濡沫，磊落太原出俗塵。
見呂偉東　《靜庵樂餘詩稿》(餘庵題耑)　1987年

31. 呂偉東〈奉和韶生兄次墨齋清流韻〉
屈指年華逝水滔，深悲舊友沒蓬蒿。
莊生作夢疑為蝶，屈子行吟強賦騷。
念亂佳人憐獨守，悲秋逐客咏登高。
宣尼亦有乘桴嘆，我輩賡歌漫惜勞。
見呂偉東　《靜庵樂餘詩稿》(餘庵題耑)　1987年

32. 呂偉東〈次韶生兄戒殺歌十二韻〉
君子志於仁，寧可食無肉。一飽同何曾，
藿藜果我腹。怕聞豕哀鳴，愁見牛觳觫。
何必飫肥鮮，菜根知饜足。罟不入洿池，
弋應防鳥宿。只宜作烏啼，休自橫虎目。
微物皆有生，命斷難再續。那堪啟殺機，
已剝不易復。愁聽屠門聲，杜鵑山中哭。
固當飯飢鷹，切勿逐餓鹿。勉哉我同羣，
知罪須早贖。為上禱蒼天，羣生皆賢淑。
見呂偉東　《靜庵樂餘詩稿》(餘庵題耑)　1987年

33. 呂偉東〈韶生兄放生歌十二韻〉
佛門重放生，停舟泊江面。水族與飛禽，
悠然酬所願。四眾盡歡顏，萬方稱至善。
茲事肇漢明，載在《高僧傳》。大洋闊又深，
魚蝦繁海甸。卵胎濕化生，一一皆歡忭。

闡揚聖賢心，讀誦禪機見。廣海養元龜，

長林棲紫燕。推恩及介鱗，應為多士勸。

浩劫從此消，曙光露天綫。發我菩提心，

祥光到處現。為賡放生文，吉人天寵眷。

見呂偉東　《靜庵樂餘詩稿》（餘庵題耑）　1987年

34. 呂偉東〈次韶生兄墜英韻〉

評花品柳眼分明，怕向繁陰拾墮英。

寶劍能招名士愛，香花最受美人迎。

幽思縷縷相逢晚，倩影亭亭記憶清。

何事多情偏入夢，為憐弱質動心旌。

見呂偉東　《靜庵樂餘詩稿》（餘庵題耑）　1987年

35. 陳伯元〈懷冰詩老近詩刊《梵音雜誌》，囑何生文華遠自香港携來莊。讀之餘，賦呈長句一篇〉

昔從韋子聞渠說，摩詰詩翁意興長。

今沁心脾開眼目，信知天地有文章。

危巢詠後情悽惻，旅雁書來志激昂。

一卷梵音真醒我，失之交臂拜宮牆。

見黃毓民主編　《珠海書院四十周年紀念集》　1987年10月

（附王韶生原作〈次韻奉酬陳伯元教授臺北〉，見本書頁196　174）

36. 蘇文擢〈次韻遂老詞長，乙丑（1985）重九登爐峯，兼呈韶老〉

樓高秋氣來先雁，客久鄉心去似猿。

已覺年光供退翼，還將節物護羈魂。

登臨羡有詩豪健，憂樂難同俗諦論。

欲乞王喬分道力，盡教塵海化仙源。

遂老詩有九州何處有桃源之句，韶老深於道者。

乙丑九月廿六日　蘇文擢

見蘇文擢　《邃加室叢稿》　1987年12月　著者自印本

37. 蘇文擢〈懷冰翁出示次韻遯翁晚晴海濱漫步一首，欣然繼興，柬寄二老〉

龍城海合與山圍，從古人間春落暉。

芳草有情憐獨往，恬波無耐忽羣飛。

雨餘喜接蟬高唱，暝色愁看鳥倦歸。

水部龍標風格在，新詩如脫彈丸揮。

閏八月十八日　文擢

見蘇文擢　《邃加室叢稿》　1987年12月　著者自印本

38. 涂公遂〈懷冰、文擢二老次韻之作，辭義高華，書懷奉答〉

任人夷市呼牛馬，忍涕家山念鶴猿。

萬里赤流摧白鬢，卅年碧落薦黃魂。

空期政教憑鄉議，漫判存亡付史論。

縱筆窮思消患難，孤懷孺道潔心源。

見珠海書院文史學會編刊　《文薈》〈爐峯酬唱集〉　1989年6月

39. 蘇文擢〈疊韻奉和遂老書懷，兼呈懷冰詩翁〉

入世早慙雲外鳥，寄身長似柙中猿。

秋殘賸對重陽菊，眾醉誰喚獨醒魂。

谷筆樓唇餘強聒，楚非齊得恐難論。

詩懷正爾同寥落，持念還尋聖學源。

見珠海書院文史學會編刊　《文薈》〈爐峯酬唱集〉　1989年6月

40. 何敬群〈乙丑（1985）重九，步公遂、懷冰、文擢詩老唱和韻〉

海上且攜千日酒，海邊聊聽數聲猿。

頻筆分作行吟計，有夢徒營識路魂。

爭長爭墩猶未了，為祥為厄更難論。

惟餘一紀供秋禊，莫問桃溪何處源。

見珠海書院文史學會編刊　《文薈》〈爐峯酬唱集〉　1989年6月

41. 李任難〈次韻公遂詞長，重九登爐峯，茲呈遯翁、韶老〉

驚寒每憶衡陽雁，呼友常親鶴與猿。

簇簇丹楓疑浴血，茫茫瘴海負馳魂。

客中歲月催人老，天下英雄煮酒論。

此日岑樓頻極目，山長水遠欲窮源。

見珠海書院文史學會編刊　《文薈》〈爐峯酬唱集〉　1989年6月

42. 涂公遂〈再疊前韻書感，呈韶生、敬羣、文擢及詩壇諸翁〉

朱門客傲乘軒鶴，白屋儒憐失木猿。

四海揚波悲左袵，八延無地賦招魂。

驅民尚鬥還荒古，廢字疑經肆謬論，

獨善靜觀吾老矣，仰天默默禱靈源。

見珠海書院文史學會編刊　《文薈》〈爐峯酬唱集〉　1989年6月

43. 文疊山〈次韻遂翁重九之作，並呈韶生、敬羣、文擢諸詩翁〉

風雨重陽懷往昔，巴山蜀水憶啼猿。

遙天渺渺思無極，瘴海沈沈欲斷魂。

照眼光芒星月永，蟠胸哀樂古今論。
紛紜謠諑申申詈，何處桃津證宿源。
見珠海書院文史學會編刊　《文薈》〈爐峯酬唱集〉　1989年6月

44. 林仁超（1914-1993）〈次韻遂老重九詩，並柬韶公、遯翁、文擢諸老〉
多難鳳雛瀕刼火，可堪三峽話啼猿。
南溟依舊重陽節，北岸低迷大漢魂。
峭卓爐峯驚磴落，蒼茫媧石更誰論。
寧神豈仗黃花酒，好遣鰲洋接泗源。
見珠海書院文史學會編刊　《文薈》〈爐峯酬唱集〉　1989年6月

45. 蘇文擢〈自郊區移居鬧市三疊潭。韻柬遂老、韶老、遯老〉
粱謀久逐隨陽雁，枝寄終慙擁樹猿。
眼底人天同泊旅，望中鄉國是歸魂。
忘機自遣奔輪鬧，生意還從老樹論。
更有微吟慕儔侶，詩心如住武陵源。
見珠海書院文史學會編刊　《文薈》〈爐峯酬唱集〉　1989年6月

46. 潘兆賢（1935-）〈引玉詩——介紹近代十三位詩學家之傑作〉〈聞歌步王韶生教授贈同筵諸子韻〉
聞歌觸景每神傷，風雨歸人詎可忘。
破甑換金治父疾，偷生奉孝寄心長。
三年煎藥不辭苦，午夜撫懷堪斷腸。
曲意辛酸難自解，合將嗚咽入詩章。
見香港　《嶺雅》第15期　1992年3月；潘兆賢　《采薇廔吟草》　香港　科華圖書公司　2005年3月　頁92

（附王韶生原作〈贈同筵諸子韻〉，見本書頁199　187）

47. 蘇文擢〈奉答韶老教授見贈，四用陶公遊斜川韻〉

殫心扶教道，強聒無時休。壯歲講庠序，駸靳羣彥遊。曾履川夏書枚早沈泉，念之涕泗流。遯翁近肥遯，去去凌波鷗。惟君魯靈光，學道元丹丘韶老參道壇虔玉壺冰雪心，皓首黃綠儔。跌宕文史席，有酒酌言酬。君言瘠土耕來詩有瘠土且耕耘之句此意果然不。願滋九畹蘭，無為蕭艾憂。相期慎所樹，慰此童蒙求。

三月十日　文擢

見蘇文擢　《邃加室遺稿》　嗚社　1998年5月　頁17

48. 蘇文擢〈贈王韶老道長，為予了閒堂禳疾〉

矯矯重陽裔，儒風貫道林。平生甘豹隱，一集起龍吟。近刊《懷冰室文集》乞假神仙力，憑蘇疾病深。來朝櫻筍熟，作健酒重斟。

二月廿日　文擢

見蘇文擢　《邃加室遺稿》　嗚社　1998年5月　頁17

49. 蘇文擢〈贈了閒堂道壇〉

寶誥從天下，丹符好護身。龍鍾憐病叟，鶴御降真人。

願浥楊柳潤，生憎藥石頻。了閒清氣在，小草定回春。

甲戌（1994）二月廿二日　文擢

見蘇文擢　《邃加室遺稿》　嗚社　1998年5月　頁17

50. 韋金滿〈辛酉（1981）春感，步王韶生教授韻〉

晴光淑景舒雙眼，草長鶯飛動寸心。

莫道詩文憎命達，休教名利鎖愁深。

忘機合把閒情放，對酒何妨著意斟。

傳語春光明且媚，相期少長敘山陰。

見韋金滿　《希真詩存》　香港　科華圖書公司　2006年3月　頁108

51. 莫雲漢（1954-）〈敬輓王師韶生教授〉

靈棺臨一慟，憶昔仰溫顏。撫世河汾上，鎔經漢宋間。

清音餘白雪，閬苑矗名山。願禱春魂在，揚風起懦頑。

見何乃文、黃坤堯、洪肇平、劉衛林編　《香港名家近體詩選》　上冊　香港　香港中文大學出版社　2007年　頁313

52. 劉伯端〈賀韶生大兄續弦〉（1954）

恩冤兒女又登場，翠閣茶邊識淡妝。

曾是畫眉描遠黛，何須坦腹認東床。

婿卿相喚元無別，縑素同工各有長。

塵世米鹽真味在，勸君莫羨綺羅香。

見何乃文、黃坤堯、洪肇平、劉衛林編　《香港名家近體詩選》　下冊　香港　香港中文大學出版社　2007年　頁506

53. 陳志清〈敬呈懷冰師〉

愈鑽彌堅仰更高，寬柔以教直賢豪。

栽蘭本意憐清綺，脂轂般期勵我曹。

六載從遊沾雨化，此生銘戢感榮褒。

孤懷一片心冰潔，著就長辭配楚騷。

見陳志清　《鑒塘詩草》　香港　藏用樓　2009年

54. 莫雲漢〈懷冰師講授「諸葛亮與朱舜水之學術事功」賦詩奉呈並示同學諸君〉（1984）

天步艱難際，振衰起國魂。儒臣並儒士，

功業垂清芬。盡瘁支危局，東邦作孑民。

一為漢家死，一悲漢道堙。鱣堂彰二哲，心事託河汾。時筆者就讀研究所，王韶生（號懷冰）教授開設「諸葛亮與朱舜水之學術事功」一科。諸葛亮，蜀漢宰相，夙夜憂勤，致力還都。朱舜水，明末遺臣，東渡日本，不忘舊物。王教授之講授此科，自有深意在。其賦答之作，歷述求學經過，道統淵源，蓋師承九江先生朱次琦稚圭、東塾先生陳澧蘭甫之嶺學一脈。朱九江講學，分經學、史學、掌故學、性理學、詞章學五門，曾謂：「讀書者何也，讀書以明理，明理以處事，先以自治其身心，隨而應天下國家之用。」陳澧則破除漢學宋學之爭，謂「竊冀後之君祛門戶之偏見，誦先儒之遺言，有益於身，有用於世，是區區之志也。」皆主通經致用，此懷冰師之學問淵源也。

見莫雲漢　《蹉跎集》　香港　鳴皋社　1988年5月
（王韶生原作〈莫子雲漢呈近作五古一篇，慨然賦答〉，見本書頁199 188）

55. 成惕軒（1911-1989）〈倭降和懷冰先生〉

揚鞭河洛靖鯨波，績紀神邱應不磨。

想見北門屏障日，陣中餘事託絃歌。

（先生曾禦敵河朔，軍中暇日，輒以兵法教授部屬，卓然有古儒將風。）

見成惕軒著、龔鵬程編、劉夢芙審訂　《楚望樓詩文集》　合肥　黃山書社　2014年12月

56. 莫雲漢〈送孟晉學長返臺任吳鳳學院教授兼圖書館主任〉

彌敦茗席奮詩才，吳鳳膠庠絳帳開。

低唱淺斟唐樂府，沉經酣史漢蘭台。

江山放眼三分據，桃李關心兩地栽。

他日汶田歸故國，可容東海避秦來。

註：李孟晉學長在珠海考獲博士後不久，應台灣上庠之聘，出任教授，同學等有詩送行。（近年每星期六中午皆與學長假彌敦酒樓茶敘。同席有王師韶生，李任難，彭樂三，劉翊偉、柏蔭培等詩家。）

見莫雲漢主編　香港　《珠海文史研究所金禧特刊》　2020年12月

57. 招祥麒〈珠海文史研究所五十周年感懷諸師，用雲漢教授原韻〉

曩日追懷始迄今，南飛群鶴託高林。

乙堂史識開新域，源道文瀾蕩遠襟。

待問撞鐘千里應，解微施帳萬家尋。

遼加韶老俱塵土，夢寐猶聽鸞鳳音。

見莫雲漢主編　香港　《珠海文史研究所金禧特刊》　2020年12月

58. 朱鴻林〈王懷冰師輓詞〉並序（從略，1998年4月）

經術楊吳接簡康，文章北闕問高黃。

百年志學依回尹，千首詩歌繼宋唐。

嶺海焚餘皋比暖，風雲變盡洞天長。

青春沂浴蒙吹煦，老大扶靈未敢忘。

懷念：王韶生教授於1998年3月11日病逝，享年95歲。（從略）

見《珠海校刊》四十八屆畢業典禮特刊　1998年7月10日　頁35；港大．中大．浸會．樹仁　《聯大歷史學刊》創刊號第1期　1998年；朱鴻林　《亮父詩稿》　珠海學院叢書之三　香

港　香港珠海學院　2017年8月　頁150-152

（二）詞

1. 羅忼烈（1918-2009）〈滿庭芳〉社課歌筵感舊，同伯端、希穎、韶生

   荳蔻春寬，珠簾影秀，十年醉別鍾陵。曉風殘月，清韻幾曾聽，還似舊家臺榭，紅牙趁、百囀春鶯。宮眉斂，桃花扇底，歌徹斷腸聲。　盈盈，銀燭下，殷勤勸客。掩抑含情。是當日尊前，未嫁雲英，漫說瓊樓夢好，爭知我，瀚海飄零。休回首，青衫瘁損，無淚為伊傾。

   見羅忼烈　《兩小山齋樂府》　香港　現代教育研究社　2002年　頁37

2. 何敬群（1903-1994）〈瑤臺聚八仙〉己亥（1959）立秋前二日，為新亞、崇基、聯合三院新生入學試閱卷。中午與梁秉憲、鍾應梅、王韶生、吳笑笙、黃華表、莫可非六君小憩九龍城七喜茶座。諸君呼紅茶壽眉，余獨索龍井；諸君戲謂龍井為少年茶，壽眉六安為中年茶，紅茶普洱為老年茶，以其品目甚新，因走筆為倚聲以寫之

   談笑瀾翻。評月旦，茶品為換頭銜。壽眉龍井，分號老少中年。說與桐君添品目，定知陸羽訝新鮮。竹林邊。正堪捉麈，合與偷閒。憑他消領世味，記一壺夢破，三等僧傳。老去相如，秋雨病渴依然。分無仙掌玉屑，正須待，山泉活火煎。連三碗，笑綠紅並瀹，老少同甘。

   見何敬群　《遯翁詩詞曲集》　香港　志文出版社　1983年8月

3. 方乃斌〈蘭陵王〉丙午（1966）上巳偕珠海文史學會諸友遊大嶼寶蓮寺，用周美成韻，并柬彭滄園、夏書枚、何敬群、饒宗頤、羅錦堂、王韶生、甄陶、鄭水心諸教授

   輪波直，雪浪翻鵝轉碧。坪洲過，銀鑛窩中，涓瀉如練動春色。徘徊記上國，堪惜。羅浮舊客，風光好。龍洞水簾，幽雅酥醪柏千

尺，紅車去來跡。睹古剎寶蓮，雲霧茵席。榕陰塔影寒泉食。任泥路盤繞，許多艱阻。縈縈浩氣黃花驛，白雲隱天北。悲惻，恨長積。況崖削水深，鴻雁沉寂，人情何處相思極。但目斷河漢。宋臺登覽，杜鵑處處，更忍聽啼血滴。

珠海書院　《文史學報》第3期　1966年

4. 羅忼烈〈鷓鴣天〉久不見藥園丈近作長短句，余亦懸作，集杜戲呈，兼寄韶生詞長

回首風塵且息機，懶朝真與世相違。

葉心朱實看時落，老去親知見面稀。

花濺淚，雨催詩，風流儒雅亦吾師。

白頭授簡焉能賦，故國平居有所思。

見羅忼烈　《兩小山齋樂府》　香港　現代教育研究社　2002年　頁41

5. 羅忼烈〈金菊對芙蓉〉社課觀舞，與懺盦、伯端二老，並希穎、韶生同作

翠幙籠燈，沈檀按拍，窈娘天與娉婷。看宮中腰細，掌上身輕。口脂狼藉金釵溜，偎個郎曼衍將迎。水堂東畔，蔭花深處，款語丁寧。十年一夢堪驚，奈風塵冉冉，華髮無情。問何時扶醉，重到西城。尊前懶逐紅裙起，任柘枝奏徹新聲。佳人笑裏，游人回首，酒淚先零。

見羅忼烈　《兩小山齋樂府》　香港　現代教育研究社　2002年　頁26

6. 羅忼烈〈燕山亭〉十八年前，余與懺盦、伯端二老共結堅社，其後曾希穎、王韶生諸君相繼來，及二老以次謝世，酬唱久絕。丁未（1967）秋杪，選堂兄議結芳洲詞社，夏書枚叔美翁首賦〈燕山亭〉索和，次韻奉答

雁背雲深，蘋末露凝，早過重陽風雨。笳起垝垣，客感寒灰，昨夢雅歌誰主。小聚天涯，問何日芳洲歸去。奈按譜移宮，曲非金縷。

莫倚能賦秋懷，縱應社詞工，易成淒苦。楓染醉妝，月展新眉，難比舊時纖嫵。自媚燈花，伴鄰笛喚愁如許。回佇，蛩斷處又殘星曙。

見羅忼烈　《兩小山齋樂府》　香港　現代教育研究社　2002年　頁28

7. 水源琴窗（1892-1977）〈菩薩蠻〉讀王韶生〈廣東詞人與香港之因緣〉

廣東疆接香江地，海光山色皆深邃。垩館並街衢，華夷儘雜居。

炎荒而險窄，曾有髯蘇謫。遺澤未能磨，詞人如此多。

見馬楚堅主編　《羅香林論學書札》(賴恬昌署)　廣州　廣東人民出版社　2009年1月　頁555

8. 饒宗頤（1917-2018）〈和王韶生〈西江月〉〉韶生示璞翁（劉伯端）句，祇憐九十好春光，換得些兒惆悵。如韶生者，真詞人之心哉。唯此車水馬龍之地，桃花柳絮，誰有惆悵之情耶。依韻和之

瘴草池邊共發，蠻春安穩誰傷。客愁孰與柳絲長，自笑低垂絳帳。

密雨藏山坐久，窺人宿鳥時忙。夕陽似繫好年光，祇惜難逢惆悵。

見方寬烈編　《二十世紀香港詞鈔》　香港　香港文學研究社　2010年9月

（王韶生原作〈西江月〉和饒固庵韻，見本書頁170　086）

（三）文

1. 劉景堂〈劉伯端與王韶生論詞〉（1962年）

見劉景堂（1887-1963）原著、黃坤堯編纂　《劉伯端滄海樓集》　香港　商務印書館　2001年3月

2. 羅炳綿〈「博學篤行」的夢痕——聯合書院成立前期生活回憶〉：「我徬徨過好些日子，我茫然過好幾個黑夜。最後還是接受半山區屋蘭士道的

西南中學國文老師王韶生先生的鼓舞，到廣僑書院去讀文史系。……」
見《聯合校刊》　1980-1981年度　第37期　頁1-2

3. 岑振業〈王韶生教授與他的《懷冰室文學論集》〉
見《珠海校刊》第三十一屆畢業典禮特刊　1981年7月10日　頁51

4. 劉澤〈元好問《論詩三十首集說》之四〉
見《晉中學院學報》　1990年　第1期　頁40-49

5. 劉澤〈元好問《論詩》三首集說〉
見《運城學院學報》　1990年　第2期　頁23-30

6. 劉澤〈元好問《論詩絕句三十首》集說〉
見《太原師範學院學報》社會科學版　1990年第2期　頁37-41

7. 李金強〈香港的明清史學者及其研究動向〉
見《近代中國史研究通訊》第15期　1993年3月　頁86

8. 黃坤堯〈劉伯端詞事繫年〉
見《人文中國學報》第2期　香港浸會大學　1996年1月　頁187-256

9. 鄧國光〈二十世紀香港的中國古代文論研究〉
見鄧國光　《文原——中國古代文學與文論研究》　澳門　澳門大學出版中心　1997年7月　頁341-355

10. 《民國人物小傳》（二七六）王韶生（1904-1998）中山大學、嶺南大學教授、中文大學崇基學院教授、香港珠海大學文史研究所教授

王韶生，字懷冰，世居廣東省豐順縣環清鄉桂林樓，後遷瑞林壩。大父元漢公生三子：長尚易，仲尚順，季爵臣，爵臣諱玉麟，即韶生之父考也。爵臣娶張氏，後娶楊氏。韶生與姊坤嬌，張氏所生；弟健生，則楊氏出。爵臣於光緒三十二年（1906）入西關西武陸軍學校肄業，廣東水師提督李準重之，委為哨官；未幾駐防連城，升管帶。惟爵臣素服膺國父孫中山革命主張，宣統三年（1911）參加同盟會。是歲武昌起義成功，廣東響應獨立。姚雨平組軍北進，任為隨軍聯絡參謀，驅兵宿州。民國元年

（1912），出任潮梅鎮守使署總教練官。二年（1913）轉赴廣州，歷任地方要職；以迄十九年（1930）五月病逝。

韶生以清光緒二十年（1904）農曆九月二十五日誕生於韶州府曲江縣。其治學也，則始自母氏之教。母張氏知書達禮，子五歲，即親授《孝經》、《論語》，教以孝悌忠信，繼而《尚書》、《左傳》，韶生均能循聲雒誦，明其大義。年十三，族祖春圃公居鄉講授《資治通鑑》，乃往受業，昕夕聆聽，遂於歷朝史事及典章制度多耳熟能詳，經史初基由是奠定。民國十一年（1922），年十九，考取國立廣東高等師範文史部；翌年（1923），高師易名廣東大學；十五年（1926）畢業，隨考取北京師範大學國文系，又考入北京大學研究所國學門，均攻讀以迄畢業。其時舊京國學大師輩出，任教北大、北師大者，經學則安徽歙縣吳承仕，史學則湖南長沙楊樹達，「選」學則河北霸縣高步瀛，詩學則廣東順德黃晦聞，詞學則浙江江山劉毓盤。韶生追隨杖履，親承教誨，學而有成。

韶生之治事，則以教育為職志。民國十四年（1925），年二十二，任課知用中學，為其晉身教育事業之第一步。北大研究所畢業後歸里，出任省立一中教員。十九年（1930），遠赴星洲，任端蒙學校校長。嗣後，歷任中山大學、廣州大學、國民大學、文理學院等校教授兼中文系主任。三十八年（1949）遷香江，初任教廣大、廣僑等書院，隨而受聘香港中文大學崇基學院，以迄六十年（1971）七月退休。九月，江茂森校長、羅香林所長禮聘出任珠海大學文史研究所專任教授，又於浸會學院、新亞研究所等校兼任教授。七十八年（1989）七月，年八十六，第二度退休。韶生一生盡瘁教育，任職大學、研究所凡六十年，親承其教澤而獲博士、碩士學位者百數十人，獲學士學位者不計其數。桃李成蹊，培材甚眾。語云：「莫為之先，雖美不彰；莫為之後，雖盛不傳。」今韶生之門人弟子，多能秉承師訓，或著書立說，或作育上庠，對學術文化均具卓越之貢獻。

韶生畢生醉心於學術研究及文藝創作，發表論文數十篇，著作十數種，逾百萬言。舉其犖犖大者，經學則有〈春秋左氏學與公羊學〉、〈大戴禮興廢考〉、〈荊州學術與三國學術之關係〉、〈何晏與魏晉學術之關係〉、〈皮錫瑞之經學〉、《懷冰室經學論集》等。史地學則有《豐順縣志》、《懷冰隨筆》、《當代人物述評》等。文學則有〈讀陶詩札記〉、〈唐代散文論稿〉、〈唐宋詩體研究〉、〈元遺山論詩三十首箋釋〉、〈陳白沙之理學與詩學演講詞〉、〈高閬仙先生對古典文學之映响〉、〈紀念香港二大詞人〉、《懷冰室文學論集》等。

至其詩、古文辭之文藝作品，則經蒐集整理後，收入《岳雪廬叢稿》、《懷冰文錄》、《懷冰室集》、《懷冰室續集》、《懷冰室集三編》諸書。其早歲另撰有《國學概要》。

番禺黃尊生序《懷冰室續集》，謂韶生所學淵源有自，由嶺海至燕北之上庠，學古駢文於高閬仙先生，學詩於黃晦聞先生，學詞於劉毓盤先生。來港後，復與廖鳳書、劉伯端二先生遊，學有所本，宜其蘊蓄之深厚，誘導之有方。又謂韶生之生平，深有得於中庸之道，不偏不倚，平易近人，榮利淡然，襟懷坦蕩，升沈得失，視之蔑如。外若和光同塵，內則光風霽月，今之逸民也。如皋吳俊升先生，亦謂韶生之文，載道淑世，有物有序，雖未自標宗派，實淵源於桐城，而又不自囿於方、姚榘範，其行文遣詞固多轉折頓挫之韻味，然同時具峻拔雄奇之氣勢。又謂韶生之詩，備各體風格，不以唐宋自限，凡抒情、狀物、敘事、寫景，各隨所適。不多用事，亦不重藻飾，簡淨淡遠，不尚奇險，實不遠於溫柔敦厚之旨。

韶生體質素健，故得以安享遐齡。不意於八十七年（1998）三月七日染恙，入伊利沙伯醫院。其後病況轉劇，群醫束手。十一日（星期三）晚上八時三十分溘然長逝，享年九十五歲。夫人賴氏，賢慧淑德，持家有方。子七人：建宋、建栩，已退休；建東，英國倫敦大學藥劑系學士及博士；英國及香港註冊藥劑師，媳桂平，英國大學醫院助產護士長；建南，台灣東海大學工商管理學士；建圻，香港大學工商管理博士；英國皇家文學會院士；建誠，香港嶺南學院社會科學學士；建殷，香港浸會大學化學系學士。女二人：建棠，英國專科畢業，香江書院中文系學士；建芬，珠海大學文史系學士。均學成業立，無忝父教，丕振家聲。孫男四人：威武、文聰、增祥、智賢；孫女二人：宜珠、智敏，亦自成材。

（何廣棪稿。參考：何廣棪撰〈王韶生教授行狀〉）

見劉紹唐主編　《傳記文學》第72卷第5期　1998年5月　頁133-234

11. 何廣棪〈王韶生教授行狀〉

見《室集三編》;《新亞研究所通訊季刊》第3期　1998年9月

12. 朱鴻林〈王韶生先生之文學見解〉

見《新亞論叢》第1期　1999年1月；朱鴻林　《《明儒學案》研究及論學雜3著》　北京　生活・讀書・新知三聯書店　2016年1月

13. 莫雲漢〈王韶生教授詩述介〉

見香港大學亞洲研究中心編　《香港八十年代文學現象國際學術研討會會議論文集》　1999年12月　頁1-34；黎活仁等編　《香港八十年代文學現象》　臺北　臺灣學生書局　2000年3月　頁533-578

14. 林鴻標〈王韶生教授三不朽〉

見《廣東文獻》季刊　第28卷第1期　2000年3月

15. 黃坤堯〈劉景堂《詞意偶釋》研究〉

見《中國文哲研究通訊》第10卷第4期　2000年12月1日　頁197-208；劉景堂原著、黃坤堯編纂　《劉伯端滄海樓集》　香港　商務印書館　2001年3月　頁49

16. 陳耀南〈長憶當年馬料水〉

見陳耀南　《鴻爪雪泥袋鼠邦》　香港　天地圖書公司　2001年10月　頁34

17. 黃坤堯〈《番禺劉氏三世詩鈔》(宗豪署耑) 前言〉

見黃坤堯編　《番禺劉氏三世詩鈔》學海書樓叢書第五種　香港　2002

年

18. 王韶生（條目）
見鄺健行、吳淑鈿編　《香港中國古典文學研究論文目錄（1950-2000）》　上海　上海古籍出版社　2005年10月　頁510-511

19. 鄧昭祺〈堅社簡述〉:「王韶生說:『庚寅（1950年）冬，鳳舒先生與劉君伯端，發起組織堅社，社址暫設於堅尼地道，每月一會，均假其公館舉行。』」
見楊玉峰主編　《騰飛歲月——1949年以來的香港文學》　香港大學中文學院　2008年12月　頁35-52

20. 〈王韶生人物小傳〉
見馬楚堅主編　《羅香林論學書札》（賴恬昌署）　廣州　廣東人民出版社　2009年1月　頁569

21. 方寬烈〈香港舊詩詩人創立詩社的歷史和刊物〉（香港中央圖書館口述歷史訪問記錄）
見方寬烈　《香港文壇往事》　香港　香港文學研究社　2010年3月

22. 胡傳志〈元好問與戴復古論詩絕句比較論〉
見《文學遺產》　2012年第4期　頁91-97

23. 王爾敏〈懷念鄧偉賢先生的笑貌談風〉
見黃燕冰編　《鄧偉賢先生集》　香港　主流廣告　2014年12月

24. 狄寶心〈評方滿錦《元好問「論詩三十首」研究》〉
見《民族文學研究》　2015年第1期　頁167-171

25. 許景昭〈《懷冰室經學論集》述要〉
見吳儀鳳　〈「香港經學研究的回顧與前瞻」國際學術研討會會議紀要〉《中國文哲研究通訊》第27卷第3期　2017年9月1日　頁3-19

26. 塵紓〈學者作家繫一身，緬念業師王韶生〉
見「新亞」學人系列之六　香港　大公網　2017年9月3日

27. 塵紓〈經世致用一儒生：敬憶潘小磐〉
    見香港　大公網　2017年9月10日
28. 韓夢星〈王韶生及其《國學概要》〉
    見湖南科技學院國學院《湖南科技學院學報》卷39　2018年第8期　頁26-29
29. 莫雲漢〈記王韶生教授一、二事〉
    見莫雲漢主編　《珠海文史研究所金禧特刊》　2020年12月
30. 朱鴻林〈往事正堪回首〉
    見莫雲漢主編　《珠海文史研究所金禧特刊》　2020年12月
31. 莫雲漢〈詩衢回首重行行──古典詩歌創作雜憶〉:「懷冰就是王韶生，他是我的碩士論文及博士論文指導老師。」
    見朱少璋主編　《璞社談藝錄・初編》　香港　匯智出版公司　2021年6月　頁170
32. 黃坤堯〈燕芳詞冊〉
    見《學海書樓八十年》　2003年　頁67-72

（四）序跋

1. 羅香林（1907-1978）〈《懷冰室集》序〉（1971年5月）
   見《室集》
2. 林天蔚（1925-2005）〈《懷冰室集》跋一〉（1971年5月）
   見《室集》
3. 陳恩良〈《懷冰室集》跋二〉（1971年5月）
   見《室集》
4. 羅香林〈《懷冰室集》序〉
   見羅香林　《乙堂文存續編》　香港　中國學社　1977年8月
5. 何廣棪〈《珠海文史研究所學會會訊》第1期發刊詞〉

見《珠海文史研究所學會會訊》第1期香港　1978年1月

6. 李孟晉〈《懷冰室文學論集》跋〉(一)　1981年1月
   見《懷冰室文學論集》
7. 何廣棪〈《懷冰室文學論集〉跋〉(二)　1981年1月
   見何廣棪《碩堂文存》　香港　里仁書局　1982年8月　頁167-168；《懷冰室文學論集》
8. 李孟晉〈《懷冰室經學論集》跋〉(一)　1981年4月
   見《懷冰室經學論集》
9. 羅炳綿〈《懷冰室經學論集》跋〉(二)　1981年6月
   見《懷冰室經學論集》
10. 徐芷儀〈《懷冰室經學論集》跋〉(三)　1981年6月
    見《懷冰室經學論集》
11. 黃尊生(1894-1990)〈《懷冰室續集》序〉　1984年
    見《室續集》
12. 吳俊升(1901-2000)〈《懷冰室詩文續集》序〉　1984年
    見《室續集》
13. 何廣棪〈王懷冰夫子八秩榮慶壽序〉(1984年)
    見《香港時報・文化與生活》　1984年10月24日
14. 吳俊升〈《懷冰室續集》序〉
    見《室續集》增訂本
15. 黃尊生〈《懷冰室續集》序〉
    見《室續集》增訂本
16. 黃元淵〈《聯大歷史學刊》創刊詞〉
    見港大・中大・浸會・樹仁《聯大歷史學刊》創刊號第1期　1998年　頁1-2
17. 何廣棪教授〈《懷冰室集三編》序〉

見《室集三編》;《新亞研究所通訊季刊》第3期　1998年9月

18. 潘學增（1899-1992）〈《懷冰室集三編》跋〉
    見《室集三編》;《新亞研究所通訊季刊》第3期　1998年9月
19. 廖志強〈《懷冰室集三編》跋〉
    見《室集三編》;《新亞研究所通訊季刊》第3期　1998年9月

（五）書信

1. 潘學增〈與王韶生書〉
   見潘學增　《樂觀室存稿》(第二集)　香港　友信印務局　1976年4月

（六）聯語

1. 招祥麒〈輓懷冰師聯〉
   七十年韓柳歐蘇　文昌嶺海　功在杏壇　想介甫風流　誰知未稱平生志
   數千卷經史文集　道繼河汾　學尊北斗　感仲淹德範　我自深懷百世師
   見招祥麒　《風蔚樓叢稿》　獲益出版事業公司　2003年6月　頁88

（七）指導論文

1. 何英《白居易作品反映唐代社會問題探討》
   新亞研究所史學組碩士論文　1974年　王韶生教授指導
2. 盧紹芬《Life in Ancient Chinese as Seen From *Shi-Jing*》
   珠海書院中國文學研究所碩士論文　1974年　王韶生教授指導
3. 柯萬成《韓愈文體、類之研究》
   新亞研究所中國文學組博士論文　1976年　王韶生教授指導
4. 宋小莊《A Study of Discourse upon *Zi Zhi Tong Jian*》
   珠海書院中國歷史研究所博士論文　1977年　王韶生教授指導
5. 黃彩賢《A Resesrch on Chee Woon and Chuen Man's Hegemonism from

Chuen Chou Jau's》

珠海書院中國歷史研究所碩士論文　1978年　王韶生教授指導

6. 朱國能《文心雕龍創作論研究》

新亞研究所碩士論文　1982年　徐復觀教授、王韶生教授指導

7. 何樹勛《道教在香港發展之研究》

珠海書院中國歷史研究所博士論文　1985年　454頁　王韶生教授指導

8. 李瑞河《曾子思想探究》

珠海書院中國文學研究所碩士論文　1986年　王韶生教授指導

9. 楊小燕《論韓偓之生平及其詩風》

珠海書院中國文學研究所碩士論文　1986年　香港　珠海學院江茂森圖書館藏　王韶生教授指導

10. 林孟靈《張九齡之文學研究》

珠海書院中國文學研究所碩士論文　1986年　304頁　王韶生教授指導

11. 莫雲漢《周濟詞論之研究》

珠海書院中國文學研究所博士論文　1987年　王韶生教授指導

12. 徐煥光《韓愈思想研究》

珠海書院中國文學研究所哲學碩士論文　1987年　215頁　王韶生教授指導

13. 釋廣琳《中國醫學與陰陽五行》

珠海書院中國文學研究所博士論文　1990年　187頁　王韶生教授指導

14. 胡培基《程頤思想研究》

珠海書院中國文學研究所哲學博士論文　1990年　王韶生教授指導

15. 米至仁《三國演義研究》

珠海書院中國文學研究所博士論文　1991年　香港　珠海學院江茂森圖書館藏　王韶生教授指導

16. 陳婉霞《朱自清散文研究》

珠海書院中國文學研究所哲學碩士論文　1991年　70頁　王韶生教授指導

17. 何廣棪《陳振孫之生平及其著述研究》
新亞研究所文學組博士論文　1980年　320頁　王韶生教授指導；臺北文史哲出版社　1993年；古典文學研究輯刊八編　第11-12冊　新北花木蘭文化事業公司　2009年

18. 古兆申《劉勰的文學觀》
香港中文大學研究院中國語文學部碩士論文　1969年　王韶生教授指導；見《城市文藝》總第116期　文人古蒼梧紀念專輯　2022年2月20日

（八）其他

1. 一九七〇年（第二十二屆）香港校際音樂及朗誦節《中國詩文朗誦比賽材料》潘重規題
見王韶生、容宜燕、黃兆鈐、李棪、李輝英、蘇文擢、蘇宗仁編選《中國詩文朗誦比賽材料》　1970年明報月刊贈閱

2. 陳方正主編　《與中大一同成長　香港　香港中文大學與中國文化研究所圖史1949-1997》　香港　香港中國文化研究所、香港中文大學　2000年　頁13

3. 黃坤堯：「王韶生〈紀香港兩大詞人〉云：「余於抗戰勝利後第二年因事赴港，獲晤伯端先生於西南之得朋樓，睹其精神奕奕，相貌清癯，雖青松白石，不足喻其高潔。」摹寫劉景堂（1887-1963）的形貌十分傳神。」
見劉景堂原著　黃坤堯編纂　《劉伯端滄海樓集》　香港　商務印書館　2001年3月　頁49

4. 鄧又同：「自1938年廣州，1941年香港淪陷，兩地知名文化人士，先後趨澳（門）避居者計有：王淑陶、王韶生、馮康侯、李研山、梁簡能、傅子餘、熊潤桐等。」
見鄧又同（1915-2003）　《清芬閣集》　廣州　2004年

5. 陳萬雄、鄧偉雄編撰　《近代旅港學人墨跡》　饒宗頤文化館　香港大學饒宗頤學術館　2013年6月
6. 鄒穎文編　《香港古典詩文集經眼錄》　香港　中華書局　2011年2月
7. 鄒穎文編　《番禺林碧城先生藏故舊翰墨選輯》　香港　香港中文大學圖書館　2018年
8. 區永超　《論語修辭研究》　上海　復旦大學出版社　2018年
9. 鄺龑子、陳子康、陳德錦　《廿一世紀香港詩詞：古典詩詞美學的前瞻與透視》　香港　中華書局　2019年3月
10. 杜祖貽、劉殿爵主編　《中國現代文學精華》　香港　商務印書館　2019年11月　頁506-509
11. 「亞洲詩壇」詩人、詞人：王韶生；「芳洲詞社」詞人：王韶生；「南薰詩社」詩人：王韶生

    見鄒穎文編　《香港古典詩文集經眼錄續編：詩社集詞社集》　香港　香港中文大學圖書館　2021年　頁166、181、225
12. 程中山《福州曾克耑年譜》：「一九七二年，歲在壬子，七十三歲：三月，丁淼、王韶生、王世昭編《現代詩歌選》。」

    見鄺健行（1937-2023）等選編　《頌橘廬詩文曾克耑先生作品選》　香港　中華書局　2022年2月　頁440
13. 黃坤堯〈香港番禺劉氏四家詩說〉

    見黃維樑主編　《活潑紛繁的香港文學——1999年香港文學國際研討會論文集》　香港　香港中文大學出版社・新亞書院　2000年　上冊　頁97-115
14. 林汝珩著、魯曉鵬編注　《碧城樂府：林碧城詞集》　香港　香港大學出版社　2011年
15. 「能仁書院及研究所的師資有：羅時憲、吳汝鈞、李潤生、葉龍、蕭輝楷、王韶生、陳直夫、李伯鳴、梁瑞明、鍾應梅、林蓮仙等……都是當

時學界的著名教授。」

見鮑紹霖、黃兆強、區志堅主編　《北學南移——港台文史哲溯源（文化卷）》　臺北　秀威資訊科技公司　2015年4月　頁224

16. 人物志：王韶生：「本校前文史系及研究所教授、文學院院長。」

見黃振威編　《珠海七十年》　香港　商務印書館　2017年10月　頁128-129

17. 「古典詩詞」課程簡介：「崇基書院則有鍾應梅教授任教之「陶潛詩」及王韶生教授任教之「杜甫詩」課程……」

見《吐露春風五十年香港中文大學中文系圖史文集》香港　香港中文大學中國語言及文學系　2015年　頁38

肆　王韶生教授論著輯錄

一九三四

001.丁雲波先生輓歌詞二首

其一

驚騎箕尾去，梁木壞堪悲。遺愛思勞悴，典型詔令儀。

河汾存禮樂，洙泗重綱維。江陽秋陽在，淒而哭我師。

其二

甘棠媲召伯，握簡志前修。秉直司蓉邑，心傳主柳州。

嘉蔭盈桃李，裁成許紫騮。丹青留照耀，事業有千秋。

《岳雪廬叢稿》　廣州　知用中學　1934年4月

002.送別六首有序癸亥（1923）六月，余心一、楊樹榮、謝平治、黃迪勛、黃錫名、姚才華六君，畢業廣東高師，詩以敘別

其一

尺波縱如電，曜靈不我留。携手同來遊，蟾圓幾度秋。

今朝送子別，惜別思悠悠。四載志藏修，素養抑何優。

驤首雲衢路，開路羨驊騮。

其二

余生饒奇思，妙緒吐披離。神到興淋漓，頗善作新詩。

新詩清可誦，朱唇妙言詞。哀艷超擺倫，歡情恰薛萊。

參軍號俊逸，儒雅吾輩師。文章久枯餒，我欲倩良醫。

其三

楊生何卓犖，弱冠博群書。經綜百家妙，德積理自儲。

揮筆走龍蛇，倚馬才可須。懷珠川流媚，詞采復敷愉。

淘沙反棄金，國故今淪沉。商量重雅誼，無使有遐心。

其四

智慧基思維，愛護賽因斯。深思復深造，成績一何偉。

洋洋電子論，直欲宰大理。默測新宇宙，銖（金黍）無差違。

怪異盛流傳，思想蒙黑暗。切切毋菲薄，如愛恩斯坦。

其五

生物何自來，形神竟何分。辨種與析族，今古鬧紛紜。

維君治斯學，深邃探其源。縱談論齊物，心志誠篤勤。

今有杜里舒，往有達爾文。成功本實驗，君為超其群。

其六

大國多良材，譬海出明珠。言大信非誇，唯實名不虛。

興文成篇什，竊效我誠愚。綠波碧油油，綿綿心思紆。

願因晨風翔，奮翮追飛梟。

《岳雪廬叢稿》　廣州　知用中學　1934年4月

003.贈衡陽毛十六有焜

瀟湘蔚奇氣，南國誕詞宗。璞玉出荊山，明珠探驪龍。

吾子衡湘秀，靈秀育衡中。挾此昭貞質，涉江與我從。

情采何閒雅，穆若來清風。妙緒暢玄旨，論道資無窮。

雲雁飛南遊，翩翩求匹儔。振翼起翱翔，常羨羽翮遒。

芰荷泛洞庭，蘭蕙滋楚州。靈均光采在，望子迹前修。

《岳雪廬叢稿》　廣州　知用中學　1934年4月

004.泊舟香港二首

其一

歐亞咽喉地，鴻濛裂奧區。修盟招割讓，大計失庸愚。

天驕撤克遜，闢土廣無垠。芟除盡荊棘，鑿石運風中。
經營驚魄力，瘠土日興繁。廠甸紛林立，製作動星雲。
壓開高撲地，喧攘撼乾坤。外府資生厚，傷哉撤戶門。
豈伊形勝好，佳麗百城尊。不盡滄桑感，江花淚有痕。
安得凌風翼，因之叩帝閽。

其二

詩卷紀遊歷，懷古意猶存。請陳茲土富，寂寞舊江村。
港汊歧何紛，島嶼遠維藩。開愛資憑藉，鉅麗遂殊倫。
歡娛營樂土，動息小桃源。桑麻今不長，廬舍鬱飛翻。
海波千尋碧，名花特地繁。樓高星可摘，素娥衹自昏。
景物供留戀，我志念中原。明朝啟椗去，微雨落紛紛。

《岳雪廬叢稿》　廣州　知用中學　1934年4月

005.嵩山丸中作

嵯峨巨舶嵩山丸，是乃日清公司之商船。排水載重二千噸，奔騰橫絕滄波烟。

我欲軫此歸園田，同侶來登意渺然。形器紛綸驚技巧，鋼鐵豈讓混土堅。
機輪葉葉馬力增，雲車轟轟挾雷鞭。儼似長鯨起南溟，蓬萊三島不足前。
乘桴浮海嗟何事，宗慤乘風佳話傳。船之修廣巨百丈，電掣輪馳路幾千。
上有輝煌大餐間，華筵精麗活神仙。下有泥犁統艙底，跼躍如駒劇可憐。
君不見，由來咫尺地，膈膜何多苦樂懸。安得黃金十萬斤，救茲貧乏利普遍。更安得兵艦商船千萬艘，環行洋海保國權，且陳懷抱入詩篇。

《岳雪廬叢稿》　廣州　知用中學　1934年4月

006.咏史三絕

其一

氣奪契丹宋富弼，周旋晉楚公孫僑。獨憑手腕兼詞令，賴有賢良勝國交。

其二

英名自昔稱韓范，此老胸中富甲兵。西夏聞之心胆裂，要能於宋作長城。

其三

澄心為治原多術，政以安民更不刊。尚德尚刑分緩急，武侯治本雜申韓。

《岳雪廬叢稿》　廣州　知用中學　1934年4月

007.鸇雀行

巨鸇驅小雀，水獺逐淵魚。昔聞今有是，我心良不舒。

試看大路上，勢利惟是圖。損人以益己，懷哉術已疎。

不見西隣子，浪迹泣路隅。

《岳雪廬叢稿》　廣州　知用中學　1934年4月

008.羈旅

塊然相對夜窗鐙，顧影何曾舉自矜。困學勉行心獨苦，憂生念亂淚微凝。

每于消長思流變，本自清涼似飲冰。羈旅頻年仍作客，飄零滄海一萍青。

《岳雪廬叢稿》　廣州　知用中學　1934年4月

009.咏懷三首

其一

荊山懷楚玉，南海出明珠。光彩貴無比，此物與人殊。

譬交至性者，吾情真不孤。冰心原玉潔，過此將焉如。

善葆貞剛性，安復受塵汙。光輝從實踐，奮跡在吾徒。

其二

幽蘭多素質，庭桂發芳馨。贏得本心在，經久亦敷榮。

屈子懷高潔，餐霞啜落英。吾生千載下，彌復愛其名。

心愛亦胡為，蘭桂有芳菲。草木猶如此，嗟哉慎莫違。

其三

浩蕩綠波怨，時兮不我留。荏苒人將老，所懼名不修。

百年何所恃，念此意悠悠。繁英生雜樹，朱華倏隕秋。

努力事嘉種，持此亦何求。

《岳雪廬叢稿》　廣州　知用中學　1934年4月

010.雨雪外歸

飛絮飄飄沾滿衣，胸懷餘熱浩然歸。朔風凜烈啼烏靜，冰雪嚴寒凍頰緋。

溝壑祇憐填老翁，晏安疇敢慕甘肥。天時人事都如此，莫使中原賦式微。

《岳雪廬叢稿》　廣州　知用中學　1934年4月

011.報愚丈鮀江

忽報鮀江長者書，足音跫至慰飢劬。品同巖山文章古，清比梅花道貌癯。

青眼加予情獨厚，深山講學計寧遷。他年禮樂重興日，紹述何慚東魯儒。

《岳雪廬叢稿》　廣州　知用中學　1934年4月

012.春宵

華鐙吐艷照前帷，醉裏湖山感百非。剜肉醫瘡庸足補，安貞順命更何祈。

茫茫浩劫愁如許，碌碌勞人苦未歸。十載風塵牛馬走，豈忘將息卸征衣。

《岳雪廬叢稿》　廣州　知用中學　1934年4月

013.有懷季弟

涼風天末思余季，迢遞雲山道路長。有弟稚齡年十一，方之鴻雁兩成行。

登山臨水齊親密，食棗分梨憶共嘗。異日倦遊懷出處，滋蘭樹蕙合芬芳。

《岳雪廬叢稿》　廣州　知用中學　1934年4月

014.南海舟中

晚來閒悵望，千里水雲平。巨浪非吾懼，長風事遠征。

飛飛知鳥樂，躍躍羨魚情。物我原同化，翻然悟此生。

《岳雪廬叢稿》　廣州　知用中學　1934年4月

015.東海舟中有懷

嫋嫋秋風起，洞庭木葉波。煙濤秋水遠，雲霧遠山過。

尚憶醉時事，遽憐別意多。漫揮兒女淚，鴻烈壯山河。

《岳雪廬叢稿》　廣州　知用中學　1934年4月

016.重陽日友人招飲

海上逢佳節，秋風又一年。滿斟玫瑰酒，來醉菊花天。

健德思重九，高明仰大賢。相呼知美意，把酒意茫然。

《岳雪廬叢稿》　廣州　知用中學　1934年4月

017.赴津道中雜詩序重九節後一日，余發申江，遵道海赴津，船中所懷，輒紀以詩，寫示親友，聊寄吾意

與老翁夜語

可教稱孺子，憶哉矍鑠翁。懸知剝極復，應曉敧當中。

弭亂澄心始，養民善化隆。昌期宜有日，接物厚持躬。

偕稚子遊玩

欣暢有餘樂，童稚無險巇。俯思為客日，乍聽喚兄時。
知道寧馨物，堪懷風雨詩。揚帆滄海去，莫負少年期。
記遣散士卒
鋒鏑餘生士，曾經百戰身。禦寒衣瑟縮，一飯語悲辛。
衮衮思猶厚，茫茫跡已陳。幸能歸里閈，培種菜花新。
述船中苦況
海客談瀛好，今歌行路難。容身徒片席，果腹漫官餐。
苦浪人思吐，安眠夢亦酣。飽嘗茲世味，聊勝一枝安。
泊舟煙台
巨港艤舟地，依稀憶去年。懷愁人欲病，無恙樂猶仙。
且食江魚美，欣啖瓜果鮮。煙台物產好，醉就酒家眠。
海上望月
夜色籠天際，冰輪一道浮。觀濤眩壯麗，待月幾遲留。
應有清如水，何曾玉作鈎。嫦娥知我意，光彩若為流。
讀宋人書牘
開卷思良益，名賢手札尊。嘉謨世所識，直道意長存。
語妙除枝葉，學原俱本根。舟行稀別事，云愛舊書溫。
閱報感賦
世事嗟難料，翻騰喻白雲。何如參利害，漫事說仇恩。
兵氣衝霄漢，悽鴻叫雁門。徒盈憂國淚，哀嘆問乾坤。
天冷加衣
密密針痕在，纖纖手製成。披衣尋體適，覩物覺情生。
蕭瑟西風涼，溫和煖氣盈。吾身宜愛惜，佳意笑雲英。
傷亂憶家鄉
烽火頻驚候，傳聞郡邑淪。秋殘嗟肅殺，浩劫問由因。
智略終何補，懷抱孰可陳。雲山千里遠，心念掛吾親。

《岳雪廬叢稿》　廣州　知用中學　1934年4月

018.大沽口二首

其一

北門思重鎮，一口鎖咽喉。地扼京津險，潮平日月浮。

乘槎懷漢客，守國仗群流。回首海天處，蒼茫對白鷗。

其二

大沽徵痛史，獨立應傷神。喋血溯庚子，殘民記丙寅。

要盟屬可恥，國憲問誰伸。世變方無盡，驚濤播戰塵。

《岳雪盧叢稿》　廣州　知用中學　1934年4月

019.京津車中即事

風輪追電御，暮色逐煙生。星斗長天見，兵車夾路鳴。

飛禽投樹止，金鐵發商聲。此到京華去，青藜火正明。

《岳雪盧叢稿》　廣州　知用中學　1934年4月

020.深秋過中央公園作

園亭偶涉趣，涼意入秋深。曲徑堆紅葉，流泉奏玉琴。

黃花開惜晚，綠橘漸成林。獨有參天柏，經時依舊森。

《岳雪盧叢稿》　廣州　知用中學　1934年4月

021.鐙前

風說傳多異，鐙前滿紙迷。遙憐鄉國事，無奈汝南雞。

智術尋相拒，人情安可齊。舉頭霜月白，嘹唳雁聲悽。

《岳雪盧叢稿》　廣州　知用中學　1934年4月

022.疾雷

雷音頻入耳，般般劈山來。勢挾風沙起，煙騰草木摧。

震驚駭百里，戰慄足千回。烈變翻時令，桑由話劫灰。

《岳雪廬叢稿》　廣州　知用中學　1934年4月

023.偶成

栖皇天下事，孑孑一身寬。涉世知情偽，觀生識易難。

意隨青玉朗，心與白雲閒。飽食兼酣睡，夢魂覺足歡。

《岳雪廬叢稿》　廣州　知用中學　1934年4月

024.課罷返齋舍作

衡門泌水樂棲遲，坐擁書城百不知。畫粥且嘗清淡味，先憂懸想太平期。

龍降虎伏持心定，風泊鸞飄達者悲。太息閒情懺未盡，人間疾苦已多時。

《岳雪廬叢稿》　廣州　知用中學　1934年4月

025.五月初十晚別上海

黃埔江頭別，吾生有底忙。征塵朝雨洗，銀燭夜燈光。

並世思良侶，水雲覓舊鄉。海隅閒處立，萬里碧天長。

《岳雪廬叢稿》　廣州　知用中學　1934年4月

026.答友

水靜沙猶白，蓬生可待扶。盟心堅信念，鏤骨記紳書。

業愧西門豹，才慚東魯儒。鴻儀用九吉，風力藉吹噓。

《岳雪廬叢稿》　廣州　知用中學　1934年4月

027.歸舟有懷

海上歸槎急，臨流百感生。良時毋枉過，物量待平成。

南北奔馳者，東西溝水情。吾師方旰食，駑鈍豈遑寧。

《岳雪廬叢稿》　廣州　知用中學　1934年4月

028.過臺灣海峽懷鄭延平

南服資屏蔽，雄藩海外懸。魚龍知變化，陵谷閱升遷。

欲訴當年恨，還思曠代賢。蒼茫懷古意，熱淚灑風前。

《岳雪廬叢稿》　廣州　知用中學　1934年4月

029.贈李衍恂

人事經千換，江山一滯淹。憐余辭冀北，羡子向滇南。

骨相渾非薄，交情壯許添。十年雷雨夢，應使頑夫廉。

《岳雪廬叢稿》　廣州　知用中學　1934年4月

030.夜坐

賤價求沽不值錢，杯中常有酒如泉。身丁濁世何堪醉，目想幽人尚未眠。

鐵可心情隨日冷，江關詞賦足春妍。愁腸遣去尋歡夢，忽覺流光換歲年。

銀燭燒殘火自明，替人垂淚夜三更。醰醰世味知辛辣，落落襟期見性靈。

未料才高招鬼瞰，詎容樂極悔心萌。南華示我逍遙意，領取浮生一葉輕。

《岳雪廬叢稿》　廣州　知用中學　1934年4月

031.山泉茶室

來日田間步市廛，相將漱石飲山泉。經時默默誰知你，半日閒閒不羨仙。

邀客盤蒸金粟飯，對人口嚼苦心蓮。不才愧答交親意，萬種情懷語未宣。

《岳雪廬叢稿》　廣州　知用中學　1934年4月

032.諸生

當年渴睡了諸生，下智深勞月旦評。乳虎吞牛威自壯，鯤鵬展翼孰與京。

存誠愛物非邀譽，繕性求真庶善名。此日草玄甘寂寞，玉階遙立盼河清。

《岳雪廬叢稿》　廣州　知用中學　1934年4月

033.風雨後謁墓

昨夜飄風大雨翻，朝來猶自盪心魂。東郊屢過存親墓，北闕休陳叩帝閽。

嶺外孤峯侵曉色，林梢一角上朝暾。濕雲似蓋籠烟樹，祇覺新墳靜裏尊。

《岳雪廬叢稿》　廣州　知用中學　1934年4月

034.吳嫂魏夫人輓詩代

天容黯淡婺星沉，不盡紅棉哀感深。德慧能成夫婿業，塵寰難覓女兒心。

綿綿純孝堪傳世，肅肅芳儀可鑄金。江山曲終人不見，詎憐朝露溘青琴。

《岳雪廬叢稿》　廣州　知用中學　1934年4月

035.嶽麓

再造共和今十稔，令人空憶蔡將軍。瘡痏未復天方醉，嶽麓山頭起暮雲。

《岳雪廬叢稿》　廣州　知用中學　1934年4月

036.題萊佛士造像

鑿空事業誰真健，敢笑東西人不同。法顯高人長已矣，任他銅柱鑄豐功。

《岳雪廬叢稿》　廣州　知用中學　1934年4月

037.題光明畫集

梵天一劫爭相砍，血戰玄黃動殺機。無限悲懷來入畫，亦知襟袖淚痕揮。

《岳雪廬叢稿》　廣州　知用中學　1934年4月

038.輓張端甫先生

詩人美張仲，伯子實吾友。沃聞長者行，立德垂不朽。

國有老成人，後進勞迪誘。如何大君子，奇禍中小醜。

天命不可常，公道復何有。在昔有鉏麑，而不殺趙盾。

今世復何世，能不抱孤憤。長者嘗服官，議論合繩準。
政績美龔黃，南州稱令尹。晚歲樂林泉，築室招小隱。
與物既無爭，操持愈廉謹。桀犬胡吠堯，嗟爾荊蠻蠢。
浩然御風歸，虛空如碎粉。渴不飲盜泉，熱不息惡木。
往哲尚清廉，叔季蹈汙濁。為惡無近刑，莊生嘆緣督。
大本不可移，豈伊同流俗。哀哉彼天民，受報亦何酷。
至此無言說，長聲以恫哭。余既新喪父，視天常懵懵。
今朝哭長者，思之能勿慟。世上有孤兒，傷哉受愚弄。
高門五祥麟，只憐西雛鳳。萬里獻生芻，虔把心香貢。

《岳雪廬叢稿》　廣州　知用中學　1934年4月

039.懷沈氏弟妹

劇憐羇旅各西東，對酒當歌氣自雄。山海雖遙同宇內，天人可悟執環中。
曰歸將母非愚孝，抒憤成文表至忠。德性信知余季厚，宵來得句一燈紅。

《岳雪廬叢稿》　廣州　知用中學　1934年4月

040.寄鄭鐸宣博士廣州

每從書傳識當時，千載遙遙復見之。游俠不緣性忼爽，儒林須要筆淋漓。
神奇朽腐嘗遷化，險阻艱難每再思。欲託浮雲相問訊，蒼生霖雨為誰施。

《岳雪廬叢稿》　廣州　知用中學　1934年4月

041.五月十三晚端蒙學生在大世界表演，口占三絕

江南月

清宵一曲江南月，挑動南天座客心。三月江南生劫火，歌聲琴韻兩流金。

滑稽舞

載櫜戢干胡不武，應知興楚存三戶。諸君奕奕有閒情，且作軒渠滑稽舞。

劍舞

公孫紅線應猶在，赫赫寒光劍欲飛。持向山前降毒虎，斷無粉汗濕春衣。

《岳雪廬叢稿》　廣州　知用中學　1934年4月

042.寄冰如

一代風華美令譽，幾回將寄大雷書。今吾行役勞相問，似你明詩欲起予。

不信河山真改易，敢云天地存孤虛。南朝舊事渾相憶，話到生平意鬱如。

《岳雪廬叢稿》　廣州　知用中學　1934年4月

043.六月初旬小病感賦

風波垂定事猶難，世態媸妍不忍看。鄒叟空言評伐燕，留侯思奮在存韓。

欲將志業追鵬舉，卻把生涯付鼠肝。力竭南荒仍拓落，多慚親友問平安。

《岳雪廬叢稿》　廣州　知用中學　1934年4月

044.朵雲篇寄冰如四首

其一

朵雲從天來，展視思良益。山海阻中州，綿邈若咫尺。冰壺一片心，

倍切風雨夕。漆室號善懷，滄桑痛銜石。智者觀幾微，怡然理亦適。

持況西方人，寤寐生摽擗。

其二

雅詩久云廢，國難亦已亟。一鶴忽孤飛，兵火未曾熄。軫念荷戈士，

內外同太息。孰云時既愆，惜哉此膂力。樽前華髮添，豈有好顏色。

長劍作雷鳴，暇時聊拂拭。

其三

莽莽蔽中原，芸芸殖禹甸。遙睇日方曛，歲歲苦征戰。翟子懷非攻，

是則推時彥。微言鼓群倫，四海求聲援。止沸先抽薪，枝葉誰相剪。

大道原坦蕩，短視不可見。

其四

去國幾何年，春秋迭代序。苦樂雖與同，宛似莊居楚。之子道人善，

藻飾多稱許。生平箕穎志，頗欲追巢父。黃金與人爵，非義弗當取。

天末覺風涼，搔首為延佇。

《岳雪廬叢稿》　廣州　知用中學　1934年4月

045.遣懷

如隙駒光到歲餘，人天消息總離居。悲歡歷歷潮心影，笑貌依依入畫圖。

于役奚分三歲久，閉門且讀五車書。情知無限飛騰意，豈獨南州汝與予。

《岳雪廬叢稿》　廣州　知用中學　1934年4月

046.壬申（1932）除夕

一廛海外足安居，食字神仙羨蠹魚。坐付景光閒裏過，不煩生事念中舒。

宰羊燴鯉聊行樂，奠桂懸符俗未除。大宛香留樽酒美，壺觴怡我歲當初。

《岳雪廬叢稿》　廣州　知用中學　1934年4月

047.元旦試筆

春明物候欣元會，出海雲霞布大千。華國豈宜文字美，平邊允賴大官賢。

每於執禮尊耆舊，偶植遊春遜少年。未勤燕然歸計拙，漫云一柱撐南天。

《岳雪廬叢稿》　廣州　知用中學　1934年4月

048.接鐵冰訊即寄

滄波遙睇常相憶，六月殷勤寄玉箋。行簡端居如我拙，思聰明辯念君賢。

藏冰嚼雪誰云好，秋菊冬松各自妍。試上岱華天下小，人生到處合悠然。

《岳雪廬叢稿》　廣州　知用中學　1934年4月

049.今朝

與你銷愁盡一觴，今朝有酒勸君嘗。勞人未了風塵債，兼士應懺醉語狂。

爽氣貫眉雙秀透，浮生如夢幾歡場。嶺南他日司春至，預放梅花一段香。

《岳雪廬叢稿》　廣州　知用中學　1934年4月

050.浣溪沙感事

風雨打簾鈎，惟怕登樓。青山斷續半離愁。如此忙來忙不了，浩蕩千秋。

人海正沉浮，恰比沙鷗，飽看後浪逐前漚。事大如天休管也，滿酌金甌。

《岳雪廬叢稿》　廣州　知用中學　1934年4月

051.齊天樂越秀山懷古

此中邱壑真如畫，南州每傳佳處。獨秀中峰，前臨珠海。問比匡廬誰著。

龍蟠虎踞，怪真定臣佗。嶺南遠戍，霸圖宏開，古城落日在何許。

豪華曾記六代，剩榕陰一塔，沒入烟雨。夏木扶疏，飛花歷亂，謝盡紅棉

幾樹。登高作賦，甚筆底生花，惱人情緒。辜負流年，更尋章摘句。

《岳雪廬叢稿》　廣州　知用中學　1934年4月

052.生查子閨怨

念細柳營前，躍馬親相送。舉目望征人，妾似桐花鳳。

露冷濕雲裳，最夜深頭重。切莫打黃鸞，驚破遼西夢。

《岳雪廬叢稿》　廣州　知用中學　1934年4月

053.點絳唇

飯煮胡麻，幾疑重到天台路。欲行回顧，記否深思慕。

玉宇瓊樓，長是朱顏住。謾相妒，數聲人語，暗把衷情訴。

《岳雪廬叢稿》　廣州　知用中學　1934年4月

054.鷓鴣天

手自拈花面世尊，知從何處證聲聞。細思往事成春夢，小謫人間悟夙因。如語默，黯消魂。今朝不飲負芳樽。江州司馬青衫濕，贏得襟頭舊酒痕。

《岳雪廬叢稿》　廣州　知用中學　1934年4月

055.虞美人

驚鴻飛向瀟湘去，影在冥濛處。天涯搖落幾多時，緘就玉璫珍香寄相思。可憐識得愁滋味，不盡荒唐意。玉階秋夜露華濃，桐子落時卻又怯西風。

《岳雪廬叢稿》　廣州　知用中學　1934年4月

056.踏沙行

枕角留香，衾頭憶趣，醒時好夢無留處。淵明怪底解閒情，有情卻被無情悞。　紅豆相思，蓮心正苦，滿懷幽緒憑誰訴。此身化作兜羅雲，朝朝暮暮任來去。

《岳雪廬叢稿》　廣州　知用中學　1934年4月

057.水龍吟陪克諧登粵秀山

天涯飄泊何之，江山舊日登臨地。紅羊浩劫，黃花碧血。古今朝市，落日蕪城。疎星河漢，沸天歌吹。道嗣宗來了，一聲長嘯，鳴鸞鶴，鵲驚喜。休說時兮不利，靜觀邱壑風雷起。江東獨慕，雄姿英發，周郎才氣。無限悲歡，憐他金線，年年如此。替何人折取，應牽翠袖，抆山河淚。

《岳雪廬叢稿》　廣州　知用中學　1934年4月

058.憶江南

春睡起，心上憶嬌嬈。好鳥枝頭知樂趣，綺窗猶聽雨瀟瀟，愁對百花朝。

《岳雪廬叢稿》　廣州　知用中學　1934年4月

059.長相思

其一

數清宵，度清宵。江上魚龍聽玉簫，征夫感寂寥。

認前朝，話前朝。折戟沈沙恨未消，春深鎖二喬。

其二

思華年，惜華年。錦瑟無端五十絃，聞聲便悵然。

柳非煙，月非煙。卻把嗔癡付玉田，愁思怪可憐。

《岳雪廬叢稿》　廣州　知用中學　1934年4月

060.唐多令別意

烟霧鎖秦樓，離愁應未休。縱抽刀斷水也長流，只有湘娥知此意，綠波逝，碧油油。　　鴻雪久淹留，奮飛憐末由。暗思量，日在心頭。漫說嶺南風物好，長堤道，悞歸舟。

《岳雪廬叢稿》　廣州　知用中學　1934年4月

061.滿庭芳春思

園柳鳴禽，池塘春草，長堤十里煙迷。柔腸思轉，人在子城西。辜負香衾弗暖，曉來顧影太清淒，算來是畫梁海燕，整日語喃呢。　　韶光還百六，花間蝶舞，葉底鶯啼。訪林亭消息，新種成圍。應有繁英錦簇，最憐碧綠與天齊。傷情處，東風不解，飛絮惹芳泥。

《岳雪廬叢稿》　廣州　知用中學　1934年4月

062.昭君怨本意

省識生涯是夢，漫說才高小宋。何處覓新歡，見時難。

陌路游絲片片，又是月華如練。千里共嬋娟，別時圓。

《岳雪廬叢稿》　廣州　知用中學　1934年4月

063.滿江紅弔紹金

大樹飄零，將軍一去音容杳。瞑目未，湖山終古，幾多悲擾。守國需材思猛士，長城自壞傷狂狡。有誰知碧血化萇弘，歸蒼昊。　　家國恨，仍未了。風雲變，為何兆。嘆霜凋楓葉，露滋衰草。赤手應驅豺虎去，黃金難買驪駒好。過千年仙鶴過遼天，依華表。

《岳雪廬叢稿》　廣州　知用中學　1934年4月

064.水調歌頭

海闊碧天靜，一葉渡平洋。琉璃萬頃敲碎，雲水正蒼蒼。上有冰輪一塊，旁有疎星三兩，異地作光芒。飀泊問何似，宛在水中央。　　夜向晨，時未央。力猶強，平生意氣安在。奮勉致軒昂，應似乘槎博望。還似浮家少伯，茲事意難忘。少壯須努力，芳躅接孫黃。

《岳雪廬叢稿》　廣州　知用中學　1934年4月

一九四九

065.北窗

恬然高臥北窗旁，閒自齎糧適莽蒼。羞托微波通委宛，忍看樂土數流亡。匡牀睡起堯非桀，博塞羊亡穀比臧。敢說平生憂樂大，能明吾意倘毋傷。

《民主評論》第1卷第5期　1949年10月　頁6

一九五〇

066.堅社社課：1950年冬，念奴嬌懺菴丈招飲山樓賦呈，並柬同社諸子

蓬萊高會，伴耆英洛下，忘年剛九。四牡騑騑誰健者，精力未甘衰朽。看劍傾杯，檢書燒燭，壯氣吞牛斗。歌詞傳遍，忝盟壇坫之後。　　何限萬水千山，蠻陬荒艷，解唱青青柳。駿馬輕裘當日事，剩有風懷如舊。梅蕊

涵芬，霜筠傲雪，頗醞紅爐酒。夜闌燈火，海天容與回首。

《懷冰室集詞》乙編　頁218

一九五一

067.堅社社課：1951年春，一蕚紅初春雅集山樓，鳳老拈此題命賦，次石帚韻

問晴陰，趁花朝未過，樽酒話朋簪。纖手調絃，新聲比竹，庭院歌管沉沉。海雲共東風蕩漾，有浪蕊，飛濺颭輕禽。俊賞南樓，小休東閣，佳日登臨。　　江國眼中春事，料春花正發，悵觸春心。灼灼夭桃，依依細柳，多少閒處勾尋。記曾共名都結客，試芳郊驄馬絡黃金。待斷胸中葛藤，未抵杯深。

《懷冰室集詞》乙編　頁220

068.堅社社課：1951年春，風入松清明

槐烟新散入春城，燕麥正青青。杜鵑喚起愁多少，聽風雨，一霎清明。芳草天涯懷遠，梨花院落傷情。　　誰分賓主占林亭，乍暖又寒生。雕花撥柳爭先着，有行人、翠袖珠凝。飛過牆頭粉蝶，忙來葉底黃鶯。

《懷冰室集詞》乙編　頁221

069.堅社社課：1951年冬，過秦樓石塘晚眺

水拖湘裙，山環螺髻，一抹彩雲吹斷。飄殘玉樹，寂寞金樽，何處曼歌團扇。多少舊事關心，長憶芳時，過如飛箭。對西風悵立，塵生羅襪，綠波人遠。　　猶記陌走鈿車，雲飛天鏡，細認酒痕襟染。回腸盪氣，淺唱低斟，落魄幾同三變。惟有輕盈，依人描黛工顰，流波嬌倩。料消魂此際，銀漢稀星點點。

《懷冰室集詞》乙編　頁222

070.堅社社課：1951年冬，酷相思

夏雪冬雷情不改，悵消息，蓬山外。歡波譎雲翻，千萬態。春未換，花痕在。衣未換，脂痕在。　　綠減紅休時不再，此日淚，何人會？念連理同根，胡忍背。行去也，愁無奈。歸去也，歡無奈。

《懷冰室集詞》乙編　頁221

071.堅社社課：1951年冬，憶舊遊敬和伯端詞丈：伯端丈五十年前侍太夫人課讀花下，適有落瓣飄墜，拾置卷中，今檢舊帙，覩色轉淡黃。理如蟬翼，因賦此調，約社侶同作，余漫成一闋

遡萲庭日暖，課讀花間，詩熟親娛。一瓣隨風墮，作珊瑚賞玩。子似龍駒，試題五十年事，春夢苦模糊。奈萼比紅梅，根深紫竹，一倒清癯。　　蕭疏。雪蓬鬢，恨換卻斑衣，歡緒今無。細檢琅函裏，怪紛紅駭綠，煙淡雲枯。賦樓況有高手，心影落江湖。想燭跋書堂，霜繁月白啼夜烏。

《懷冰室集詞》乙編　頁222

一九五二

072.堅社社課：1952年初，渡江雲辛卯（1951）除夕花市

浮雲低巘崿，鼓聲正緊，忍獨抱愁歸。渡江梅柳至，影淡枝橫，水曲照參差。閒情漫賦，恐惹得衣上芳菲。還記否？故園春好，繞屋樹成圍。　　凄迷，雲橫南嶺。水暖滄波，問安排何計。看海市夜闌燈火，映帶餘輝。今宵倦睫慵開了，又花明柳暗偏宜。情切切，春光飛上桃枝。

《懷冰室集詞》乙編　頁221

073.堅社社課：1952年春，喜遷鶯春山看杜鵑

空山延佇，似杜宇聲中，報花開處。紫陌煙凝，芳阡霞蔚，剪翠裁紅無數。詞客漫嗟蜀道，游子元知吾土。縱望眼，恐感時濺淚，采箋題句。

無據。天莫問，沉醉東風，怎挽朱顏住。宮錦衣成，瓊枝歌罷，挑起離人情緒。嫋嫋垂楊香草，滑滑春泥酥雨。倦游也，正海天惆悵，不如歸去。

《懷冰室集詞》乙編　頁222

074.堅社社課：1952年春南浦春水

綠漲岸痕平，浴閒鷗，正是烟輕波暖。堤柳孃絲絲，燕飛來，低向縠紋新剪。斜陽曲榭，蘭橈緩逐桃花片。回首陂塘清欲滿，依約昌華舊苑。萋萋草色消魂，念斷浦雲流，孤舟旅倦。帆影落潭新，芳塵去，賸映素馨千點。予懷渺渺，不堪還聽浮鵝怨。荔子灣頭重過處，誰識此情難遣？

《懷冰室集詞》乙編　頁223

075.堅社社課：1952年，西江月舞會

舞苑歌聲曼曼，良宵鼓樂蓬蓬。細腰輕攬入芳叢，宛似游龍戲鳳。
喘息微聞香澤，嬌羞紅暈花容。歸舟涼快引天風，道是瑤臺一夢。

《懷冰室續集》詞　頁106

076.堅社社課：1952年春，滿庭芳聽艷娘（芳艷芬）度曲

檀板敲殘，銀箏搊遍，一曲梁繞新聲。冷意幽咽，音妙佩環鳴。暗想明妃出塞，琵琶怨，淚共絃迸。彤雲暮，胡沙歷亂，愁絕倩誰聽。　傷情，排遣處，繁華易歇，別恨難平。算珠璣堆翠，螺髻翹英。歌盡桃花扇底，秦淮碧，空說傾城。凝眸久，蘭飄麝散，燈影隔娉婷。

《懷冰室集詞》乙編　頁225

077.白沙先生江門釣臺重修落成，其後人柬邀觀禮。余因事不克參與盛典，謹賦一絕表意

清芬祖德宜紹述，名世之興五百年。奚異桐廬江上水，釣魚臺畔月孤懸。

陳應燿編　《白沙先生紀念集》　香港　陳氏耕讀堂　1952年

一九五三

078.堅社社課：1953年春，碧牡丹詠紅棉

託體靈根在，初日臨滄海，曉露湛湛，漫濕旂亭車蓋。乍覩赬顏，飛暈霞同靉。軼羣千萬雄態，事難再，拊臆徒寄慨。芳心寸寸誰解？躑躅關河，悵望霸圖空改。艷筆凌雲，還欠他文采，昂頭應向天外。

《懷冰室集詞》乙編　頁224

079.堅社社課：1953年春，浪淘沙慢送春

倚欄處，香拋麝粉，翠減紅藥，雛燕平蕪漫掠。浮花浪蕊似昨，恁飛舞，呢喃棲畫閣。有輕絮，細撲簾幙。念繡陌鈿車去何所，記曾誤芳約。飄泊，綠萍點點誰託？更樹底鵑啼鶯聲老，苦了人未覺。　　教夢入愁邊，莫引清酌。歲華暗促，問瞬歸行錦，山涯天角。無計安排心頭惡。捫襟袖，酒痕易駁。算衣帶，容光同瘦削。甚臨水、也照孱顏，儘寂寞，人間暗怨東風薄。

《懷冰室集詞》乙編　頁225

080.堅社社課：1953年，金縷曲次韻璞翁題艷娘詞冊

醉賞簪花格，喜詞仙，流傳麗句，殷勤求索。暫息屠龍懷絕技，吾愛吾廬多窄。問俗士，可殊褌蝨，美譽空華同水月。笑紛紛，世論徒堅白。能御萬，宜持一。　　瓊樓宴罷無消息。想當年，傷麟怨鳳，我亦狂客。崔顥題詩誰繼唱，擱了繽紛詞筆。恨苦雨，殘英狼藉。日上枝頭春睡足，寫新聲，恰為嬌嬈憶。多少事，付寒汐。

《懷冰室集詞》乙編　頁225

081.堅社社課：1953年秋，鷓鴣天落葉

一曲哀蟬不忍聽，樹猶如此況生平。霜華井砌飄零意，日暮皋亭惜別情。風振幕，雨淋鈴，漫傷搖落答秋聲。遙知宋玉悲秋感，〈九辯〉歌成訴不平。

《懷冰室集詞》乙編　頁226

082.癸巳（1953）元旦試筆，健社社課

萬舞方將學挽弓，眼中得失付雕蟲。籠紗好句期攻錯，標柱勳名只廢銅。耽酒香浮竹葉碧，栽盆花愛牡丹紅。拈毫細寫宜春帖，哀樂生平乏性功。

《懷冰室集詩》丁編

一九五六

083.浣溪沙

海角春深聽子規，聲聲道是不如歸。問君底事向天涯。
枝上落花和淚濺，樽前風味祇心知。江山紅盡夕陽時。

《崇基校刊》第9期　1956年11月　頁10

084.木蘭花詠蟬

庭陰槐影勤將護，一曲繁聲誰和汝。依然高潔挹清風，漫說已無留戀處。微吟宛託騷人句，怎忍飛鳴過別樹。一枝一葉有餘情，莫怨玄裳沾玉露。

《崇基校刊》第9期　1956年11月　頁10

085.蝶戀花小序：甲午（1954）三月鳳老（廖恩燾）病歿香江，越半月，余賦悼亡，匆匆已三年矣！適璞翁（劉伯端）寫示新作，感事懷人，泫然不知涕淚之何從也，遂繼聲焉。

影樹亭空人不見，歲歲花開，十里霞垂織。暮雨珠簾誰共卷，等閒省識紅粧面。　　風送神山疑路遠，化作芳泥，不解隨波轉。十二欄杆徒倚遍，

迴腸一曲絃俱斷。

《崇基校刊》第9期　1956年11月　頁10

086.西江月和饒固庵韻

朝露花叢粉墜，夕陽芳草神傷，離愁偏共雨絲長，坐久旋颸入帳。

世事恍如春夢，人生合為誰忙。不堪回首話韶光，道是清狂惆悵。

《崇基校刊》第9期　1956年11月　頁10

087.小重山殘梅，和饒固庵韻

數朵嬌紅似戀春，疏枝斜照水，尚留痕。雨來瘴海欲飛雲，清絕處，暝色入林昏。　何事變涼溫，山樓吹鐵笛，最消魂。玉容無那怨東君，人初定，烟靄鎖重門。

《崇基校刊》第9期　1956年11月　頁10

一九五七

088.馬料水雜詠四首，次常庵韻

其一

兩間元氣自氤氳，大海潮音拍岸聞。無限天機閒處得，何須解慍待風薰。

其二

北望雲山別有天，紅桑親見海成田。傳經心事誰人曉，斷簡摩挲不計年。

其三

斷續鐘聲入耳來，玉屏山下講堂開。書生挾策知何濟，楠梓栽成作棟材。

其四

西風古道夕陽斜，鴻雁來賓菊有華。子墨翰林容坐擁，漫云飄泊嘆無家。

《崇基校刊》第10期　1957年3月　頁3-4、頁10

一九五八

089.為卞君孝萱題節母課讀圖

卞君自是江海人，忠孝大節夙秉奉。母氏聖善纏民思，詞客競以瓊琚貢。
函札三四達下走，擱筆每哂才無用。稚存容甫非他求，節母足傳子雛鳳。
參也由也接高踪，況君才殊千百眾。荼蘗冰霜兩備嘗，鬱勃昭蘇雷奮動。
鳴機夜課燈熒熒，瑟瑟高梧簷際聳。秋晨蕭爽拒霜花，晝荻中庭鳥新哢。
兒心頗樂母心悲，邇時頓覺天重倫。高軒駟馬且無論，揮擲黃金且豪縱。
錫類稱仁昔所欽，典冊高文勤苦誦。嗟余有母未歸養，四海風塵竟澒洞。
側身東望涕沾襟，簇簇家山常入夢。即今文字徒區區，寂寞草玄或覆甕。
名教綱常孰與存，動地迴天憑智勇。

《新亞生活雙周刊》第1卷第3期　1958年6月　頁8

090.蝶戀花和饒固庵韻

玉葉瓊枝花結處，不解飄零，底事花田去。坐對銀瓶呼爾汝，渾然物我忘賓主。　　詞客天涯容小住，剪翠裁紅，忍寫傷心句。莫負濃春輕付與，任他戶外風和雨。

《崇基校刊》第14期　1958年2月　頁17

一九五九

091.冬日遊東普陀

仲冬清爽勝高秋，偶作招提半日遊。三疊寒潭涼鑿齒，四圍翠竹綠凝眸。
老僧持貝耽禪悅，勞者聞歌得小休。煮酒且從文字飲，漫傷飄泊更登樓。

《崇基校刊》第19期　1959年4月　頁16-17

一九六二

092.敬題問禮草堂師生合繪籬菊圖

忠信以為質，繪事云後素。今朝披此圖，欣然得佳趣。

三子皆英年，屢荷金針度。心地大清明，相視竟莫迕。

寫菊見精神，金英燦三五。更有白菊花，皓皓如粉傅。

枝頭綴小菊，乃是敍裙補。讀史憶泉明，秋花非嫵媚。

勁節復孤標，兩兩相依附。高材拜師尊，佳兒有賢父。

畫史著嶺南，瞻望久延佇。

《林德銘師生國畫聯展特刊》（錢穆題）　香港　1962年2月

093.十一月十一日赴大會堂參觀白沙文物展覽會，敬賦七絕十首，奉寄元一教授

其一

靜中存養出天倪，語妙君房孰可齊。乍覩真容欽節孝，太平山下白雲低。

其二

詩軸長篇手澤存，獨饒閒適貫心源。五百年來無此作，要扶正氣整乾坤。

其三

橫披風采覩雙鈎，健筆都從氣韻流。堪笑鈐山書亦好，區區姓氏不曾留。

其四

藏書富有黃丕烈，正學裁量別聖顛。風教由來存著述，一篇在手敢齊賢。

其五

魚躍鳶飛活潑意，悠然自得此中尋。藥方自是醫時病，畧異陰何苦用心。

其六

精舍甘泉曾作記，白沙詩教果同參。欲知嶺學源流別，節概今時數不凡。

其七

當年曾賦釣魚台，今日灘聲咽更哀。哀樂都緣心緒出，中和樂職賦重來。

其八

于髯揮筆走龍蛇，四壁琳瑯更足誇。總覺時賢詩句麗，應教文物振中華。

其九

不堪重與話崖門，趙氏孤兒有遠孫。試讀崖山鐫石句，揚鞭慷慨泣中原。

其十

海隅屏跡屢過從，小技雕蟲乏聖功。他日若能師孟子，天開文運道無窮。

《人生》第291期　1962年12月16日　頁30

一九六三

094.開歲十日得絕句兩首，寫寄問禮草堂師弟

筆花齊放迎春氣，更挹流霞酒盞中。最憶草堂賢弟子，好將彩筆鬥東風。

嶺南畫史數豪雄，十里霞光奪化工。思入越臺花未發，開春先覩木棉紅。

《崇基校刊》第32期　1963年3月　頁12

095.游子返鄉吟德國席勒作，池載青述，王韶生譯

一解

游子策杖，遠適他邦。浪迹天涯，今日返鄉。僕僕風塵，容顏頓改。

覿面相逢，誰識故態。信步入城，遵彼舊路。城郭依稀，草木繁蕪。

二解

皇然稅吏，元是舊友。人之相知，曾接杯酒。今日相逢，漠然不識。

久炙陽光，面目黧黑。畧事點首，前路悠哉。重整冠裳，輕彈塵埃。

三解

當窻皎皎，儀態萬千。宛孌愛侶，絕勝當年。素心人遇，瞠目不顧。

只恨游子，容顏非故。悄然無語，踽踽前去。沾掛兩腮，清淚如注。

四解

龍鍾老婦，階前徙倚。伊豈他人，實維母氏。嘆息一聲，我兒好否。

激動游子，淚落不已。改我顏色，灼灼陽光。認得親兒，祇有親娘。

《崇基校刊》第32期　1963年3月　頁12

096次韻孝若宗老壬寅（1962）月當頭長句

蘆村曾覩當頭月，廿載悠悠歲月寬。珠闕光垂梅影瘦，瓊樓高處桂冠寒。

橫流四海人無恙，把盞爐峯興未闌。更羨華宗能作健，銀盤徐渡醉中看。

《崇基校刊》第33期　1963年7月　頁17

097.幼椿（李璜，1895-1985）先生郵示長句，次韻奉和

汙流藉堤莫追攀，周鼎商彝愛古斑。解凍東風移令節，為鄰麗句足欣顏。

靜觀澄浪巨珠海，待掃塵氛看蜀山。筆下不忘經國想，卷舒同覩白雲閒。

《崇基校刊》第33期　1963年7月　頁17

098.寄懷韋齋（勞思光，1927-2012）用元韻

為道何須問損增，談玄析理子俱勝。肝腸內熱明真解，筋力猶強躡上層。

象教要期窺謝客，豪情尚覺傲陳登。江關未必悲蕭瑟，地動天迴信可能。

《崇基校刊》第33期　1963年7月　頁17

一九六四

099.哭鄭振文五兄

練江著鄭君，皝皝邦之淑。柏林倡大義，卓然異流俗。

俯觀燕雀群，孰可慕鴻鵠。結交三十載，親厚逾手足。

獅島憶追隨，嶽嶽驚耆宿。報國許馳驅，南雍參化育。

志事在春秋，黃圖夢倘續。精誠開岳雲，詎效唐衢哭。
抗戰雷霆奮，赴難入巴蜀。議壇靖獻多。論事若照燭，
還都始服官。蹇蹇匡世局，如何歷屯艱。玄黃竟反覆。
棲棲十載來，至言納當軸。香江數經過，欵密屢膝促。
相看漸老蒼，耿耿恫心目。勞瘁搖爾精，蕭蕭譬落木。
元化術已窮，百身不得贖。噩耗天外傳，清淚下簌簌。
魂兮庶來歸，寒泉薦秋菊。

《人生》第321期　1964年3月16日　頁29、31

100.唐君毅教授之母陳太夫人於甲辰（1964）上元節病逝蘇州，聞訃成詩敬輓

華嚴與地獄，相看有淚痕。我昔聞此語，震蕩動心源。
賢母善修持，昭昭德義尊。有兒隆孝養，惆悵倚國門。
焚香常禮讚，慈竹已生孫。姑蘇寄蹤跡，遊心給孤園。
眾生具疾苦，大法解煩寃。郎君儒者宗，接席聆雅言。
哲教張海隅，所以報慈恩。寶座敷蓮花，蕭寺樹風旛。
誓興龍象力，同此挽乾坤。

《人生》第321期　1964年3月16日　頁29、31

101.（余）少颿（1903-1990）郵寄《癸卯詩草》一帙，用石字韻酬答

富有本多文，疏鑿境界闢。五采筆繽紛，快覩紗籠碧。
余子今昌詩，煮茗記疇昔。斂手看風雲，端居據講席，
豪氣仍勇決。深杯早止醴，凝眸望海天，吟嘯當月夕。
培養十分春，玲瓏透奇石。

《崇基校刊》第35期　1964年4月　頁34

102.韓江癸亥（1923）之春

滔滔江漢流，入海號朝宗。茲水汀杭發，星宿鑿鴻濛。
蓄停千里勢，折曲萬山中。百谷匯梅嶺，浩瀚水淙淙。
氣象開三峽，陰晴見碧峯。洲沚通游鯉，深淵產螭龍。
楊柳殘月岸，蜿蜒大江東。利涉稱舟楫，江楓葉正紅。
翻似隨烟霧，星河差可通。瀕岸漁鹽庶，土饒麥稻豐。
利甚揚子著，患苦黃河同。積雨川原漲，風濤亦洶洶。
漂泊掩原野，流徙嘆飄蓬。治河聞有計，導水紀禹功。
誰能濬茲川，嘉惠永無窮。

僑港潮汕文教聯誼會會刊第1期編撰委員會編印　《僑港潮汕文教聯誼會會刊》第1期　1964年6月

103.潮州雜詩四首

其一

韓山遺跡著文祠，俎豆馨香享歲時。老幹霜皮懷橡木，蕉黃荔熟結南枝。
靈光奕葉留州郡，元氣淋漓壯廟碑。雲水滄茫悠意遠，我來瞻拜動幽思。

其二

郡城西麓有西湖，瀲灩波光捲畫圖。短樹扶疎栽萬木，青蘋接喋飼游魚。
金罍醉酌梅花下，輕舫來尋水竹居。穎上羅浮清若許，問渠得似此間無。

其三

地謫南荒路八千，百年滄海變桑田。淹留舊宅尋天水，寂寞招提訪大顛。
自昔蠻烟紛廣漠，而今車馬鬧喧闐。騎驢買酒湖邊醉，欲話當時已惘然。

其四

疎林歷落讀書堂，鹿洞鵝湖遠擅場。但道金韓存絕學，豈無朱陸煥文章。
一天風月山盈座，四壁藤蘿花滿牀。南嶽有靈遲李泌，經生素業不相忘。

僑港潮汕文教聯誼會會刊第1期編撰委員會編印　《僑港潮汕文教聯誼會會刊》第1期　1964年6月

104.浣溪沙題冼玉芳紀念冊子

推手為琵卻手琶，絃絃撥撥亂胡沙，教人怎不暗思家。

低奏玉龍尋往事，輕攏金軫惜年華，相逢珍重折梅花。

《崇基校刊》第35期　1964年4月　頁34

105.送何子朋（孟熊）留學日本京都大學研究所

韓公昔掌國子學，解難竊附東方朔。後起俊秀張文昌，助教上庠稱卓犖。

大用恰比鯤與鵬，小受亦安蜩與鷽。鉛刀干將器本殊，大冶鑄金奚踴躍。

偶從東海探驪龍，赤水玄珠猶在握。而今太常重資格，玉出荊山宜剖璞。

人云寶書求異國，君自登山尋五嶽。西京文物足冥搜，腹笥便便何煩暴。

應從先哲覩牆羹，閉戶不聞聲剝琢。他年捆載復歸來，定有梓材供匠斲。

今朝喜子出頭地，我雖賦詩欠橫槊。

《崇基校刊》第36期　1964年8月　頁21

106.得何子朋（孟熊）自日本來書，以詩代柬

自子賦東征，孟夏日初吉。涉旬鯉書來，辭氣透洋溢。

文哲兼眾美，升堂更入室。晉接多俊彥，馳驟良勿失。

班書且寢饋，蘭陵貴純一。不厭百回讀，深造子自得。

孟堅與龍門，工力本悉敵。其後有抑揚，此論元耳食。

斷代首成書，良史具特識。典雅而宏贍，湘綺尊複筆。

何子著作才，章安句妥適。行文如用兵，鏖戰拔趙幟。

持以較時賢，未可第甲乙。甚矣嘆吾衰，望子早傑出。

遠志伍蕤齋，彼邦輯古逸。又如楊守敬，網羅收散佚。

文統無私權，春華採秋實。竊慕趙相如，寶此連城璧。

《崇基校刊》第36期　1964年8月　頁21

107.送余國強兄赴哥倫比亞大學進修

板屋依林占古村，戰時講學耐辛勤。余子英年兼夙慧，披服儒素出高門。
念年人事有代謝，罏峯託跡義在敦。敬敷五教詳節目，稽古毋忘究典墳。
泰西制度觀摩善，年前稅駕遊英倫。今更御風着新陸，樹立堂堂道益尊。
西方考核重紀錄，優良中可區以分。中土論點或差異，實踐躬行歸本根。
察其同異資借鏡，畜德應多識見聞。今朝樽酒悵離羣，眷言思子仰停雲。
舊雨新雨寄屬望，前矛後勁張吾軍。

《崇基校刊》第36期　1964年8月　頁21

108.感事次（王）貫之兄韻

牽蘿補屋負辛勤，慷慨賡歌一曲汾。清韻難諧石磬冷，快刀寧解亂絲棼。
明明憂掇中天月，冉冉忻歸出岫雲。休問升沉兼代謝，帶經猶可事耕耘。

《人生》第333期　1964年9月16日　頁16

109.港大林仰山教授榮休，親薦羅元一兄於賴德爵士主持中文系務賦寄

國子博士要典墳，蒹葭大義夙微聞。豈知文教扶危日，轉羨高材卓不羣。
在昔蘭陵尊祭酒，今茲禮樂屬河汾。〈離騷〉痛飲彈冠後，盡有奇峯變夏雲。

《人生》第333期　1964年9月16日　頁16

110.羅文世講考取哈佛碩士，喜寄七言長句

有子才如不羈馬，趨庭垂訓記而翁。世圖展布恃英物，天運循回有長雄。
絕域方言搜海外，漆園玄論執環中。薛家三鳳俱軒舉，忻倚山陽特立桐。

《人生》第333期　1964年9月16日　頁16

111.高仲華教授惠贈大著《禮學新探》，賦詩言謝

經師黃蘄春，三禮仰精絕。高材獲其傳，墜緒光前烈。
禦寇況丁艱，篤守未遺缺。城固專講筵，發揮書滿篋。
還都興制作，數度贊大業。鄭學貫寶島，卓犖信豪傑。
邂逅遇香江，楓林杯酒接，有懷雷次宗，講論我心折。
著述明《戴記》，樹義事精切。衰世尚詭異，軒然波蕩潏。
六籍誰彌縫，道術竟分裂。返本復其初，匡植盼明哲。
抱一謝時榮，味道共怡悅。

《人生》第333期　1964年9月16日　頁21

一九六五

112.送謝蘭安兄赴日訪問

維漢有孟嘗，明珠還合浦。生材豈不然，用捨賴舉主。
謝子正英年，天算稱儔侶。鈎深析方程，探賾究勾股。
試覽疇人傳，來者誰比數。巷口記烏衣，臨風懷玉樹。
湖海類相忘，南雍施化雨。觀光赴三島，借鏡多獵取。
青雲健翼飛，眼界擴寰宇。

《崇基校刊》第37期　1965年1月　頁24-25

113.送黃壽林兄赴日訪問

英英江夏黃，處事驗貞幹。論交念久敬，若覩皺蔑面。
平居治羣學，禮俗探一貫。商量更邃密，講肆致雄辯。
規模溯湖州，成材子獨冠。滔滔及夏時，東游欣結伴。
玩易占觀光，問俗考皇漢。政舉羨人存，禮失莫浩嘆。
緬懷國士知，內外待靖獻。蓬萊水淺深，霞關雲聚散。
天涯若比隣，歸來腰腳健。

《崇基校刊》第37期　1965年1月　頁24-25

114.七月一日颶風艾黛襲港

平陸俄驚海氣腥，狂飆挾雨震疏櫺。播音嘶啞傳消息，虹管沈冥失月星。

斷港樓船拋鐵鎖，依山隆棟沒泥濘。封姨肆虐威難戢，墮涕危心不忍聽。

《崇基校刊》第37期　1965年1月　頁24-25

一九六六

115.贈蘇瑞熊兄

經綸資美學，樹立要堂堂。弘道人皆仰，防飛藥有方。

逍遙棲海澨，黽勉憶宮牆。豪氣當年在，猶堪累十觴。

《知用通訊》　1966年1月1日

116.贈陳克文兄

論爵何慚長，哀時特撫膺。萊妻能共守，驥子早飛騰。

三峽詞源水，玉壺跡比冰。應知顏色好，風節仰良朋。

《知用通訊》　1966年1月1日

117.贈潘學增兄

同學論年少，潘楊本世親。崢嶸稱骨相，憔悴老風塵。

佔畢躭書味，治身悟道真。橫流宜勿嘆，海嶠著斯人。

《知用通訊》　1966年1月1日

118.寄懷（謝）永年兄臺北

鞍山魚峯空兀見眼前，流風遠慕柳侯賢。衡山以南多俊士，我事謝子猶比肩。膏火曾沾舊貢院，漫云盜竊窺陳編。共學結社抗京滬，驊騮開路誰爭先。十年人事經千換，眼中世態生媸妍。桂頭爾我共講筵，壩上板屋足回旋。青氈我擁日高卧，君已乘傳到西川。忻忻同聽凱歌唱，飄風又驚白日懸。庠序之教且復謹，議壇雄辯張空拳。如何一旦蒼鵝起，辭枝落葉飛翩翩。窮居半島接邊緣，飽餐苜蓿聆誦弦。葵藿有聲根本性，奮赴寶島寄一廛。著書揚雄甘寂寞，論事杜牧識微權。男兒謀國貴靖獻，安能逍遙湖上事安便。

《知用通訊》　1966年1月1日

119.壽方啟東學長七十榮慶

君降值嘉辰，乙未之歲首。花甲忻已過，矍鑠杖鄉叟。
平生淑世心，舒卷仗雙手。矩矱慕韓公，文章光北斗。
令聞著嶺東，節概知有守。海壖屢過從，交情最深厚。
君實類喬松，望風都浮柳。峩峩山嶽峙，下瞰小培塿。
拭目看中興，精神重抖擻。古稀正欣逢，登堂祝上壽。

《知用通訊》　1966年1月1日

120.減字木蘭花兩首丙午（1966）六月，敬軒師（吳康博士）由臺來港，詳定中文大學文科學位試卷，（鍾）應梅主任置酒沙田畫舫，即席填〈減蘭〉兩首，詞旨甚美。酒罷，濡筆敬和

其一

岩嶢畫舫，翠巘映波平若掌。爭識歸舟，能為槐花更少留。
神清體健，紫氣黃雲如拂面。歡酌新醅，萬樹垂楊傍水栽。

其二

侯芭誰是，黌舍當年曾問字。馬帳傳經，劫火流離兩鬢星。
良朋耐久，恰似秦川同置酒。低唱新詞，玉管笙簧上奏時。

羅香林藏　《乙堂函牘》　香港　香港大學　馮平山圖書館　羅香林特藏

121.白蓮市弔劉三甲戌（1934）

孟嘗不作劉三死，天運如斯亦可悲。負手危欄無別語，胸中風雨耍深卮。

僑港潮汕文教聯誼會會刊第2期編撰委員會編印 《僑港潮汕文教聯誼會會刊》第2期 1966年9月

122.鮀江公園夜坐

雲破秋月明，暮雨況新霽。湖山樂清娛，苑囿歎閎麗。

廣道夾長楊，短垣網薜荔。山石角犖奇，水波魚鱗細。

幽火出林梢，光共繁星晢。微風蘋末來，吹送蕭聲嘒。

恍若遊瓊島，淵然神志契。逆旅胡寡歌，得此倘非計。

東南富庶區，荒瘠安能逮？

僑港潮汕文教聯誼會會刊第2期編撰委員會編印 《僑港潮汕文教聯誼會會刊》第2期 1966年9月

123.與鄭鐸宣伉儷遊白雲，歸倚雲別墅小憩感賦

腳力應如筆力健，苔痕屐齒誌清遊。登山幸伴鴻光侶，報國空勞衛霍謀。

半盞名茶消積塊，一簾飛瀑洗深愁。旁人錯認林泉樂，笑說剛腸繞指柔。

僑港潮汕文教聯誼會會刊第2期編撰委員會編印 《僑港潮汕文教聯誼會會刊》第2期 1966年9月

124.西江月和饒固庵韻

朝露花叢粉墮，夕陽芳草神傷。離愁偏共雨絲長，坐久旋飈入帳。

世事恍如春夢，人生合為誰忙？不堪回首話韶光，道是清狂惆悵。

僑港潮汕文教聯誼會會刊第2期編撰委員會編印 《僑港潮汕文教聯誼會會刊》第2期 1966年9月

125.木蘭花咏蟬

庭陰槐影勤將護，一曲繁聲誰和汝？依然高潔挹清風，漫說已無留戀處。微吟宛託騷人句，怎忍飛鳴過別樹？一枝一葉有餘情，莫怨玄裳沾玉露。

僑港潮汕文教聯誼會會刊第2期編撰委員會編印　《僑港潮汕文教聯誼會會刊》第2期　1966年9月

126.淒涼犯和固庵秋塞吟

古松萬壑、秋風起，孤城一片蕭索。馬嘶帳外，泉流隴底，霜天吹角，聽蹄足，鏗然履薄。況枯黃塞草，寒日度沙漠。　　遙想高齋裏，撚手清歌，會心行樂，新聲善繼。到而今，漫悲搖落。儘有知音，蓄冰絃。殷勤護著。寫情懷，料許載酒訂後約。

《崇基校刊》第41期　1966年12月　頁17

127.一寸金和（羅）慷烈懷堅社之作

州棄珠崖，下瞰爐峯是城郭。看晚霞成綺，瀾翻水面；繁星有粲，光搖山腳。香澥文風作。前遊在，屋樑月落。新詞唱，弔往傷離，一段精神入寥廓。　　自歎衰遲，頻年車腹，船唇正飄泊。念碧城滄海，空悲殘夢。黃雞白酒，辜負前約。存歿驚心眼，青山外，客懷易惡。期相處，濮上逍遙，更思魚鳥樂。

《崇基校刊》第41期　1966年12月　頁17

一九六七

128.望湘人丁未（1967）初夏，海角日戒。固庵以畫自適，摹寫夏禹玉溪山清遠圖，一揮八紙，恍若神遇。慷烈獲贈此卷，為賦〈望湘人〉一闋，倚聲奉和

信危峯赤靄，幽澗暗流，旱雲高漲洲渚。地僻心清，神完氣注，暇日重臨

縑素。　　目送鴻飛，手揮弦湊，溪山平楚。問故交，投贈瓊琚，裝值千金相許。須記聯歡縞紵，似王維裴迪，輞川圖註。恍西望秦中，悵惘水湄洄遡。蒹葭白露，夕陽花塢，粉壁風光無數。在江湖，物我雙忘，慚愧江郎題句。

《崇基校刊》第43期　1967年12月　頁20

129.次韻我生硯長行字韻，並柬君實日本

淑世高賢重獨行，忻然晤對快平生。誰知去國居夷日，猶挹羣言夸漢聲。魏晉遑論堪作達，市朝真隱不求名。春華秋實緣根柢，秀句遍傳重老成。

《崇基校刊》第42期　1967年6月　頁31-33

130.次韻我生硯長，丙午（1966）歲暮立春書感

臘鼓聲殘又遇春，支離形態抗風塵。迎羊送馬尋常事，好德懷寧證夙因。欲報慈恩時陟屺。幸從水脉略知津。袖中錦字論真訣，願與先生結近隣。

《崇基校刊》第42期　1967年6月　頁31-33

131.次韻孝若宗老，丁未（1967）元旦試筆

幾人失馬心無事，又告迎羊貼燕忙。彩筆箋天雄積健，寒梅耐凍勁非僵。東風草綠江南岸，春浪鯉騰水澤鄉。滿引屠蘇供一醉，旃檀添炷玉爐香。

《崇基校刊》第42期　1967年6月　頁31-33

132.丁未（1967）春分前夕，日本松本信廣教授招飲九龍東京料理。酒罷，敬賦七言，並柬可兒弘明、中原道子兩君

美酒如繩出大關，當筵微醉上頳顏。翩翩嘉客來東海，皚皚晴光看富山。蝦餅魚羹饒至味，凰綾鹿錦艷雲鬟。采風論俗平生學，敷座高賢勢莫攀。

《崇基校刊》第42期　1967年6月　頁31-33

133.齊天樂前年何子孟熊（朋）自日本京都來柬，盛道山陰神社風物之美，宗炳臥游，印象彌深。丁未（1967）初夏夜坐，爰撮取其意，譜入此闋

湖山廟貌千秋壯，森森林柏高簇。乍動春旛，遙聆清磬，紅燄一雙樺燭。二三巫祝。正迴雪飄風，和鸞佩玉。落日昏黃，曼聲低唱降神曲。

平原憑弔戰迹，想縱橫轍亂，錦繡旂仆。劍斬長蛇，槍挑封豕，都仗鳴尊威福。朱裳素縠。又妙舞蹁躚，鼓音輕速。門外江横，接天雲水綠。

《崇基校刊》第42期　1967年6月

134.丙午（1966）閏三月蘇熊瑞社兄長公子超邦受室，敬賦七言長句奉賀

日暖風融春色長，阼階冠子靄華光。知從大業開堂構，喜賦雙棲看玳梁。佳婦佳兒承悅懌，宜家宜室卜禎祥。誦書最愛蘇司寇，璞玉渾金志慮良。

《香港知用學社廿週年紀念特刊》　1967年10月

135.我生硯長喬遷新廈招飲，仍次前韻奉賀

斟酌賓筵酒數行，聊將拙句答平生。通家早喻猶龍德，濟美兼聆采鳳聲。詩詠田園歸逸興，論傳樂志重修名。崇樓傑閣臨高處，隔海相望覩厥成。

《香港知用學社廿週年紀念特刊》　1967年10月

136.題崇基學院恒社同學錄

雁塔題名重李唐，編成新錄覩容光。豈殊翰苑分前輩，差似魚麗比陣行。四載藏修勤術業，一心期待羨騰驤。世圖變化能伸屈，車笠相逢未可忘。

《香港知用學社廿週年紀念特刊》　1967年10月

137.壽莫培遠社兄六十生日，敬次元韻

雷澤羨魚獲寶梭，等閒龍化電光過。北庠高第饒文富，南海衣冠養氣多。几上形骸仍矍鑠，尊前風月合婆娑。右軍已有含飴樂，換卻朱顏兩鬢皤。

稱觴海角樂康年，演繹箕疇降自天。共道秋光成令節，相逢社日總欣然。
退閒轉幸君居早，得句何疑玉在前。待續醉吟居士傳，人間真有地行仙。

《香港知用學社廿週年紀念特刊》 1967年10月

138.疊孤字韻呈我生

德隣有託謾云孤，吹拂春風到草廬。馳逐早忘千里志，破除猶飲一杯無。
黃農渺渺傷時運，舜跖孳孳判物圖。嘆息儒冠今日賤，熱門應道二生孤。

《香港知用學社廿週年紀念特刊》 1967年10月

139.再疊前韻和少漢

天容黯黯曙星孤，驟雨何曾庇敝廬。世事到頭庸自擾，人情覆手有生無。
爰書難得齊功罪，秦鏡安能盡物圖。筆乘槐西供一笑，應知此老未容迂。

《香港知用學社廿週年紀念特刊》 1967年10月

140.三疊前韻呈翼詒

飄零謾嘆客懷孤，海曲粗安好結廬。宵雅久除傷國俗，道書曾讀說三無。
撫絃聊奏龜山操，把筆誰題鄭俠圖。未絕韋編占剝復，涪陵傳《易》敢云迂。

《香港知用學社廿週年紀念特刊》 1967年10月

141.次韻孝若宗老丙午（1966）九日作

登高無地望江城，驟雨飄風雜亂鳴。士壟樵蘇元不採，翰林子墨待重明。
及聞李叟起長嘆，適海梁鴻賦遠征。自笑不知寒塞雁，低飛猶可傍神京。

《香港知用學社廿週年紀念特刊》 1967年10月

142.踏莎行送黃簡世講留學美洲

楓樹林邊，湞江水畔，當時雁落平沙岸。念年歲月嘆峥嶸，今看奮翮凌霄漢。　翠袂飄飄，明珠粲粲，無雙江夏歸嬰宛。九州舞動麗風雲，漫誇識鑒憑青眼。

《香港知用學社廿週年紀念特刊》　1967年10月

143.鷓鴣天丙午（1966）秋日登山訪友

筋力年來似弗如，驅馳只是靠堅車。秋林時有涼颸至，曲徑遙聞山鳥呼。持茗椀，話樵漁，草廬同醒覺蘧蘧。批風抹月容吾輩，莫學剛峯上諫疏。

《香港知用學社廿週年紀念特刊》　1967年10月

144.潘學增〈《浮生回味錄》豐順王韶生贈詩〉

同學論年少，潘楊本世親。崢嶸稱骨相，憔悴老風塵。

佔畢躭書味，治身悟道真。橫流宜勿歎，海嶠著斯人。

《香港知用學社廿週年紀念特刊》　1967年10月

一九六九

145.寄澄平教授加州大學

十年踪跡滯扶桑，待聘儒珍赴遠洋。國史新編依絳帳，家兒完聚慶傳觴。故都俊侶傷寥落，俗論雷同迭短長。坐擁書城尋活計，別來鬚鬢合蒼蒼。

《崇基校刊》第47期　1969年12月　頁54

146.忼烈寫寄戲嵌詞牌七言長句，彌歎運思工巧，聊效顰為之，仿韓致堯體

春風嬝娜燕歸梁，好女兒添八寶妝。相見歡時端正好，傾杯樂共意難忘。踏莎行近連南浦，解佩環聞動暗香。摘得新來鬥百草，彩雲歸處應天長。

香港　香港大學　《中文學會年刊》　1968-1969年　頁24

147.桂枝香（龍）宇純自寶島來書，盛道石門水庫遊覽之美，爰將詞意譜入此調

清遊聳目。恰一片秋容，靚如膏沐。千頃陂塘似鏡，鷺皃新浴。層巒疊嶂西風裏，放中流，綵舟輕速。水重山複，花明柳暗，畫圖誰足。　　又天蕩微瀾起伏。對岸芷汀蘭，滿懷芳馥。宿鳥投林正穩，下招黃鵠。蒼然暮靄催歸去，剩長林豐草凝綠。尚傳高地，蠻歌宛轉，玉喉能續。

《崇基校刊》第46期　1969年6月　頁10

148.紅林檎近柳存仁教授造訪，雍雅山房留飲，並柬藥園

檻外波光綠，戶前山色幽。氣馥自花塢，雲冷到林邱。有客清言玉屑，舌本清潤茶甌。卻話四海遨遊，心事付盟鷗。　　石道同把臂，橋畔水周流。垂楊起舞，絲絲猶綰離愁。況萍踪飄泊，翩鴻指爪，雪泥長共文字留。

《崇基校刊》第47期　1969年12月　頁54

149.思佳客（即〈鷓鴣天〉）己酉（1969）歲晚，忼烈招飲樂宮，坐中錄示集杜新詞。庚戌（1970）初吉，讀蘇詩，爰集句奉和，並柬石禪（潘重規）、藥園（鍾應梅）

江上東風浪接天，官梅詩興故依然。入懷冰雪生秋思，把蟹行看樂事全。肌骨醒，意珠圓。每逢佳處輒參禪。流芳不待龜巢葉，折得奇葩晚更妍。

香港　香港大學　《中文學會年刊》　1968-1969年　頁24

一九七〇

150.敬輓張君勱先生（1887-1969）

粵海摳衣上謁時，生平風義繫民詩。考亭講學千秋業，玉局載言百世師。域外青山埋二老，眼中人物戰三垂。自由鐘響聲清澈，峴首他年看勒碑。

《自由鐘》港字第1卷第1期（50期）　1970年7月　頁37

151.送元一、凌霜兩兄飛漢城出席三十七屆國際筆會

會友求仁輔，襟期寄筆端。華風揚扇日，文統紀登壇。

滄海連天接，高峯特地蟠。箕封餘樂土，相望慶迴瀾。

《崇基校刊》第49期　1970年12月　頁10-11

152.端午百樂門酒會，次韻呈琳園鄉丈

榴紅艾綠映江城，遠聽龍舟賽鼓聲。飲酒讀〈騷〉名士例，採鮮釣石故園情。千金殖產曾三致，好語驚人早一鳴。東道主人元喜客，聯吟不覺百壺傾。

《崇基校刊》第49期　1970年12月　頁10-11

153.次韻奉酬（易）君左前輩

座有清風迓故人，龐眉相對恍如銀。台岷山海元非阻，香澥亭林又一新。

昔日甄陶推秀士，古來征伐出天民。少年情味思京洛，老大重逢語倍親。

《崇基校刊》第49期　1970年12月　頁10-11

一九七一

154.奉答滄萍

曹溪衣缽有真傳，嶺海詩名孰比肩。每仰斵輪推大匠，深銘錯玉誌韋弦。

多方惠子書千卷，斗酒青蓮什百篇。夜雨高齋一夕話，恍如抵掌廿年前。

《懷冰室集詩》乙編

155.贈莫儉溥

文瀾浩瀚富辭源，喜占鰲頭姓氏尊。一自高軒知李賀，而今對策取劉蕡。

揮戈志士哀時難，蠹簡經生有至言。從此聲名堪遠大，靈均何事怨荃蓀。

《懷冰室集詩》乙編

一九七二

156.次韻幼老奉題后希畫展

登瀛學士冠史篇，誰其畫者乃唐賢。君系清門將相種，手揮丹粉名與傳。

朋簪濟濟來有自，萬宜展出恣雄肆。風流數子不腰折，滿壁琳琅精薈萃。

繼園夜飲到更闌，勺水會有蛟龍蟠。一朝點睛忽飛去，夭矯雲海扶搖摶。

九華燈火明臺榭，笙歌一簇擁曹霸。天方今日聽奇談，抗禮分廷莫驚訝。

南征幾度復征西，奇肱縮地降巴黎。山水清幽人物俊，瀟洒揮毫富品題。

不見三年思鬱結，欣觀傑作堂前列。豈徒畫裏賞元精，更擬從君學真訣。

香港中國筆會詩歌選編輯組編　《現代詩歌選》

香港中國筆會　1972年3月

157.崇基學院學生會會歌（王懷冰詞、黃友棣曲）

鞍山蒼蒼，吐露洋洋；維我崇基，雄立南方。

博學篤行，止於至善；發揚文化，真理彌光。

四海一家，精誠團結；鳶飛魚躍，鳳翥龍翔。

鞍山蒼蒼，吐露洋洋；源遠流長，康樂未央。

中大學生會編印　《中大學生歌集》　1972年

158.送李生念儀赴斯丹福大學攻讀翻譯科

萬里班生路，濤聲海上琴。臨歧無別贈，樂善有青衿。

語本侏離異，文緣骨肉深。交流傳譯事，勝概此中尋。

《崇基校刊》第53期　1972年12月　頁23-24

一九七三

159.宴桃源辛亥（1971）迎月詞

走了廣寒蟾兔，仍照玉樓歌舞。夜夜海天心。那是霧封東土。

思慕，思慕，明日月圓歡度。

《崇基校刊》第54期　1973年6月　頁11-12

160.癸丑（1973）春，謝扶雅丈自美東寄示八十自輓詩，勉和一律，藉廣其意

每誦懿詩懷衛武，憶曾半島共琴樽。科玄理貫添新著，黎獻歡多滌淚痕。

此別還期能白戰，倘來應與振黃魂。人生不朽憑三立，復禮歸仁足討論。

《崇基校刊》第55期　1973年12月　頁10

一九七四

161.次琳園先生端午節後市樓小集原韻

榴紅艾綠映江城，遠聽龍舟賽鼓聲。飲酒讀〈騷〉名士法，登山臨水舊鄉情。千金殖產曾三致，好句驚人早一鳴。東道主人原喜客，聯吟應許百壺傾。

僑港潮汕文教聯誼會第3期會刊編撰委員會編印　《僑港潮汕文教聯誼會會刊》第3期　1974年10月

162.書懷次韻

富潤懷明德，身修合四箴。樂山兼樂水，師古又師今。

盛業尊駝浦，文章著墨林。樓頭秋色好，佳興託清吟。

僑港潮汕文教聯誼會第3期會刊編撰委員會編印　《僑港潮汕文教聯誼會會刊》第3期　1974年10月

一九七五

163.和少驪七律一首

短衣楚製效通裝，洄溯蒹葭露已霜。韻語師期思太傅，是非秉墨問滄浪。

清言戲謔謀三白，斗酒家貧覓舊藏。何物能令公喜怒，教人還憶子房張。

《崇基校刊》第58期　1975年6月　頁4、頁18

164.校友日重蒞崇基校園，雜詠八首

其一

陽月風光似早秋，驅車原野足遨遊。游魚羈鳥知懷舊，同樂要能遣我憂。

其二

睽違朋舊今重聚，拭眼相看各老蒼。最是關心惟一語，飲醇食肉壽而康。

其三

上庠都講多英俊，桃李春風又一班。溫邢伯起毋優劣，遠岫孤雲去復還。

其四

挈婦將雛喜再臨，愛人仁者一般心。座中異國情駕在，渺渺余懷海樣深。

其五

春風披拂柳條新，菡萏花開內蘊真。秋菊冬松俱格致，尋源何至自迷津。

其六

傳奇扮演說東林，厚古未遑況薄今。假假真真餘熱淚，應知人世有浮沉。

其七

絲絃揮手聽清歌，異代桓伊喚奈何。南海月明波萬里，憑誰壯烈衛山河。

其八

聚散原同水上萍，倘論風範重儀型。回車共訪黌宮勝，遙看前峰色尚青。

《崇基校刊》第59期　1975年12月　頁22

244.《學鈍室詩草》跋，1974年秋月

鈞天樂奏夢回時，夜讀華陽數卷詩。踵武蘇黃撐秀骨，方攀屈宋逸奇姿。

道真彌覺聲名重，一藝寧期後世知。卅載屠龍匡國手，徜徉猶樂海之湄。

李璜（1895-1991）　《學鈍室詩草選書百首》　香港　田風印刷廠 1975年12月　王世昭敬署本

一九七七

165.題詞

靜者心多妙，爐峯結草庵。詩卷千章富，森嚴萬象涵。

呂偉東（1905-）　《靜庵詩鈔》　1977年7月　李璜署耑本

166.王韶生酬呂偉東

新詩誦罷齒留芬，有風自南時薰薰。摩頂放踵為同羣，當年望作出岫雲。

草木焦赤大澤焚，念亂憂生額添紋。畫紙棋局已中分，閒倚北窗看氤氳。

欲採蘋花正思君，吾儕能讀典與墳。眼中真賞祇奇文，震耳雷聲野吼蚊。

琭琭如玉未足云，要收心地策大勳。匹夫立志賽三軍，子修白業日勤勤。

偶然飲酒得微醺，我同田父植杖耘。東牆避世遠榆枌，頗厭俗論徒紛紛。

香爐峯下爐香焄，且學止觀息見聞。

呂偉東（1905-）　《靜庵詩鈔》　1977年7月　李璜署耑本

一九八〇

167.士選先生八秩榮壽，敬賦七言長句祝賀，即希郢正

石渠講貫兩追陪，樂事相逢合舉杯。論學宏通思賈鄭，摛文雄健伍鄒枚。

美西山水供高隱，故國旌旂望未灰。預卜雞鳴天下白，一枝先報隴頭梅。

庚庚文理發詩篇，把酒清吟媲樂天。且據藜床欹皂帽，廣沾化雨守青氈。

不才蒙賞驪黃外，國老應臻松鶴年。寫上雲箋虔致祝，人間堪羡地行仙。

吳俊升　《庚年酬唱續集》　美國洛杉磯　寄廬

1980年冬月　俊升署耑本

一九八二

168.題韋生金滿《懷燕廬吟草》

省識韋郎五字詩，句中長短演新詞。詩壇詞苑堪馳騁，應手神來筆一枝。

王韶生題

韋金滿（1944-2015）　《懷燕廬吟草》（文擢署耑）　香港　香港浸會學院中國語文學會出版　1982年7月增訂版

一九八四

169.疊感春韻寄蘇文擢

世己羣聾空強聒，詩回疊韻寄閒心。幽懷正欲從君盡，綆短何由汲古深。

鄉思逢春增曠望，牢愁無酒助芳斟。天涯莫怨聞鶗鴂，吟過花時有綠陰。

蘇文擢　《邃加室詩文續稿》　1984年9月　甲子初秋龍硼居士署本

一九八六

170.（陳）伯祺先生（1902-1993）贈詩敬賦七古一篇奉酬

太邱先生德業尊，篇章日富詩情溫。我以菲材枉過存，有如曝背暖且暄。

稱人之善義在敦，相視莫逆久莫言。叔世賤學治益棼，詩書不讀拋典墳。

修省文辭探本源，詎同北轍而南轅。冠履倒置不可論，口雖未語心煩冤。

頹波期挽振斯文，歲歉力作勤耕耘。我愧淺陋登師門，要譽今慚子所云。

謝君三沐復三薰，行芳志潔佩荃蓀。棲遲偃仰非隱淪，何以報之淑吾羣。

香港《嶺雅》第8期　1986年

171.讀（涂公）遂翁、（曾）希穎（1903-1985）翁、遯翁（何敬群）「思子苦懷聯榻夢」唱和詩，走筆奉和

風雨聯床追舊夢，重關同越歷艱難。驚心白髮頻催老，容膝書軒審易安。繭紙共題詩句逸，星河將曙漏聲殘。商山採得靈芝藥，休論桃甜賽李酸。

《珠海校刊》1985-1986　1986年7月11日　頁88

172.七古一首

旌表貞順時無人，維持風教賴師尊。留得清芬揚異代，圖文鬱鬱光梁門。燕孫前輩人中英，清末民初秉國成。晚年慷慨赴急難，嘔血示疾滬江濱。在昔交遊滿天下，巨卿富商遍朝野。書疏往來關國聞，圖照喬皇兼清雅。姬人珍重付守藏，請託蘇君代取捨。高文典冊兩同符，學海書樓記受書。東蓮覺苑清規著，唸佛趺坐覓真如。一朝解決生淨土，了卻世味甘如荼。君不見落花墜樓喻珠，為報季倫拼一死。又不見燕子樓中躍盼盼，波瀾不起心止水。三貞九烈出污泥，惟有居士堪比擬。有幸蔚宗撰史傳列女，佇見震旦文明耀寰宇。人海深藏處，悲歡湧萬千。盥匜奉府主，珠玉惜華年。世事煙霞幻，家門禮義傳。佛儒歸一理，嘉話付叢編。

梁譚玉櫻　《燕居叢憶錄》　香港　廣記印務　1986年7月

一九八七

173.珠城春茗遁翁（何敬群）未至，有詩步原玉作

春花怒放及春時，聊散煩襟賞佚姿。緩駕飛箋懷逸叟，投冰和酒要金卮。詞壇韻事傳三影，東道高清繼四詩。大塊文章天籟作，于喁相唱復相吹。

黃毓民主編　《珠海書院四十周年紀念集》　1987年10月　江可伯題耑本

174.次韻奉酬陳伯元教授臺北

右軍楷法顧音韻，每憶高賢意念長。細說石交敦故誼，興來彩筆賦詩章。

名高摩詰吾何敢，境異蘇卿志亦昂。慧業未成傷老大，區區仍是望宮牆。

黃毓民主編　香港　《珠海書院四十周年紀念集》

1987年10月　江可伯題耑本

175.珠海四十週年校慶

建校忻逢不惑年，況兼仁勇力回天。湖州興學培才俊，鹿洞緒經味聖賢。

通識科玄明一貫，榮華桃李倍三千。羣陰消盡陽剛復，大地光明日月懸。

黃毓民主編　香港　《珠海書院四十周年紀念集》

1987年10月　江可伯題耑本

176.《未肥樓吟草》題詩三

文采流風著，家肥子獨賢。癯腴緣道判，敏捷執鞭先。

興藝非餘事，談經守太玄。性情敦厚處，昌氣注詩篇。

余璞慶　《未肥樓吟草》　1987年　涂公遂敬題本

一九八八

177.賦贈黃興華副訓導長

玉璧昭忠信，言行有本真。振衣同濯足，佩韋亦書紳。

踐履關言教，儒冠不誤身。十年勤樹木，喜見接班人。

《珠海校刊》第卅八屆畢業典禮特刊　1988年7月15日　頁67

178.和陶一首呈遯翁

山木工度之，倚樹獲小休。文林集羣彥，踪跡憶昔遊。

樂水復樂山，仁智豈異流。歛氣若木雞，飛翔羨海鷗。

折枝事本易，引重喻山丘。尚友每希賢，親彼屈賈儔。
聯吟以言志，韓豪孟亦酬。石室可藏書，此願果達否？
世態有媸妍，杜酒解煩憂。仰視浮雲馳，富貴非所求。

《珠海校刊》第卅八屆畢業典禮特刊　1988年7月15日　頁67

一九八九

179.次韻遂翁乙丑（1985）重九登爐峯

極目天涯憐斷雁，恍如巫峽聽啼猿。登山臨水原吾土，袖菊擎杯酹國魂。
粟六何曾多暇日，蒼黃幾度忍重論。四風掃葉徵時變，胸盪秋雲識道源。

香港　珠海書院文史學會編刊　《文薈》((劉）十覺題耑）　1989年6月

180.疊韻和作柬文擢、遂翁

長天排字無孤雁，善射由來譬臂猿。落帽未徵徵故事，吟情聊與醒黃魂。
淹留海曲緣時命，馳驟中原待細論。慚愧仙根培尚淺，居閒默默溯心源。

香港　珠海書院文史學會編刊　《文薈》((劉）十覺題耑）　1989年6月

181.疊韻敬和遂翁書懷，並柬敬羣、文擢兩教授

置郵不待書傳雁，一藝當如劍學猿。對菊卓為霜下傑，銜杯猶樂聖中魂。
齊安得句思才士，南郭談玄入物論。正是楓丹秋色好，江流依舊接長源。

香港　珠海書院文史學會編刊　《文薈》((劉）十覺題耑）　1989年6月

182.三疊前韻，敬和遂翁書感

南飛恐似危巢燕，修練毋同古洞猿。寄字作書通作牒，金剛為魄火為魂。
天心月窟將誰探，滄海桑田詎可論。九曲濫觴西北陸，浮槎犯斗擬窮源。

香港　珠海書院文史學會編刊　《文薈》((劉）十覺題耑）　1989年6月

183.四疊前韻，呈遂老並柬詩吟壇諸公

聊學山僧修慧業，試馴意馬控心猿。摛文假寵班揚賦，識路從知敏惠魂。

物外是非誰管得，箇中甘苦要詳論。三身四相原空幻，疏鑿尋根探本源。

香港　珠海書院文史學會編刊　《文薈》((劉）十覺題耑）　1989年6月

一九九〇

184.醉時歌

港九客居愧真逸，雲山縹緲望鄉國。主人置酒招眾賓，乙丑仲春日初吉。

高閣凌空燈火繁，畫屏錦幄香燈室。今夕同作文字飲，豈醉紅裙挾清瑟。

佳餚沙律堆銀盤，佳釀威奥金忠溢。割烹行廚滋五味，華筵奚止千金值。

雄談陳遵四座驚，事異王猛疑捫蝨。才人代出有三蘇，墨齋佚麗工詞筆。

西江詩伯尊二豪，中行家學蘭芽茁。區何二子秀而文，穎廬敏捷富篇帙。

靜庵玄默致精能，余家風采金玉式。尋梅約留雪後枝，投詩婉約示顏色。

餔啜原非志士心，天生烝民賦典則。酒闌瓜果欣共嘗，莫忘江南種丹橘。

香港《嶺雅》第13期　1990年12月

185.（佘）少颿（1903-1990）病歿羊城，以詩哭之

志士胸懷趨淡泊，閉門卻掃隱東湖。百年易逝情如昨，正誼常存道不孤。

白業潛研歸淨土，縹緗重檢惜遺書。嗟來桑扈歌猶哭，懸歸蒙莊一指如。

香港《嶺雅》第13期　1990年12月

一九九一

186.羅鶴鳴先生文人畫冊題詞

九皋鶴鳴聲聞天，珍惜翎毛法自然。震旦代有畫史出，積真力久功倍前。

旁及泉石動植物，藻繪渲染留清妍。畫冊貽我嘆觀止，忻賞服善心拳拳。

高齋一角清淨地，更描人物傳高賢。造象初從丘明起，末抵任父數千年。
繭紙裁為六十幅，英姿磊落烘雲烟。新詩題畫兩奇絕，爐峰合結文字緣。
豈特古道照顏色，天地間氣注簡篇。冠帶不為時俗媚，望之即之扣心絃。
慧業偉績昭百代，靈光壁畫啟真詮。荒城魯殿寄吟詠，賴有畫作存茲篇。
行芳志潔為君誦，雙明璧合意珠聯。米家畫船稱盛事，龍文鞭影誰爭先。

戊辰（1988）中秋後二日於珠海書院文史研究所　王韶生

羅鶴鳴（1922-2001）繪圖、七十名家題詠　《歷代文壇名人造象》
香港　當代教育出版社　1991年12月

一九九二

187.贈同筵諸子韻

非是關貧易感傷，今朝樽酒可能忘。當筵倍覺離衷切，閱世方知道味長。
兩載裁量餘內熱，十年辛苦媿中腸。前途宜勉日新志，且誦菁莪句四章。

香港《嶺雅》第15期　1992年3月

一九九三

188.莫子雲漢呈近作五古一篇，慨然賦答

禮山講學溯九江，經師述作稱草堂。同時踵起長興學，師弟文章日月光。
我生嗟晚望宮牆，道統淵源流且長。未冠負笈赴羊石，獲讀學記喜欲狂。
五門揭示植根本，白鹿遺規同端詳。有幸復讀九江集，文境醇誠聲鏗鏘。
簡岸祖師明經術，網羅眾說入巾箱。述疏三種梓行世，融和漢宋非尋常。
康氏屹立骨開張，託古改制附公羊。所學務期為世用，兀傲自喜南之強。
嶺學稍異吳與皖，淑世丘軻睹熱腸。海隅遁跡逾卅載，文武失墜倍惋傷。
堰江一掌何曾補，臯比竊擁廁膠庠。時光荏苒歲云暮，篤信好古法老彭。

文中事業吾豈敢，在山出岫別行藏。樂得英材扶世運，希聖希賢要勿忘。
鱣堂涉筆酬子句，應知今有張文昌。

《懷冰室續集》(增訂本)　香港　現代教育研究社　1993年

189.慰遯翁（何敬群）傷足

一朝趁蹶如何致，三月醫樓養足傷。說法哦詩示奧妙，栽花種藥久芬芳。
險夷世路曾世歷，苦樂人生亦坐忘。箋付郵筒相慰問，安心法住是奇方。

《懷冰室續集》(增訂本)　香港　現代教育研究社　1993年

190.次韻文擢兄答遯翁茶敘

計拙歸田乞骨骸，茶邊愁破數君偕。共知日下思鳴鶴，奚事車停式怒蛙。
截彼南山岩有石，量如東海福無涯。旂亭後約歡相見，會以笙簧擊節諧。

《懷冰室續集》(增訂本)　香港　現代教育研究社　1993年

191.奉答遯翁見寄之作

煌煌詩筆喜飛騰，示我周行信有徵。著論深漸追慧地，窮經猶自志深寗。
試從華路開新運，偶向天河覩玉繩。且樂文林長共事，鰲洋塔聳射明燈。

《懷冰室續集》(增訂本)　香港　現代教育研究社　1993年

192.何敬群教授八十

講學當年記遁翁，高賢心迹例相同。優遊搦管文多富，剛直包懷氣自雄。
卅載交親情契合，四時佳興與人同。不才忝法西江句，歡樂銜杯醉笑中。

《懷冰室續集》(增訂本)　香港　現代教育研究社　1993年

193.蝶戀花

兩岸潮平人悅喜。匯演煙花，疊疊祥光起。般般雷聲頻入耳，團團化作丹霞綺。　　火箭騰空推直矢。彩抹青雲，目送窮千里。駛進波心停艇子，情懷清靜涼如水。

《懷冰室續集》(增訂本)　香港　現代教育研究社　1993年

194.滿庭芳題(朱鴻林)《亮父詞稿》

喜誦新詞，情深委宛，胸懷壯采飛揚。十幅雲箋，聲倚滿庭芳。縈思傷離惜別，從何處，尋覓書堂。晨曦放，階前蘭桂，依舊播芬芳。　　騰驤，張樂地。文林漫步，句付奚囊。縱頭巾脫淨，未詡清狂。喚得良朋共醉，壺觴冽。酒入肝腸，頻回顧。篋中曲子，字字有光芒。

《懷冰室續集》(增訂本)　香港　現代教育研究社　1993年

一九九五

195.贈鄒孟生

鄒嶧傳儒素，東官著大家。勵彊勤吏職，立論擅才華。

明察能鉤距，殊榮獲寵嘉。忻然談道術，正氣禁姦邪。

香港《嶺雅》第21期　1995年12月

一九九六

196.隱青道侶招飲文園

雍容冠帶赴賓筵，白也才非愧百篇。濠鏡淹留敦夙好，樵山棲止憶廉泉。南田繪事精花鳥，公瑾風流識管絃。一醉渾忘天下事，漢陽陵谷慨蘇仙。

方寬烈編　《澳門當代詩詞紀事》　1996年3月　頁297-342

197.關閘

閘頂風飄獵獵旗，遠山遙限佛朗機。百年世事多奇變，未及南天海水飛。

方寬烈編　《澳門當代詩詞紀事》　1996年3月　頁297-342

198.暮春遊氹仔四首錄二

其一

雪白紗籠罩，空濛江上來。汪洋迷萬頃，迢遞憶群材。

海峽驚殘破，巴渝痛劫灰。南針猶在握，鷗鳥莫疑猜。

其二

暮春三月候，相約踏青來。地僻無秦火，群中有楚材。

南山栽竹箭，東陌越飛灰。物態供彈指，旁觀未足猜。

方寬烈編　《澳門當代詩詞紀事》　1996年3月　頁297-342

199.南薰詩社春集拈韻得壽字

大氣轉洪鈞，鳴禽應節候。詩酒樂清娛，社集皆俊秀。

白戰已衰憊，學殖嗟寡陋。黽勉從羣公，作計在人後。

款段即長途，何敢用馳驟。文章交有神，靈府幸澄透。

矯厲青松貞，投契幽蘭臭。天祝八風平，肇域登仁壽。

香港《嶺雅》第22期　1996年7月

200.贈林子天蔚

治史歸通識，羅君德業尊。西河傳統緒，高密大師門。

江漢誰爭濯，朝陽早已暾。低回尋往事，慷慨欲無言。

香港《嶺雅》第22期　1996年7月

201.獨坐

獨坐尋幽趣，山容望未賒。疏鐘傳逸響，活水注盆花。

綠暗窺林薄，窗明透日華。閒來無別事，一盞品清茶。

香港《嶺雅》第23期　1996年12月

202.顧影

顧影形神靖，琴書伴歲年。挽弓聞射日，畫壁莫呵天。

物我原同化、脂膏漫自煎。揚雲甘寂寞，胸次亦陶然。

香港《嶺雅》第23期　1996年12月

203.寒夜

窗櫺侵栗烈，長夜怎消磨。雀凍加圍幕，貓馴戀被窩。

靜觀忘物我，孤抱保冲和。原憲貧而樂，商聲放爾歌。

香港《嶺雅》第23期　1996年12月

一九九七

204.陳魯慎、張佩常伉儷由加拿大經臺北來港，公宴於松竹樓，敬賦五律二首

其一

珍重三年別，相逢在巳年。旗亭同一醉，陵谷亦多遷。

海外孤忠奮，環中大道玄。何須投縞紵，寄意在詩篇。

其二

物候驚春望，威儀尚昔同。南風豈不競，零雨嘆其濛。

遠志今非異，嘉謀祿在中。才名屬巾幗，德曜相梁鴻。

香港《嶺雅》第24期　1997年6月

筆者案：王韶生卒於一九九八年，以下所錄詩詞，只是出版年份，而非王韶生撰著詩詞年份。

二〇〇二

205.次韻奉和健增先生惠示七言長句

主恩仍許住周年，東壁重賡子墨緣。已見鬢蓬催日月，且培樹木養風煙。

詩名慚愧居中晚，人物商量到聖巔。還讀南華齊得喪，溪山留賞合悠然。

蔣英豪主編　《綠水青山盡是詩：崇基的詩　詩的崇基》　2002年

香港　香港中文大學崇基學院

206.奉和（鍾）應梅尊兄，秋日登島上高峰之作

登瀛懷學士，海澨喜相逢。天末橫征雁，風雷起蟄龍。

蜿蜒經石棧，兀律數奇峰。瀰望青如畫，茲游興未窮。

幾輩龍山侶，盟鷗証素心。滄瀾多起伏，眾壑異晴陰。

理自環中得，愁從鬢上侵。松風吹謖謖，助我動微吟。

蔣英豪主編　《綠水青山盡是詩：崇基的詩　詩的崇基》　2002年

香港　香港中文大學崇基學院

207.沁園春藥園落成賦呈應梅兄

針嶺橫馳，萬壑爭流，鞍山正東。面渠渠夏屋，湯湯海峽，雲蒸霞蔚，水淨烟籠。卜築期思，浣花老杜，商量當年豈不同。田園主，喜蘭成賦就，司馬文雄。　　四圍翠色重重，又萬里溪橋一徑通。料鄴架藏書，詩騷跌蕩；亭林載酒，冠蓋雍容。戒旦雞鳴，比隣犬吠，種竹盆栽鬪數弓。披襟際，有絲般化雨，穆若清風。

蔣英豪主編　《綠水青山盡是詩：崇基的詩　詩的崇基》　2002年

香港　香港中文大學崇基學院

208.送童冠賢先生赴美

抗懷慕嘉遯，退閒今輟講。御機事遠遊，胸次層雲盪。

眷屬是神仙，佳兒隆孝養。名教饒樂地，洒然出塵網。

論交契岑苔，經國記疇曩。謙和未易師，長途勞結想。

歷覽窮山海，觀國瞭指掌。民生值多艱，安危直須仗。

緬懷渭濱叟，謀猷抒忠讜。大老何時歸，忻忻陪几杖。

蔣英豪主編　《綠水青山盡是詩：崇基的詩　詩的崇基》　2002年

香港　香港中文大學崇基學院

209.一九六六年聖誕節童老自美遠惠蛋糕

童老爵兩尊，不我葑菲棄。海西遠致書，筐篚有嘉賜。

誰云風波阻，賚賜煩驛使。開盒覩圜璧，斑斕知美製。

佳果綴丹漆，蜜漬久不異。孺人操刀分，眾稚競環伺。

可惜囫圇吞，急食不知味。齒頰我留芬，調以白蘭地。

風味勝飲醇，尚友類同氣。遠答一篇詩，聊當瓊瑤寄。

堪笑劉夢得，未敢題糕字。

蔣英豪主編　《綠水青山盡是詩：崇基的詩　詩的崇基》　2002年

香港　香港中文大學崇基學院

210.送（盧）寶堯兄赴美進修

周官主大計，斯學登簡牘。尼山作委吏，統類列綱目。

所以利工商，豈特治錢穀。神州道術裂，何處尋私淑。

盧子操術賢，嶺南聘高足。戰時任講席，聚首六人屋。

濟濟朋盍簪，飲酒且食肉。荒村風雪寒，抵掌屢跋燭。

營衛有巡邏，無事對修竹。凱歌忻既奏，君赴新大陸。

金石鍥不舍，高舉譬黃鵠。香江再邂逅，菁莪同樂育。

荏苒十載來，學博以知服。深造渡重洋，卓犖拔流俗。

精鍊析毫芒，大海納百谷。客中送客行，一觴聊相屬。

歸來壁壘新，望子光更勗。

蔣英豪主編　《綠水青山盡是詩：崇基的詩　詩的崇基》　2002年

香港　香港中文大學崇基學院

211.雍雅山房餞別寶堯赴美

鐵翼凌霄賽羽翰，別來相憶應加餐。沙迴白鳥縈心目，酒與寒冰入肺肝。

講肆簿書煩上計，山房花藥且盤桓。采風異國多珍重，跳躍雙丸隔海觀。

蔣英豪主編　《綠水青山盡是詩：崇基的詩　詩的崇基》　2002年

香港　香港中文大學崇基學院

212.臺城路送（張）翼詒赴美

江郎偏恨工愁賦，東風又吹南浦。渺渺滄波，萋萋草色，酒醒明朝何處。西洲寄旅。怪盾墨徒磨，智囊空喻。海角棲遲，念年鬚鬢尚如許。相逢異時記否？共膠序講論，商略今古。至樂談玄，天倪指解，莊惠同矜無迕。羈懷少苦。更悵望前汀，雲遮春樹。莫綰離情，垂楊千萬縷。

蔣英豪主編　《綠水青山盡是詩：崇基的詩　詩的崇基》　2002年

香港　香港中文大學崇基學院

213.紅林檎近柳存仁教授造訪，雍雅山房留飲，並柬藥園

見前頁188　148

214.寄懷譚子煥廷加州五律兩首

其一

海船西征日，秋風嫋嫋時。掀騰展驥足，沉默換羊皮。

黌舍勞襄助，滄波惜別離。康成依絳帳，積學有聲施。

其二

俊逸推吾子，三場列甲科。語文資比較，國故且研磨。

披褐知如此，迷邦意若何。寄言華禹甸，雙眼久摩挲。

蔣英豪主編　《綠水青山盡是詩：崇基的詩　詩的崇基》　2002年

香港　香港中文大學崇基學院

215.九龍碼頭送別啟真道副校長回加拿大

渡頭惻惻話分攜，又趁征颿向海西。卅載同工敷聖教，半生積學證巴氐。

林泉載筆深相憶，庠序扶輪孰與齊。天際浮雲增別意，留痕共覩月如圭。

蔣英豪主編　《綠水青山盡是詩：崇基的詩　詩的崇基》　2002年

香港　香港中文大學崇基學院

216.送鄭生萼芊赴瑞士任職蘇黎世大學

眼中犀角望崢嶸，直上蒼冥賦遠征。典守十年明輯略，磨礱新割媲青萍。

要知靈府存忠愛，此去文林播夏聲。認作故鄉情可樂，枝頭好鳥正嚶鳴。

蔣英豪主編　《綠水青山盡是詩：崇基的詩　詩的崇基》　2002年

香港　香港中文大學崇基學院

217.乙卯（1975）初秋，容校長啟東榮休，為賦小詩八首誌念

英英士族著南屏，解道容家播遠馨。西學東傳推巨擘，山明水秀我曾經。

講學猶思嶺大村，往還砰石邁高軒。文書徵聘美洲去，始信先生德業尊。

海外三年不憶家，一心一德為中華。平戎乍聽鐃歌唱，康樂高齊蔚紫霞。

學術專攻區以分，平生多見更多聞。陸佑堂前開絳帳，四海何人不識君。

崇基校長覩宏規，誠信中孚理可推。豈特十年徙樹木，經分綸合展施為。

當年改制告功成，六轡從容自在行。真理真光符共信，更於平寔識高明。

功成身退告懸車，林下優游歲月遐。祖帳東門無別贈，祝公眉壽本無涯。

不才夙昔荷公知，鶴舞階前本不期。風義縈思思友道，雲箋十幅寫歌詞。

蔣英豪主編 《綠水青山盡是詩：崇基的詩 詩的崇基》 2002年
香港 香港中文大學崇基學院

218.讀曾昭森院長撰鍾惺可先生傳

皇甫銘退之，李翱狀尊師。韓門兩高第，健筆鑄偉詞。
異代時不同，誰敷角兩雄。吾讀曾子文，斯言天下公。
鍾君實使徒，其始乃吾儒。信道重力行，拓殖刱宏圖。
棫樸既作材，文實本兼賅。頗嘉友邦助，秉義良不回。
正氣賦流形，丹心照汗青。鎔裁著鴻筆，庶可慰英靈。

蔣英豪主編 《綠水青山盡是詩：崇基的詩 詩的崇基》 2002年
香港 香港中文大學崇基學院

219.曾昭森先生病逝美洲，聞耗，哭之以詩

旂亭往日接深杯，詎料西行竟不回。同哭寢門幾輩在，下泉毅魄尚餘哀。
紛紜世論傷遺直，叱咤當年想異才。檢讀叢編三嘆息，宮牆仍託記紅灰。

蔣英豪主編 《綠水青山盡是詩：崇基的詩 詩的崇基》 2002年
香港 香港中文大學崇基學院

220.癸卯（1963）重九，邂逅黃道章博士於九龍，云往香港掃墓。念予不獲展拜先塋者，於茲十四年矣！思之不禁泫然，為賦此篇

方聞曉角破霜天，又獻鮮花告墓田。儒宗報本重所始，奔馳車輛何闐然。
江夏無雙爾獨賢，孝思不匱服拳拳。歐風美雨久薰沐，秉彝好德其天全。
窮經治史早忘年，敢冀弼時任仔肩。今朝邂逅值令節，先塋缺掃横嵐煙。
海隅苟活私自憐，高文誰表瀧岡阡。眾雛不識念爾祖，紛爭棗栗在堂前。

蔣英豪主編 《綠水青山盡是詩：崇基的詩 詩的崇基》 2002年
香港 香港中文大學崇基學院

221.黃子君實任助教本院，喜贈

蘇門學士輩，涪翁獨昌詩。劍南稿萬首，所學出曾幾。

風格各不類，腐朽化神奇。更作山水畫，揮筆走蛟螭。

寸鐵鏖文場，驤首天衢馳。四門任助教，識鑒重主司。

千頃思叔度，疇復識牛醫。濟濟上舍生，親炙有餘師。

嗟余非韋郎，五字拙言辭。人才由學術，此語熟思之。

明夷利艱貞，道義以為期。

蔣英豪主編　《綠水青山盡是詩：崇基的詩　詩的崇基》　2002年

香港　香港中文大學崇基學院

222.題朱慕蘭女棣畫集

題芙蓉圖

芙蓉色澄鮮，花開在木末。藻飾元無殊，化工今欲奪。

題橫塘清趣圖

蓮塘藕節肥，月暈魚生子。飛飛釣魚郎，飲啄煙波里。

題吟秋圖

微物作秋吟，誰憐高潔心。幽枝時在抱，商略到雲林。

題菡萏圖

菡萏花初放，風吹十里香。娟娟媚綠水，恍似過橫塘。

題耕牛浮水圖

一泓綠水歌來止，中有耕牛浮鼻過。今日披圖興想像，誦詩何事嘆民勞。

題新蒲燕子圖

綠長新蒲燕子低，長堤十里草萋萋。風光漫憶江南好，寫付丹青待品題。

題村雨圖

煙雨空濛曖遠村，遊春何處不消魂。襄陽二米今誰繼，留與蛾眉仔細論。

題竹石圖

孤枝瘦硬已通神，奇石嶙峋更逼真。倘遇米顛甘下拜，嶺南畫史有傳人。

蔣英豪主編 《綠水青山盡是詩：崇基的詩 詩的崇基》 2002年

香港 香港中文大學崇基學院

223.送霍生秀森赴美留學

回遡金閨彥，言詩竟起予。三餘求學足，一載守藏書。

新陸看鴻漸，芸窗解竹虛。美成元在久，端要惜居諸。

蔣英豪主編 《綠水青山盡是詩：崇基的詩 詩的崇基》 2002年

香港 香港中文大學崇基學院

224.贈陳子炎生

九江學派著儒林，洄溯難忘獨往心。邁邁長征勞結想，茫茫墜緒更搜尋。

紬書石室懷遷固，校讀叢書識向歆。雲物眼中知朕兆，樽前相勸酒杯深。

蔣英豪主編 《綠水青山盡是詩：崇基的詩 詩的崇基》 2002年

香港 香港中文大學崇基學院

225.贈徐生（芷儀）

君家文學稱蘋淑，孰若徐生通語文。鐘鼎摩挲承樸學，蕙蘭開發挹清芬。

霜添雙鬢余垂老，筆綠軒輶子益勤。晚託後生情獨契，更從四國證多聞。

蔣英豪主編 《綠水青山盡是詩：崇基的詩 詩的崇基》 2002年

香港 香港中文大學崇基學院

226.送鄧生可笑赴東京參加世界大學（生）運動會

勝固可喜敗欣然，達哉此語聞坡仙。競技遠溯古雅典，娛神賽祭何拳拳。

中夏六藝射居一，同符禮樂載簡篇。流風餘韻各有在，奧林比克名廣傳。

今茲健兒來四海，玄裳白旆麗且鮮。東西鴻溝由此破，精誠直擬銷烽煙。

香江小隊整裝發，鄧生矯健與之焉。御機下瞰眾山小，瀰渤無際滄波連。三島櫻花春事了，江楓未落月上弦。君子于役泯苦樂，舒展身手邁向前。歸來斗酒相慰勞，猛志常在當飛騫。

蔣英豪主編　《綠水青山盡是詩：崇基的詩　詩的崇基》　2002年
香港　香港中文大學崇基學院

227.至善亭

路轉峰迴際，翼然峙一亭。心傳薪至善，德沐憶湯銘。
盤谷環阿閣，平沙護遠汀。勞生多所住，師伏我何曾。

蔣英豪主編　《綠水青山盡是詩：崇基的詩　詩的崇基》　2002年
香港　香港中文大學崇基學院

228.癸卯（1963）歲首，崇基同寅團拜，用滄翁韻

嶺梅璀璨報華年，麗日柔風吐露邊。鹿洞規模宏世澤，泮林音訊喜春妍。多儀康樂聯中外，希聖心情孰後先。雲水山光同入畫，堂高場廣足回旋。

蔣英豪主編　《綠水青山盡是詩：崇基的詩　詩的崇基》　2002年
香港　香港中文大學崇基學院

229.同人雅集沙田畫舫，餞別容校長（啟東）伉儷赴美

道敏百事理，譽隆身亦泰。新陸看鴻飛，置酒念良會。
畫舫水際停，黃昏集冠蓋。山月尚未吐，海氣破炎靄。
賓主列長筵，玄談一何快。聲教振庠序，風雲競豪邁。
游宴樂從容，甘泉浮李奈。旨酒飲且多，冰盤上銀膾。
披襟煩熱除，虛響結林籟。懸想御機行，凌空天遠大。
四旬收功歸，封域無內外。

蔣英豪主編　《綠水青山盡是詩：崇基的詩　詩的崇基》　2002年
香港　香港中文大學崇基學院

230.研究所同人，假座樂宮樓餞別曾副所長昭森赴美考察

格物致新知，汲古得修綆。書圃與禮園，幾人獲馳騁。
武城傳一貫，持躬歷三省。實證從杜威，處囊錐脫穎。
上庠肆大醇，聲名重南嶺。今茲北美遊，師門情義永。
俗學在浮淺，談鋒機智逞。何若靜者徒，味道自暇整。
市樓相餞送，深杯啜清茗。學術乃公器，交流臻勝境。
稛載以歸來，庶幾同引領。

蔣英豪主編　《綠水青山盡是詩：崇基的詩　詩的崇基》　2002年
香港　香港中文大學崇基學院

231.陳榮捷博士由美抵港，崇基遠東學術研究所同人舉行公宴賦贈

康樂羣公皆俊秀，南徼雲霞紛出岫。論學取友本推誠，何意香江逢邂逅。
今宵列座接清談，恍若笙簧聆雅奏。長庚煌煌霜天高，時扇玄風滿懷袖。
蜚聲異國著雄文，致遠鈎深誰比似。以馬喻馬指非指，禪機參破祖師意。
發揚王學說殊佳，空拳赤手搏龍蛇。上窮碧落入無間，惠子多方書五車。
人生萍合忽在此，叨陪末座良歡喜。天下道術本無窮，更酌一杯探名理。

蔣英豪主編　《綠水青山盡是詩：崇基的詩　詩的崇基》　2002年
香港　香港中文大學崇基學院

232.雍雅山房宴集，為訪日團諸君子洗塵

名都歷訪駐征輪，問俗觀光示善鄰。入座青山還舊識，崇朝時雨浮飛塵。
摘來甲坼園蔬好，泛酌槐黃麥酒醇。今日南雍談盛事，祇憑拙句答交親。

蔣英豪主編　《綠水青山盡是詩：崇基的詩　詩的崇基》　2002年
香港　香港中文大學崇基學院

233.減蘭滿堂紅宴集，即席和蘗園，並贈畢業諸君

金鞍玉勒，陡憶少年場結客。濟濟菁英，轉徙天池啟海程。

詩書滋味，舉世尚同容立異。老氏雌雄，笑入今宵酒椀中。

蔣英豪主編　《綠水青山盡是詩：崇基的詩　詩的崇基》　2002年

香港　香港中文大學崇基學院

二〇〇三

234.贈招生祥麒

朝朝夕惕倍辛勤，黌舍當時細論文。版築魚鹽心亦苦，佇看他日策奇勳。

招祥麒　《風蔚樓叢稿》　獲益出版事業公司　2003年6月　頁115

二〇〇七

235.潮汕車中書所見

飆車在御金輪轉，四面山光一刹移。忽去忽來同過客，乍晴乍雨正風時。

田禾被水秋收歉，丹橘成林綠葉滋。野鴨浮塘三五個，吹翻綠縐與心怡。

何乃文、黃坤堯、洪肇平、劉衛林編　《香港名家近體詩選》　上冊

香港　香港中文大學出版社　2007年

236.弔聖雄甘地

嗟哉夫子況猶龍，百折千磨驗爾功。殉道竟緣非暴力，獻身無畏畢豪雄。

骨灰似共恆河劫，謦欬如聆上界鐘。天竺興亡誰得管，爐邊閑話火熊熊。

何乃文、黃坤堯、洪肇平、劉衛林編　《香港名家近體詩選》　上冊

香港　香港中文大學出版社　2007年

237.春寒燈暗，批改課卷，慨然賦此

苦心孤詣為童蒙，只恐心長語未工。夜坐短檠光黯淡，春蘇大地雨迷濛。

南山露重藏貍豹，溟海雲飛渺鶺鴻。自笑橫刀能草檄，天涯何意作書傭。

何乃文、黃坤堯、洪肇平、劉衛林編　《香港名家近體詩選》　上冊

香港　香港中文大學出版社　2007年

238.獨坐

獨坐尋幽趣，山容望未賒。疏鐘傳逸響，活水注盆花。

綠暗窺林薄，窗明透日華。閑來無別事，一盞品清茶。

何乃文、黃坤堯、洪肇平、劉衛林編　《香港名家近體詩選》　上冊

香港　香港中文大學出版社　2007年

二〇一〇

239.鷓鴣天

叵耐封家十八姨，紛紅駭綠總猜疑。惜花心事誰能省，向日心情祇自知。

情切切，語欷欷，滄浪那管是耶非。人間恩怨無言說，直到天荒地老時。

方寬烈（1925-2013）編　《二十世紀香港詞鈔》

香港　香港文學研究社　2010年9月

240.浣溪沙秋興

燕市秋風憶舊遊，侵人霜氣夕悲秋，尊前爛縵唱伊州。

漫賦秋蘭傷沅芷，聊將風月賞南樓，逗人一段是閒愁。

方寬烈（1925-2013）編　《二十世紀香港詞鈔》

香港　香港文學研究社　2010年9月

241.好事近雙調　春日書事

煙雨話江南，春水一泓凝碧。卻鬧枝頭春意，渡過溪橋尋得。
分散榆火到前村，野老作寒食。信道東風吹至，悵天涯消息。
任綠滿蓬瀛，怎管花開花落。賴有綿蠻黃鳥，打破今朝岑寂。
蜂鬚蝶眼忒多情，莫踐尋芳約。點點楊花萍化，轉憐他飄泊。

方寬烈（1925-2013）編　《二十世紀香港詞鈔》
香港　香港文學研究社　2010年9月

二〇一一

242.鷓鴣天讀《碧城樂府》

玉樹歌殘苦費思，詞人長逝海西涯。從今莫向黃罏過，琥珀光浮益酒悲。
吟秀句，寫烏絲。茫茫天運竟如斯。南柯早醒婆娑舞，祇剩才名世共知。

林汝珩（1907-1959）著、魯曉鵬編注　《碧城樂府：林碧城詞集》
香港　香港大學出版社　2011年2月

二〇一三

243.贈姚淵如

憶昔而翁文字飲，今朝驥子更昌詩。陶情繕性從敦厚，坎止流行豈數奇。
粟種硯田為活計，花探綵筆竟誰知。眼中又灑山河淚，惆悵層樓獨上時。

陳寂、傅靜庵主編　《嶺雅》　廣州　廣東人民出版社　2013年12月

下編
鍾應梅教授論著知見錄

壹　前言

比歲以來，余絡續輯錄香港上庠已離世教授之論著知見錄，旨在徵存文獻，為後學輯錄可用材料，以便研究耳。香港大學中文系學者，有何沛雄教授[1]、羅慷烈教授、趙令揚教授三人。[2]聯合書院學者，包括常宗豪教授[3]、李達良教授[4]、阮廷焯教授[5]、蘇文擢教授[6]四人，斯四位中文系學者，彼等皆為吾之恩師。新亞書院學者方面，因忝為再傳弟子[7]，余曾為錢穆

---

1 孫廣海：〈何沛雄教授（1935-2013）論著知見錄〉，單周堯教授七秩華誕國際學術研討會宣讀論文，香港，2017年12月9日。載李雄溪、招祥麒、郭鵬飛、許子濱主編：《單周堯教授七秩華誕國際學術研討會論文集》（香港：中華書局，2020年11月），下冊，頁1458-1480。

2 孫廣海：〈羅慷烈教授（1918-2009）論著知見錄〉（上），《華人文化研究》第6卷第2期（2018年12月），頁221-247；〈羅慷烈教授（1918-2009）論著知見錄（下），《華人文化研究》第7卷第1期（2019年6月），頁191-206；〈趙令揚教授（1935-2019）論著知見錄〉（未刊稿）。

3 孫廣海：〈常宗豪教授（1937-2010）論著知見錄〉，《聯合校刊》（2014-2015）第71期（2016年7月），頁145-153。

4 孫廣海：〈李達良教授（1934-1999）論著知見錄〉，《華人文化研究》第4卷第2期（2016年12月），頁69-83。

5 孫廣海：〈阮廷焯教授（1936-1993）論著知見錄〉，《華人文化研究》第5卷第1期（2017年6月），頁79-94。

6 孫廣海：〈蘇文擢教授（1921-1997）論著知見錄〉（上），《華人文化研究》第5卷第2期（2017年12月），頁107-128；〈蘇文擢教授（1921-1997）論著知見錄〉（下），《華人文化研究》第6卷第1期（2018年6月），頁143-166。

7 先師何佑森教授（1931-2008），曾任教國立臺灣大學中國文學系、香港大學中文系，以治中國近三百年學術史有稱於時。可參何佑森：《儒學與思想》（臺北：國立臺灣大學出版

先生撰〈錢穆先生之香港緣〉及〈錢穆先生旅居香港論著目錄稿（1949-1967）二文[8]。早年中大成員書院三間，獨缺崇基書院學者，未嘗推介，深以為憾。近日整理家中圖書，無意中發現藏有鍾應梅教授《蕊園詩詞集》線裝本一冊，喜而讀之，愈加欣賞。遂發願為鍾應梅教授敬撰此文，以表彰其對文學、思想、教育諸方面研究之貢獻。於是遍尋香港大學馮平山圖書館、香港中文大學圖書館、崇基學院牟路思怡圖書館期刊藏籍，輯成此篇。爰分專書編著、詩詞文類、學術論文、鍾應梅研究四類，編而成文。

貳　鍾應梅小傳[9]

鍾應梅教授（1906-1985），諱應梅，晚號蕊園，廣東梅縣人。家世儒學，童年即能為詩文；父文敏公，興學育才，有聲桑梓。教授為文敏公長子。弱冠，從瑞安李笠先生治漢學。一九二三年，梅縣東山中學畢業，嘗從楊惟徽先生問學[10]。旋即家居侍祖父讀書，於國故之學大有進益。越歲

中心，2009年4月）；何佑森：《清代學術思潮》（臺北：國立臺灣大學出版中心，2009年4月）。另可參拙文：〈《陳確《葬書》之研究》出版後記——緬懷何師佑森教授〉，《國文天地》第35卷第10期，總418期（2020年3月），頁4-7。

8 孫廣海：〈錢穆先生之香港緣（1949-1967）〉，《新亞論叢》第15期（2014年12月），頁301-318；孫廣海：〈錢穆先生旅居香港論著目錄稿（1949-1967）〉，收入李帆、黃兆強、區志堅主編：《重訪錢穆》（臺北：秀威資訊科技公司，2021年6月），下冊，頁64-92。

9 可參何廣棪：〈中國當代學人小傳【鍾應梅】〉，載氏著：《碩堂文存三編》（臺北：里仁書局，1995年6月），頁191-193。另可參〈蕊園先生生平事略〉，載鍾應梅：《蕊園詩詞集》（著者自刊本，1986年）。頁42。

10 李笠先生，字雁晴，浙江瑞安人，著《史記訂補》，曾任中山大學中國文學系主任十餘載，1949年移席南京中央大學。楊惟徽先生，字徽五，梅縣人，遊學日本，嘗受知黃公度先生，與王湫眉師同主東中國文講席。王寶慈先生，字湫眉，世居梅縣之西郭，擅清駢，工倚聲，於東山中學主講國文多年。周岸登先生，字癸叔，四川威遠人，清末舉孝廉，京師大學堂開，師首應選入學。入民國後，應廈門大學聘，主講文選及宋詞，其詞集曰《二窗詞稿》，抗戰軍興，師歸教授四川大學。余謇先生，字仲詹，江西南昌人，清

餘，始遊大學。一九三〇年，福建省廈門大學國文學系畢業，獲文學士學位。時即以文學名，曾以數日之力，仿枚乘〈七發〉，作〈廈門大學七牖〉一篇，洋洋萬言，廈大主講辭賦周癸叔先生覽之，歎曰：「此文敘廈大自然科學各科系。無古人典實可資採用，而能典麗矞皇若是，有才如此，他日必當名世。」請於廈大校長，印為專書，遍寄國內各大學。一九三一年，遊廣州，中山大學中文系教授兼預科國文主任伍叔儻先生（1897-1966）嘉賞其文，薦為中大預科國文教員。[11]先後與詹菊人、譚喬上、石光瑛、李滄萍、方孝岳、羅香林諸先生共事，對鍾氏所為詩古文辭，咸交口稱譽。此後迄一九四九年間，歷任廣東省立勷勤大學講師、私立南華學院、國立中山大學副教授及教授。[12]

一九三七至一九四五年，抗日戰爭期間投筆從戎，馳驅行陣，旋復執教中山大學。一九四九年移居香港，曾任中學文史教席三年，適崇基創校，一九五三年九月受聘為中國語文系教授，一九五六年十月起，兼任崇基學院中國語文學系主任，迄一九七二年秩滿榮休。先後講授詩詞學、文字學、春秋左氏傳、史記、老子、荀子、詩選、大學文選、讀書指導、模範文、專題研究等課程。[13]

一九八一年，掌能仁書院中國文學研究所，為創所所長。一九八二年，兼理能仁書院。計先生致力教育事業凡五十餘年，經師人師，共所欽仰。其詩、文亦為宿學所推服，然鍾氏謙默自守，淡然無營乎外之心。

先生以為文章者，治學之利器，故深自淬礪，並以教後學。講學之

末舉於鄉，擅古文，通聲韻，所著聲韻學，明白曉暢，文尤爾雅，教授廈門大學三十餘年。可參鍾應梅：〈五師詠用陶公詠貧士詩韻〉注釋。

11 鍾應梅：〈悼伍叔儻先生〉，原載《崇基校刊》第41期（1966年12月）。另載香港中文大學中國語言及文學系編：《吐露春風五十年：香港中文大學中文系圖史文集》（香港：香港中文大學中國語言及文學系，2015年）。頁158-161。

12 《崇基校刊》第5期（1954年1月），頁5。

13 鍾應梅：〈廿年的回味〉，載《崇基校刊》第52期（1972年6月），頁5-7。

餘，每以立言自勉，先後有十二種專書問世，士林重之。早年著述有《弱冠集》、《乙亥文稿》、《乙酉續稿》、《尚書洪範新詮》、《春秋經傳說》、《荀子箋要》、《說文部首校讀》、《文字學要論》等。[14]其屬稿未定者，有《史記讀法》、《陶詩正義》、《國故論叢》、《讀書治要》及《論詩絕句丙丁集》等五種。

鍾應梅教授不幸於一九八五年六月十日因病辭世，享壽八十有二，友好門生，同深悼惜。[15]長子肇鈞，原配夫人生，隨國民政府遷臺；二子肇熙[16]，曾任中學中文科老師；三子肇康；長女肇華，香港中學畢業後赴臺灣中興大學攻讀農科，學士畢業後赴加拿大深造；次女肇新，任香港教育署中文科督學；皆能繼承父業，克紹箕裘。[17]

參　論著知見錄

一　專書編著類

1. 文論（綫裝）
   香港　金強印務公司　1956年6月
   臺北　臺灣學生書局　1975年11月
2. 重訂大學國文參考資料彙編
   香港崇基學院華國學會叢書　1966年刊行　1970年再版
3. 老子新詮
   香港　友聯印刷廠　崇基學院華國學會叢書　1967年12月

14 參考《中文大學校刊》第1卷第6期（1964年12月），頁3。

15 〈藥園先生傳略〉，載《鍾應梅教授喪禮》（香港大學馮平山圖書館藏，1985年）。

16 鍾應梅致羅香林書云：「小兒肇熙，畢業於崇基中文系，去歲回校再讀學位，曾撰《四史篇目彙斠》一書。」載羅香林藏：《乙堂函牘》（香港大學馮平山圖書館，羅香林特藏）。

17 鍾應梅教授哲嗣材料，由其門生潘銘燊博士電郵告知，書此誌謝。

4. 蘂園說詞

   香港　友聯印刷廠　崇基學院華國學會叢書　1968年9月

5. 論詩絕句甲乙集

   香港　星光印刷公司　崇基學院華國學會叢書　1975年4月

6. 客人先正詩傳

   梅州文獻彙編第七集　1977年

7. 讀莊子

   香港　星光印刷有限公司　1981年9月

8. 三訂中國文學研究大綱

   香港　星光印刷有限公司　香港能仁書院中國文學研究所叢書　1981年9月

9. 陶詩新論

   香港　星光印刷有限公司　香港能仁書院文學研究所　1984年3月

10. 易辭衍義

    崇基學院華國學會叢書　1971年

    臺北　臺灣學生書局　1984年8月

11. 蘂園詩詞集

    香港　鈞興印務公司　1986年9月

12. 應梅文錄

    《民國時期文獻資料海外拾遺》第154冊　香港中文大學圖書館藏　2014年

13. 周易簡說

    待檢

二　詩詞文類

（一）詩

1. 題周輝浦丈《韜廬吟草》甲戌（1934）。丈老於軍旅，十九路軍淞滬抗倭之役，組敢死隊，常為軍鋒，後小隱匡廬
   見《鍾應梅詩文錄》（以下簡稱《詩文錄》）中山大學　香港大學馮平山圖書館善本書特藏版；本書頁269　001
2. 初夏
   見《詩文錄》；本書頁269　002
3. 庭中小池成夜觀賦此
   見《詩文錄》；本書頁269　003
4. 題陳生畫竹
   見《詩文錄》；本書頁269　004
5. 題徐生雨荷圖
   見《詩文錄》；本書頁269　005
6. 雨中過天河村
   見《詩文錄》；本書頁270　006
7. 題魏叔子集
   見《詩文錄》；本書頁270　007
8. 題林和靖集
   見《詩文錄》；本書頁270　008
9. 題周生五兒嬉春圖
   見《詩文錄》；本書頁270　009
10. 題卓生明燈前路圖
    見《詩文錄》；本書頁270　010

11. 贈黎生生善為小說，每寓憤世不平之意
    見《詩文錄》；本書頁270　011
12. 題雲洞停橈圖
    見《詩文錄》；本書頁270　012
13. 讀義山絕句
    見《詩文錄》；本書頁271　013
14. 戲題黃純仁《訒庵初集》
    見《詩文錄》；本書頁271　014
15. 肇慶七星岩絕句
    見《詩文錄》；本書頁271　015
16. 舟下肇慶峽
    見《詩文錄》；本書頁271　016
17. 舟過龍川
    見《詩文錄》；本書頁271　017
18. 不醉
    見《詩文錄》；本書頁271　018
19. 喜黃純仁兄來舍
    見《詩文錄》；本書頁272　019
20. 守雨
    見《詩文錄》；本書頁272　020
21. 新晴陪鄒將軍觀瀑，時軍次豐順之香義
    見《詩文錄》；本書頁272　021
22. 初日
    見《詩文錄》；本書頁272　022
23. 萬松山莊，在乳源縣湯盆
    見《詩文錄》；本書頁272　023

24. 陽山北山寺
見《詩文錄》；本書頁272　024
25. 清英捷訊：清遠英德縣
見《詩文錄》；本書頁273　025
26. 重到七星岩湖上，早梅盛開卅七年（1948）夏，余來湖上。紅藕花開，爛若明霞
見《詩文錄》；本書頁273　026
27. 懷李滄萍教授
見《詩文錄》；本書頁273　027
28. 曾晚歸先生輓詩五章廿八年（1939），余將入戎幕，請干先生。先生曰：「主者賢，可從。」因縱論處世之道，曰：「學問以常識為先，治事以忠實為先，持身以廉恥為先。」是日清談永晝
見《詩文錄》；本書頁273　028
29. 大雨車過忠信嶺
見《詩文錄》；本書頁274　029
30. 車過龍仙
見《詩文錄》；本書頁274　030
31. 雨宿鼎湖山慶雲寺
見《詩文錄》；本書頁274　031
32. 萬松山莊絕句十首
見《詩文錄》；本書頁274　032
33. 重過豐順橫潭
見《詩文錄》；本書頁275　033
34. 書生
見《詩文錄》；本書頁275　034
35. 羅鴻詔教授挽詩丙申（1956）暮春
其一　海渡憶為別

其二　報國文章在

見《詩文錄》；香港《自由人》　1959年5月23日；本書頁275　035

36. 崇基新校落成，余日僕僕於沙田、馬料水間，偶得四絕句丙申（1956）秋盡

見《自由人》　594期　1956年11月；方寬烈（1925-2013）編著　《香港詩詞紀事分類選集》　香港　香港文史研究會　1998年　頁400；蔣英豪主編　《綠水青山盡是詩：崇基的詩　詩的崇基》（以下簡稱《綠水青山盡是詩》）　香港　香港中文大學崇基學院　2002年　頁20-225；《崇基校刊》第10期　1957年3月15日；本書頁276　036

37. 幽人一首和馬湛翁韻

見《蘂園詩詞集》　香港　鈞興印務公司　1986年9月；《崇基校刊》第10期　1957年3月15日；陳寂、傅靜庵編　《嶺雅》　廣州　廣東人民出版社　2013年12月　頁199-776；本書頁276　037

38. 某君寄詩有「平生志不在溫飽之句」，卻寄一律

見《蘂園詩詞集》；《崇基校刊》第10期　1957年3月15日；本書頁276　038

39. 遊沙田晦思園觀梅，用月溪上人客座詩軸韻

見《崇基校刊》第10期　1957年3月15日；本書頁277　039

40. 漫成三絕句

見《崇基校刊》第10期　1957年3月15日；本書頁277　040

41. 丁酉（1957）仲春五十生朝戲作

見《蘂園詩詞集》；本書頁277　041

42. 論詞絕句

其一　晏　殊　《珠玉詞》

其二　范仲淹　《范文正詞》

其三　歐陽修　《六一詞》

其四　柳　永　《樂章詞》

其五　蘇　軾　《東坡詞》

其六　秦　觀　《淮海詞》

其七　周邦彥　《清真詞》

見《藥園詩詞集》;《崇基校刊》第11期　1957年7月10日　頁8;本書頁277　042

43. 邵鏡人兄輯《同光風雲錄》成,敬題二絕句

其一　雲構風駭卷驟開

其二　外王內聖孰兼該

見《藥園詩詞集》;《崇基校刊》第12期　1957年9月　頁11;本書頁278　043

44. 秋日陪(伍)叔儻先生登島上高峰賦呈,並簡同游邵(鏡人)、王(韶生)、楊(睿聰)諸公

其一　不作蓬萊客

其二　勝侶王楊輩

見《崇基校刊》第13期　1957年12月13日　頁15;《綠水青山盡是詩》頁20-225;本書頁278　044

45. 沙田絕句七首

其一　西林寺

其二　萬佛山

其三　野塘垂釣

其四　車公廟

其五　望夫山

其六　紅梅谷

其七　山澗

見《藥園詩詞集》;《崇基校刊》第18期　1959年元旦日　頁17;本書頁280　050

46. 有贈壬辰（1952）

見《蘂園詩詞集》;《崇基校刊》第23期　1960年4月　頁11；本書頁281　055

47. 己亥（1959）四月初九作同人約於明朝游於錦田凌雲寺。而吾鄉白葉村之宮前，亦有寺，名凌雲

見《蘂園詩詞集》;《崇基校刊》第23期　1960年4月　頁11；本書頁282　056

48. 讀《宋史・余靖傳》

見《崇基校刊》第24期　1960年7月　頁21；本書頁282　058

49. 題宋湘《紅杏山房詩鈔》

見《崇基校刊》第24期　1960年7月　頁21；本書頁282　059

50. 香港春望癸卯（1963）三月作

見《蘂園詩詞集》；本書頁284　064

51. 甲辰（1964）十二月廿七日，林千石先生過余松山蘂園，余外出，先生留詩二律及書崖石松山四字而去，即依韻奉答。

見《蘂園詩詞集》；本書頁285　071

52. 松山新居作兩首乙巳（1965）夏月

見《蘂園詩詞集》；本書頁285　072

53. 蕉嶺留別吳、林、羅三君甲戌（1934）

見《崇基校刊》第33期　1963年7月　頁18；本書頁284　067

54. 自梅縣至松口，舟過雁洋，望陰那山，偶聞同舟人語，因寫其意甲戌（1934）

見《崇基校刊》第33期　1963年7月　頁18；本書頁284　068

55. 題陳生畫竹甲戌（1934）

見《崇基校刊》第33期　1963年7月　頁18；本書頁285　069

56. 初夏甲戌（1934）

見《崇基校刊》第33期　1963年7月　頁18；本書頁285　070

57. 詠史五首和君實韻丙午（1966）三月

見《藥園詩詞集》;《綠水青山盡是詩》頁20-225；《崇基校刊》第40期　1966年7月　頁24；本書頁286　073

58. 小園木芙蓉著花，朝素而午丹，賞歎難已，繼之以詩丙午（1966）中秋前一日

見《藥園詩詞集》;《崇基校刊》第41期　1966年12月　頁10、頁16；香港《人生》第33卷第11、12期　1969年6月；本書頁287　075

59. 對月中秋後三日作

見《藥園詩詞集》;《崇基校刊》第41期　1966年12月　頁10、頁16；本書頁287　076

60. 丁未（1967）春日雜詩五首和陶公〈歸園田居〉韻

見《藥園詩詞集》;《崇基校刊》第42期　1967年6月　頁31；本書頁288　079

61. 讀陶詩二首另載鍾應梅《陶詩新論》自序

見《藥園詩詞集》；鄧仕樑等編　《歲華──香港中文大學三十五年中國語言及文學系教師文藝作品集》　香港　香港中文大學中國語言及文學系　1998年12月　頁107-111；《崇基校刊》第43期　1967年12月　頁18-19；本書頁289　080

62. 垂老三首丁未（1967）春月

見《藥園詩詞集》;《崇基校刊》第43期　1967年12月　頁18-19；本書頁289　081

63. 校讀《暮遠樓自選詩》後作戊申（1968）秋月。叔儻先生謝世二周歲矣！

見《藥園詩詞集》;《綠水青山盡是詩》頁26；《崇基校刊》第45期　1968年12月　頁16；本書頁290　082

64. 答黃純仁教授臺灣寄詩丙午（1966）元月初二日
見《蘂園詩詞集》;《崇基校刊》第45期　1968年12月　頁16；本書頁290　083

65. 中華歌數典忘祖，可恥孰甚？爰撰韻語，敘我中華史實，或有助於初學，非敢云詩也。壬辰（1952）夏月。
見《蘂園詩詞集》;《崇基校刊》第46期　1969年6月　頁8；本書頁292　088

66. 題張正平著《新界俗文學》第一卷張君為中文系四年級學生。采輯香港新界民歌，歷時三年，其第一卷曰哭歌子詞，蓋婚喪抒情之歌也。己酉（1969）三月
見《蘂園詩詞集》;《綠水青山盡是詩》　頁20-225；《崇基校刊》第46期　1969年6月　頁8；本書頁292　089

67. 敬和麥健增博士退職一律麥健增博士為參與崇基創立之一人。今云退職，賦詩見示，至情之語，讀之生感。余亦將屆乞退之年，謹奉和一首，蓋預為予詠也。
見《蘂園詩詞集》;《綠水青山盡是詩》　頁20-225；《崇基校刊》第48期　1970年5月　頁3、頁7；本書頁293　091

68. 一九六九年七月廿一日美國人杭思朗、阿斯林二人，乘太空船登月，戲為二絕句己酉（1969）六月初八
見《蘂園詩詞集》;《崇基校刊》第48期　1970年5月　頁3、頁7；本書頁293　092

69. 簡歐豪年朱慕蘭伉儷己酉（1969）十月
見《蘂園詩詞集》;《崇基校刊》第48期　1970年5月　頁3、頁7；本書頁293　093

70. 庚戌（1970）人日，喜得歐、朱賢伉儷書寄合寫〈蘂園圖〉，即用前韻賦謝
見《蘂園詩詞集》;《崇基校刊》第48期　1970年5月　頁3、頁7；本書頁293　094

71. 歐豪年、朱慕蘭伉儷畫展，為賦二絕句1970年5月16日
見《藥園詩詞集》；本書頁294　096
72. 雨後客至庚戌（1970）夏月
見《藥園詩詞集》；《崇基校刊》第49期　1970年12月　頁6-7、頁10；本書頁294　097
73. 題豐順丁（日昌）氏《持靜齋書目》
見《崇基校刊》　第49期　1970年12月　頁6-7、頁10；本書頁294　098
74. 題何如璋《管子析疑》
見《崇基校刊》　第49期　1970年12月　頁6-7、頁10；本書頁294　099
75. 客至四言二章。本院英文系同學曾從余受陶詩者，今已畢業離校，日者相偕過余，因和陶公酬丁柴桑詩韻為贈。庚戌（1970）冬月。
見《藥園詩詞集》；《崇基校刊》第50期　1971年6月　頁19；《綠水青山盡是詩》　頁20-225；本書頁295　102
76. 雜詩一首用陶公詠二疏詩韻辛亥（1971）仲春
見《藥園詩詞集》；鄧仕樑等編　《歲華──香港中文大學三十五年中國語言及文學系教師文藝作品集》　香港　香港中文大學中國語言及文學系　1998年12月　頁107-111；《崇基校刊》第50期　1971年6月　頁19；本書頁295　103
77. 題《太平天國史料》二絕句
見《崇基校刊》第50期　1971年6月　頁19；本書頁296　104
78. 崇基創校二十週年，詩以祝之四言三章，章六句
見《藥園詩詞集》；《崇基校刊》第51期　1971年12月　頁8-9、頁37；《綠水青山盡是詩》　頁20-225；鄧仕樑等編　《歲華──香港中文大學三十五年中國語言及文學系教師文藝作品集》　香港　香港中文大學中國語言及文學系　1998年12月　頁107-111；本書頁296　106

79. 別彭丈一園用陶公與殷晉安別詩韻，辛亥（1971）七月

見《蘂園詩詞集》；《崇基校刊》第51期　1971年12月　頁8-9、頁37；本書頁297　107

80. 鄧仕樑君著《兩晉詩論》成，為題六絕句辛亥（1971）中秋前三日於沙田蘂園

見《蘂園詩詞集》；《綠水青山盡是詩》　頁20-225；鄧仕樑等編　《歲華——香港中文大學三十五年中國語言及文學系教師文藝作品集》　香港　香港中文大學中國語言及文學系　1998年12月　頁107-111；鄧仕樑　《兩晉詩論》　香港　香港中文大學　1972年1月；何乃文、洪肇平、黃坤堯、劉衛林編　《香港名家近體詩選》　香港　香港中文大學　2007年　頁578-580；《崇基校刊》第51期　1971年12月　頁8-9、頁37；本書頁297　108

81. 雜詩二首，用陶公〈懷古田舍詩〉韻壬子（1972）春月

見《蘂園詩詞集》；本書頁298　109

82. 《論詩絕句》十四首余近撰《論詩絕句》，起《詩經》以迄清代。茲選錄初唐十四首，大雅君子，幸垂教焉，蘂園自記

其一　總論唐賢

見《論詩絕句》；本書頁298　110

其二　李世民

見《論詩絕句》；本書頁298　110

其三　王績

見《論詩絕句》；本書頁298　110

其四　王勃

見《論詩絕句》；本書頁298　110

其五　楊炯

見《論詩絕句》；本書頁299　110

其六　盧照鄰

見《論詩絕句》；本書頁299　110

其七　駱賓王

見《論詩絕句》；本書頁299　110

其八　李嶠

見《論詩絕句》；本書頁299　110

其九　杜審言

見《論詩絕句》；本書頁299　110

其十　沈佺期

見《論詩絕句》；本書頁299　110

其十一　宋之問

見《論詩絕句》；本書頁299　110

其十二　陳子昂

見《論詩絕句》；本書頁299　110

其十三　張說

見《論詩絕句》；本書頁299　110

其十四　蘇頲

見《論詩絕句》；本書頁299　110

83. 近事二律答客問壬子（1972）中秋後十日

見《蘗園詩詞集》；《崇基校刊》第53期　1972年12月　頁7-9、頁21-22；本書頁299　111

84. 雜詩七首寄陳槃庵有序：與槃庵（陳槃，1905-1999）尊兄別四十年矣！頃荷遠寄大集，喜見詩才仍健，即用集中〈栗峯雜詩〉韻，成絕句七首奉酬。所感非一，故亦以雜詩名篇云爾。壬子（1972）仲夏

見《蘗園詩詞集》；《崇基校刊》第53期　1972年12月　頁7-9、頁21-22；本書頁300　112

85. 應重過二首一九七二年九月，余秩滿退職。五月卅日之夜，中文系師生及畢業同學，餞余於眾志堂，即席賦此

見《蘂園詩詞集》;《綠水青山盡是詩》　頁20-225;《崇基校刊》第53期　1972年12月　頁7-9、頁21-22;本書頁301　113

86. 戀愛辭四首客有言戀愛之苦者，詩寫其意，并以解之

見《蘂園詩詞集》;《崇基校刊》第54期　1973年6月　頁10;本書頁301　114

87. 楊柳枝六首余來港之初，首於港大陸佑堂見垂楊數株

見《蘂園詩詞集》;《崇基校刊》第54期　1973年6月　頁10;本書頁302　115

88. 教子篇近歲為父兄者多慨歎子弟之不率教，感而成詠

見《蘂園詩詞集》;《崇基校刊》第55期　1973年12月　頁9、頁22-23;本書頁302　117

89. 弄孫篇

見《蘂園詩詞集》;《崇基校刊》第55期　1973年12月　頁9、頁22-23;本書頁303　118

90. 讀楚辭三首

見《崇基校刊》第55期　1973年12月　頁9、頁22-23;本書頁303　119

91. 題子夜歌後三首

見《崇基校刊》第55期　1973年12月　頁9、頁22-23;本書頁303　120

92. 初夏即事

見《崇基校刊》第55期　1973年12月　頁9、頁22-23;本書頁304　121

93. 讀老子及門欲余撮老子要義，因作此詩

見《蘂園詩詞集》;《崇基校刊》第56期　1974年6月　頁28-29;本書頁304　122

94. 伍叔儻先生謝世七年矣！念之，愴然有作一九七三年癸丑夏日

見《蘂園詩詞集》;鄧仕樑等編　《歲華——香港中文大學三十五年中國語言及文學系教師文藝作品集》　香港　香港中文大學中國語言及文

學系　1998年12月　頁107-111；《綠水青山盡是詩》頁27；何乃文、洪肇平、黃坤堯、劉衛林編　《香港名家近體詩選》　香港　香港中文大學　2007年　頁578-580；《崇基校刊》第56期　1974年6月　頁28-29；本書頁304　123

95. 讀唐人集題句五代宋人之詞往往取資於唐詩，略舉數家，以見一斑。選自拙著《論詩絕句乙集》。附注亦見概略而已，其詳當求之於原書

其一　雍陶

見《崇基校刊》第56期　1974年6月　頁28-29；本書頁304　124

其二　趙嘏

見《崇基校刊》第56期　1974年6月　頁28-29；本書頁305　124

其三　高蟾

見《崇基校刊》第56期　1974年6月　頁28-29；本書頁305　124

其四　崔塗

見《崇基校刊》第56期　1974年6月　頁28-29；本書頁305　124

96. 讀陶公飲酒詩（即用其連雨獨飲詩韻）癸丑（1973）作

見《蘂園詩詞集》;《崇基校刊》第57期　1974年12月　頁9、頁12-14；本書頁305　126

97. 甲寅（1974）九日七律二首有序：余世居梅縣城西六十里瑤上鄉之鉛塘村。村東高山曰長春寨。每歲重九，村人登高於此，名曰「上寨」。相傳明清之際，梅州土豪據地剽掠者眾，吾鄉之人，結寨此山以自保，號曰長春寨。其後九日登此山賽神，歲以為常。追懷此樂，放筆成詠

見《蘂園詩詞集》;《崇基校刊》第57期　1974年12月　頁9、頁12-14；本書頁306　127

98. 題《紅樓夢》說部三絕句

見《蘂園詩詞集》;《崇基校刊》第57期　1974年12月　頁9、頁12-14；本書頁306　128

99. 雜詩十二首，和陶公韻乙卯（1975）三月

見《蘂園詩詞集》;《崇基校刊》第58期　1975年6月　頁2-3；本書頁306　129

100.林蓮仙女史曾有奉母過余園之約，秋日清麗，以詩速之癸丑（1973）九月

見《崇基校刊》第59期　1975年12月　頁21；本書頁309　130

101.有子篇有序：天生庶物，各有其用。陶公責子，亦戲言耳。爰作〈有子篇〉，即用公責子詩韻。乙卯（1975）三月

見《蘂園詩詞集》;《崇基校刊》第59期　1975年12月　頁21；本書頁309　131

102.煥宗、錦芬賢伉儷，遠惠毛衣，寄詩奉謝乙卯（1975）秋月

見《蘂園詩詞集》;《綠水青山盡是詩》　頁20-225;《崇基校刊》第59期　1975年12月　頁21；本書頁309　132

103.種蓮乙卯（1975）清明

見《蘂園詩詞集》;《崇基校刊》第59期　1975年12月　頁21；本書頁309　133

104.近事二首乙卯（1975）夏月

見《蘂園詩詞集》;《崇基校刊》第59期　1975年12月　頁21；本書頁309　134

105.雜詩九首，用陶公〈擬古九首〉韻丙辰（1976）春作

見《蘂園詩詞集》;《崇基校刊》第60期　1976年10月　頁9、頁18-19；本書頁310　135

106.七十生朝一首丙辰（1976）仲春

見《蘂園詩詞集》;《崇基校刊》第60期　1976年10月　頁9、頁18-19；本書頁311　136

107.乙卯（1975）夏日，題鄧氏錦田水榭

見《蘂園詩詞集》;《崇基校刊》第60期　1976年10月　頁9、頁18-19；本書頁312　137

108.衛星一首1975年12月4日《華僑日報》載，西德波朱姆電訊：西德太空科學家加明斯基教授謂，中國第四枚人造衛星安全返回地球，已掌握升空與着地之技術，中國太空人飛行，為期不遠云云

見《藥園詩詞集》；《崇基校刊》第60期　1976年10月　頁9、頁18-19；本書312　138

109.佳客篇為何君孟熊（朋）作丙辰（1976）歲除前一日

見《藥園詩詞集》；本書頁312　139

110（王）叔岷教授以大集見寄賦謝丙辰（1976）春月

見《藥園詩詞集》；本書頁313　140

111.與及門諸子說《易》有作，用陶公示周祖謝一首韻丙辰（1976）六月

見《藥園詩詞集》；本書頁313　141

112.五師詠，用陶公〈詠貧士〉詩韻丁已（1977）仲夏

見《藥園詩詞集》；本書頁313　142

113.余松山藥園又被徵用，詩以紀之丁已（1977）月冬作

見《藥園詩詞集》；本書頁314　143

114.年孫作詩言學農之樂，以詩答之丁已（1977）孟冬月

見《藥園詩詞集》；本書頁315　144

115.贈浸會學院中文系·《易經》班同學

見黃秉勤　〈中文系的日子：時光倒流四十年〉　Google 網頁；本書頁315　145

116.有感而作一首并敘：讀書佳事也，獨在今日，有未盡然。春寒閉門，感而成詠。戊午（1978）正月

見《藥園詩詞集》；本書頁315　146

117.戊午（1978）二月二十四日嘉會作（四言六章）

見《藥園詩詞集》；本書頁315　147

118.讀《史記・張丞相傳》戊午（1978）仲春

見《藥園詩詞集》；本書頁316　148

119.移家後作戊午（1978）六月

見《蘂園詩詞集》；本書頁316　149

120.余遠程教授惠贈大著《春魂集》，敬題二絕句己未（1979）仲春

見《蘂園詩詞集》；本書頁317　150

121.君實歸自美洲，偕常（宗豪）鄧（仕樑）二君過存己未（1979）六月初九日

見《蘂園詩詞集》；本書頁317　151

122.答羅慷烈教授惠書，即用陶公歲暮和張常詩韻己未（1979）十二月立春後

見《蘂園詩詞集》；本書頁317　152

123.寄示渙孫用陶公〈責子〉詩韻1981年春月

見《蘂園詩詞集》；本書頁317　153

124.贈別漢興兄君與余為東山中學同班同學。年老重逢，喜可知也。君有文才，臨別以派克筆為贈。1981年8月18日

見《蘂園詩詞集》；本書頁318　154

125.壬戌（1982）首夏喜晤朱慕蘭、冼玉芳二同學

見《蘂園詩詞集》；本書頁318　155

126.友人書勸加餐並詢近業，以詩奉酬壬戌（1982）秋月

見《蘂園詩詞集》；本書頁318　156

127.登高有序：壬戌（1982）重陽，小有風雨。雨後登山得長句

見《蘂園詩詞集》；本書頁318　157

128.寄懷季蔚宗兄，用李義山訪子初郊居詩韻壬戌（1982）冬月

見《蘂園詩詞集》；本書頁319　158

129.遊湛山寺作壬戌1982年12月29日，十一月十五日也

見《蘂園詩詞集》；本書頁319　159

130.日本京都大學清水茂教授於癸亥（1983）新歲寄〈後立山寺五首〉，依韻卻寄癸亥正月初四日

見《蘂園詩詞集》；本書頁319　160

131.去冬訪黃尊（生）老，雅談歡甚，春來苦雨，以詩代簡二首癸亥（1983）元月八日

見《藥園詩詞集》；本書頁320　161

132.人生二首　癸亥（1983）元宵後二日

見《藥園詩詞集》；本書頁320　162

133.再奉謝君興濟書，頗以文學自樂，以詩答之癸亥（1983）三月

見《藥園詩詞集》；本書頁320　163

134.歡呼二絕句，為中學運動會作1983年5月10日

見《藥園詩詞集》；本書頁321　164

135.寄懷姜異老得楚望樓主人（成惕軒）書謂異老已八十六歲，神明未衰，仍常寫作云。1983年5月

見《藥園詩詞集》；本書頁321　165

136.中秋寄懷黃尊老1983年癸亥

見《藥園詩詞集》；本書頁321　166

137.中秋夜作1983年癸亥

見《藥園詩詞集》；本書頁321　167

138.過中文大學碧秋樓1983年癸亥重陽後十日

見《藥園詩詞集》；本書頁321　168

139.病癒寄親友以為康復之符信1983年12月15日

見《藥園詩詞集》；本書頁322　169

140.癸亥（1983）歲除日寄黃尊老1984年2月1日

見《藥園詩詞集》；本書頁322　170

141.小庭山菊花放，有並蒂者，為賦三絕句1984年甲子二月初九日

見《藥園詩詞集》；本書頁322　171

142.庭前二絕句甲子（1984）春三月

見《藥園詩詞集》；本書頁322　172

143.不寐二首1984年甲子7月27夜

見《蘂園詩詞集》；本書頁323　173

144.甲子（1984）中秋

見《蘂園詩詞集》；本書頁323　174

145.喜雨1984年甲子10月22日，入秋八十餘日，昨宵喜獲甘雨，詩以紀之

見《蘂園詩詞集》；本書頁323　175

146.客有寄書論長生者，以詩答之1984年甲子又十月

見《蘂園詩詞集》；本書頁323　176

147.雜詩一首甲子（1984）十月

見《蘂園詩詞集》；本書頁323　177

148.城門水塘有序：水塘位於沙田荃灣之間，小有水木煙波之美。惟城門之稱，不知始於何時。有城門河匯餘流經沙田入海，意者古代防海，曾於此築置城戍乎？1984年甲子11月

見《蘂園詩詞集》；本書頁324　178

149.甲子（1984）十月十五日作，是日立冬

見《蘂園詩詞集》；本書頁324　179

150.重鈔少作廈門大學七牖有序：1985年1月，甲子11月16日余冠歲執業廈門大學，作此文以敷陳大學設施。業師周癸叔教授為之潤色，並得請於校長，精印專冊，流布當世。《昭明文選》以賦別出七為一類，其實一也。今重省斯篇，頗覺成之非易。敝帚千金，蓋忘譏笑之為譏笑矣

見《蘂園詩詞集》；本書頁324　180

151.春晴五首1985年夏曆1月16日

見《蘂園詩詞集》；本書頁325　181

152.論詩示同學諸子二首

見《蘂園詩詞集》；本書頁325　182

153.女孫言願長作稚子，勿事讀書，為之莞爾成詠

見《蘂園詩詞集》；本書頁326　183

154.寄懷楚望樓主人有序：余與成惕軒先生神交已久。近得惠書，情意殷勤。因賦此寄懷，即用陶公〈與殷晉安別詩〉韻

見《蘂園詩詞集》；本書頁326　184

155.讀《易》詩二首

見《蘂園詩詞集》；本書頁326　185

156.讀陶〈勸農〉詩

見《蘂園詩詞集》；本書頁327　186

157.黃尊生教授寄賜大文〈生命之價值〉，賦詩奉酬

見《蘂園詩詞集》；本書頁327　187

158.興濟兄席上，喜晤舊友張君二首

見《蘂園詩詞集》；本書頁327　188

159.客居一律

見《蘂園詩詞集》；本書頁327　189

160.李尚平教授自美郵書論詩，率成一律奉酬李教授為物理學博士，然能以文學世其家。昔在崇基學院任物理系主任，與余有論文之樂。一別十餘年，彌足深念也

見《蘂園詩詞集》；本書頁328　190

161.沙田春望

見《蘂園詩詞集》；本書頁328　191

162.過妙法寺萬佛寶殿作

見《蘂園詩詞集》；本書頁328　192

163.首夏有序：余家世耕讀。今老矣，猶不忘農事。昨宵夢兒時赤足騎牛之樂，詩以紀之

見《蘂園詩詞集》；本書頁328　193

164.謝林千石先生惠著色梅，即用其〈題畫詩〉原韻

見《蘂園詩詞集》；本書頁328　194

165.贈木工陸振廷二絕句陸君廣寧縣人。抗日聖戰，與余同在軍中。今又相逢沙田，君以木工自食，頗有自得之樂。

見《蘂園詩詞集》；本書頁329　195

166.中大校園即目

見《蘂園詩詞集》；本書頁329　196

167.初夏即事

見《蘂園詩詞集》；本書頁329　197

168.柳存仁教授寄賀歲簡，內有〈速寫澳洲寓齋圖〉，卻寄一絕句

見《蘂園詩詞集》；本書頁329　198

169.題謙孫試筆畫牡丹

見《蘂園詩詞集》；本書頁329　199

170.謙孫又畫〈牡丹春禽圖〉，再戲題小詩

見《蘂園詩詞集》；本書頁329　200

171.戲題白傅〈琵琶行〉後

見《蘂園詩詞集》；本書頁330　201

172.看花

見《蘂園詩詞集》；本書頁330　202

173.重晤姚天平、甘美華賢伉儷

見《蘂園詩詞集》；本書頁330　203

174.秦石有序：余家沙田，垂四十年矣。所居後負小山，多石，鄉人名之曰秦石，亦不知其所始也。村老語余，數十年前，秦石濱海，余始至時，石距海亦不及一里。自石至車公廟，小河如帶，竹林交映。余舊題車公廟有句云：「我來觀水竹，鐘鼓坐斜陽。」今則山河化為市廛，樓閣破空並峙。與小山毗鄰新村，亦名曰秦石云

見《蘂園詩詞集》；鄧仕樑等編　《歲華——香港中文大學三十五年中國語言及文學系教師文藝作品集》　香港　香港中文大學中國語言及文學系　1998年12月　頁107-111；本書頁331　209

175.小園漫成兩首

見《蘂園詩詞集》；鄧仕樑等編　《歲華——香港中文大學三十五年中國語言及文學系教師文藝作品集》　香港　香港中文大學中國語言及文

學系　1998年12月　頁107-111；何乃文、洪肇平、黃坤堯、劉衛林編《香港名家近體詩選》　香港　香港中文大學　2007年　頁578-580；本書頁332　210

176.移家

見《蘗園詩詞集》；鄧仕樑等編　《歲華——香港中文大學三十五年中國語言及文學系教師文藝作品集》　香港　香港中文大學中國語言及文學系　1998年12月　頁107-111；本書頁332　211

177.羅人龍兄自加拿大歸賦贈一九八四年十一月十日

見《蘗園詩詞集》；《綠水青山盡是詩》　頁20-225；本書頁333　213

178.壬子（1972）仲春，孟熊兄（何朋）應日本學術振興會之請，赴日講論，共話楓林小館

見《蘗園詩詞集》；《綠水青山盡是詩》　頁20-225；本書頁333　214

179.輓何孟熊（朋）君，用陶公輓歌三首韻

見《蘗園詩詞集》；《綠水青山盡是詩》　頁20-225；本書頁334　215

180.答君實丁巳（1977）仲春

見《蘗園詩詞集》；《綠水青山盡是詩》　頁20-225；本書頁334　216

181.喜君實見過八五年元月二十日

見《蘗園詩詞集》；《綠水青山盡是詩》　頁20-225；本書頁334　217

182.觀歐豪年、朱慕蘭伉儷畫展，為題四絕句1966年12月6日

見《蘗園詩詞集》；《綠水青山盡是詩》　頁20-225；本書頁335　218

183.和（鄧）仕樑《劍橋春遊詩》韻

見《蘗園詩詞集》；《綠水青山盡是詩》　頁20-225；本書頁335　220

184.夜讀容國勳紐約所為詩，卻寄二絕句，即用其《百里訪友詩》韻甲辰（1964）十一月初六

見《蘗園詩詞集》；《綠水青山盡是詩》　頁20-225；本書頁336　221

185.傷雷生雷生（震昌）於一九六三年考入本系。外靜謹而內孤介。學文學書，頗徵雅健。然意多不平，未二年，退學。旋聞墜樓自殞。以詩傷之，且誌愧也

見《蘂園詩詞集》;《綠水青山盡是詩》　頁20-225；本書頁336　223

186.喜晤丘成桐博士

見《蘂園詩詞集》;《綠水青山盡是詩》　頁20-225；本書頁337　224

187.贈梁後養

見《蘂園詩詞集》;《綠水青山盡是詩》　頁20-225；本書頁337　225

188.孔君祥河名其齋曰「無不可齋」，以詩勉之

見《蘂園詩詞集》;《綠水青山盡是詩》　頁20-225；本書頁337　226

189.過（蔣）英豪夫婦寓樓，贈詩三首

見《蘂園詩詞集》;《綠水青山盡是詩》　頁20-225；本書頁337　227

190.崇基校園

見《蘂園詩詞集》;《綠水青山盡是詩》　頁20-225；本書頁338　228

191.會議久坐，望檻外雲山，欣然有作。癸卯（1963）重陽前一日

見《蘂園詩詞集》;《綠水青山盡是詩》　頁20-225；本書頁338　229

192.崇基海崇基海，俗稱吐露港，五代南漢置媚川都，於此采珠焉

見《蘂園詩詞集》;《綠水青山盡是詩》　頁20-225；本書頁338　230

193.馬鞍山

見《蘂園詩詞集》;《綠水青山盡是詩》　頁20-225；本書頁338　231

194.己酉（1969）十二月廿二日，中文學會集於神學樓，天陰微雨，山海迷濛。雖有風雨雞鳴之樂，寧無任重道遠之憂，即席賦詩以共勉焉。

見《蘂園詩詞集》;《綠水青山盡是詩》　頁20-225；本書頁340　236

195.笑我乙卯（1975）正月，崇基中國語文系同人邀余論文學，戲為此篇

見《蘂園詩詞集》;《綠水青山盡是詩》　頁20-225；本書頁340　237

196.戊午（1978）二月廿日，與同門諸子會於慶相逢市樓

見《蘂園詩詞集》;《綠水青山盡是詩》　頁20-225；本書頁340　238

197.仲春嘉會作有序：一九八〇年庚申二月廿七日，與同學諸子會於市樓，以詩紀之

見《蘂園詩詞集》;《綠水青山盡是詩》　頁20-225；本書頁341　239

198.淫雨（戊子〔1948〕端節後一日）
見陳寂、傅靜庵編　《嶺雅》　廣州　廣東人民出版社　2013年12月
頁199-776；本書頁342　243

199.丁亥（1947）歲暮三首
見陳寂、傅靜庵編　《嶺雅》　廣州　廣東人民出版社　2013年12月
頁199-776；本書頁342　244

200.李滄萍先生（1897-1949）輓詩
見陳寂、傅靜庵編　《嶺雅》　廣州　廣東人民出版社　2013年12月
頁199-776；本書頁343　245

（二）詞

1. 浣溪紗春：潮嚙沙堤草漫痕
見《藥園詩詞集》；《崇基校刊》第15期　1958年5月　頁10；本書頁279
045

2. 浣溪紗春歸：又是春歸人未歸
見《藥園詩詞集》；《崇基校刊》第15期　1958年5月　頁10；本書頁279
046

3. 減字木蘭花戊戌（1958）三月卅日，重遊青山禪院：青山重過
見《藥園詩詞集》；《崇基校刊》第16期　1958年7月　頁10；本書頁279
047

4. 減字木蘭花：薜碑殘塔
見《藥園詩詞集》；《崇基校刊》第16期　1958年7月　頁10；本書頁279
048

5. 減字木蘭花題昕社畢業同學錄：四年回首
見《藥園詩詞集》；《綠水青山盡是詩》　頁20-225；《崇基校刊》第16期　1958年7月　頁10；本書頁279　049

6. 滿庭芳戊戌（1958）九月，與同人遊汀九。小憩冼氏龍騰別墅，共飲青山酒艇：雲斂烟收
見《崇基校刊》第18期　1959年元旦日　頁17；《綠水青山盡是詩》頁20-225；本書頁280　051
7. 蝶戀花春日：真覺天工無限巧
見《蘂園詩詞集》；《崇基校刊》第19期　1959年4月20日　頁16-17；本書頁281　052
8. 沁園春戊戌（1958）冬至後數日，余遷居沙田舊寓西南之小圃中。佳竹在庭，青山入戶。主人與隣居皆客人。其俗易安，而鄉心難免。寫此簡同事諸公：望遠登樓
見《蘂園詩詞集》；《崇基校刊》第19期　1959年4月20日　頁16-17；本書頁281　053
9. 沁園春己亥（1959）首夏新晴，與同人游錦田凌雲寺：首夏清游
見《蘂園詩詞集》；《綠水青山盡是詩》　頁20-225；《崇基校刊》第21期　1959年10月31日　頁16；本書頁281　054
10. 高陽臺庚子（1960）香港春興：碧海浮山
見《蘂園詩詞集》；鄧仕樑等編　《歲華——香港中文大學三十五年中國語言及文學系教師文藝作品集》　香港　香港中文大學中國語言及文學系　1998年12月　頁107-111；《崇基校刊》第23期　1960年4月　頁11；方寬烈編　《二十世紀香港詞鈔》　香港　東西文化公司　2010年9月　頁35-36；本書頁282　057
11. 滿庭芳晚春沙田寓園作：綠長階苔
見《蘂園詩詞集》；《崇基校刊》第24期　1960年7月　頁21；本書頁282　060
12. 南鄉子庚子（1960）春日，日本清水茂助教授來訪，并荷贈詩：昨夜客星明
見《蘂園詩詞集》；本書頁283　061
13. 蝶戀花辛丑（1961）春日：又見春來花滿枝
見《蘂園詩詞集》；本書頁283　062

14. 漢宮春壬寅（1962）六月，室人生朝，戲以為壽：笑說因緣
見《蘂園詩詞集》；本書頁283　063
15. 減字木蘭花癸卯（1963）立春後一日，園中小梅初放，喜林千石先生見過：林君千石
見《蘂園詩詞集》；本書頁284　065
16. 定風波癸卯（1963）五月，送鄭因百（騫）教授歸臺灣：刊落人間勢與名
見《蘂園詩詞集》；本書頁284　066
17. 高陽臺乙巳（1965）春日，移家松山後作：榴實迎春
見《蘂園詩詞集》；《崇基校刊》第40期　1966年7月　頁24；本書頁287　074
18. 鷓鴣天客有言貧賤夫妻老而彌哀者，竊不謂然，成小詞貽之：歲歲新花發舊枝
見《蘂園詩詞集》；《崇基校刊》第41期　1966年12月　頁10、頁16；本書頁288　077
19. 鷓鴣天：年少婚姻尚帶羞
見《蘂園詩詞集》；《崇基校刊》第41期　1966年12月　頁10、頁16；本書頁288　078
20. 減字木蘭花與畢業諸生宴集雍雅山房，時丁未（1967）六月初一日也：山房雍雅
見《蘂園詩詞集》；《綠水青山盡是詩》　頁20-225；《崇基校刊》第45期　1968年12月　頁16；本書頁291　084
21. 減字木蘭花戊申（1968）重九作：凝眸望遠
見《蘂園詩詞集》；《崇基校刊》第45期　1968年12月　頁16；本書頁291　085
22. 添字浣溪沙為元一（羅香林）教授退職作：明德真看有達人
見羅香林（1905-1978）藏　《乙堂函牘》　香港　香港大學馮平山圖書館羅香林特藏；本書頁291　086
23. 減字木蘭花丙午（1966）六月，觴吳敬軒（吳康博士）伉儷於沙田畫舫，時敬老以中文大學聘來港校士也：沙田畫舫

見羅香林（1905-1978）藏　《乙堂函牘》　香港　香港大學馮平山圖書館羅香林特藏；《蘂園詩詞集》；《綠水青山盡是詩》　頁20-225；本書頁291　087

24. 添字浣溪沙送饒固庵教授南行，戊申（1968）七月：采筆曾聞和〈詠懷〉
見《蘂園詩詞集》；《崇基校刊》第46期　1969年6月　頁8；本書頁292　090

25. 唐多令感事：宛在水中央
見《蘂園詩詞集》；《崇基校刊》第48期　1970年5月　頁3、頁7；本書頁294　095

26. 浣溪紗：一雨迎秋換夏時
見《蘂園詩詞集》；《崇基校刊》第49期　1970年12月　頁6-7、頁10；本書頁295　100

27. 浣溪紗：燕喜崗前憶舊遊
見《蘂園詩詞集》；《崇基校刊》第49期　1970年12月　頁6-7、頁10；本書頁295　101

28. 減蘭辛亥（1971）春月，梁生國豪將適澳洲，話別於楓林小館，賦小詞為贈：楓林小館
見《崇基校刊》第50期　1971年6月　頁19；《綠水青山盡是詩》　頁20-225；本書頁296　105

29. 思佳客（羅）慷烈尊兄惠寄所著《兩小山齋樂府》，再讀集杜句贈余之〈鷓鴣天〉一闋，感念無已，和韻卻寄：莫訝天孫下織機
見《蘂園詩詞集》；《崇基校刊》第54期　1973年6月　頁10；本書頁302　116

30. 減字木蘭花過崇基校園，甲寅（1974）三月：校園重到
見《蘂園詩詞集》；《綠水青山盡是詩》　頁20-225；鄧仕樑等編　《歲華——香港中文大學三十五年中國語言及文學系教師文藝作品集》　香港　香港中文大學中國語言及文學系　1998年12月　頁107-111；《崇基校刊》第56期　1974年6月　頁28-29；本書頁305　125

31. 思佳客沙田春暮：刺水新秧茁寸苗
    見《藥園詩詞集》；本書頁330　204
32. 鷓鴣天：繞屋長林翠滿庭
    見《藥園詩詞集》；本書頁330　205
33. 蝶戀花喜鄉人賴君歸自帝汶：十載重逢驚又喜
    見《藥園詩詞集》；本書頁330　206
34. 菩薩蠻初月：新秋涼夜疏林靜
    見《藥園詩詞集》；本書頁331　207
35. 思佳客：聞道杭州似汴州
    見《藥園詩詞集》；本書頁331　208
36. 減字木蘭花二首庚子（1960）七月，香港大學饒宗頤、日本京都大學清水茂兩先生、馬來亞陳雪燕、日本刈屋系枝兩小姐偕遊沙田
    其一　青山經雨
    其二　關西大漢
    見《藥園詩詞集》；《綠水青山盡是詩》　頁20-225；本書頁332　212
37. 減字木蘭花結伴游白田，踐胡健為君之舊約也。胡君寓樓，頗有花竹泉石之美：隔年夙諾
    見《藥園詩詞集》；《綠水青山盡是詩》　頁20-225；本書頁335　219
38. 蝶戀花讀吳生《萬景哭母詞》，為之泫然，余生平深負母恩，因成此闋，以寫悲懷。時辛丑（1961）立夏前一日也：萱草花開三月暮
    見《藥園詩詞集》；《綠水青山盡是詩》　頁20-225；本書頁336　222
39. 減字木蘭花二首庚子（1960）七月，與《華國》學會諸君遊梅窩
    其一　清遊暇日
    其二　青山海屋
    見《藥園詩詞集》；《綠水青山盡是詩》　頁20-225；本書頁339　232
40. 減蘭壬寅（1962）五月廿九日，中文系畢業諸君觴余等於五月花樓，為賦：當筵眾妙
    見《藥園詩詞集》；《綠水青山盡是詩》　頁20-225；本書頁339　233

41. 減字木蘭花一九六九年五月，中文系畢業同學觴余等於九龍寶勒巷之滿堂紅酒家，即席賦此：巷深寶勒
見《蘂園詩詞集》;《綠水青山盡是詩》　頁20-225；本書頁339　234
42. 減字木蘭花六九年中秋後二日，本系同人公宴日本平松教授。教授出紙囑書，即席賦贈。是夜微雲留月，不放清輝：瓊樓高會
見《綠水青山盡是詩》　頁20-225；本書頁339　235
43. 蝶戀花辛丑（1961）春日：十載情懷難指訴
見《蘂園詩詞集》；方寬烈編　《二十世紀香港詞鈔》　香港　東西文化公司　2010年9月　頁35-36；本書頁341　240
44. 思佳客：海上瑤台隱暮霞
見《蘂園詩詞集》；方寬烈編　《二十世紀香港詞鈔》　香港　東西文化公司　2010年9月　頁35-36；本書頁341　241
45. 鷓鴣天：莫以春歸怨夏時
見《蘂園詩詞集》；方寬烈編　《二十世紀香港詞鈔》　香港　東西文化公司　2010年9月　頁35-36；本書頁342　242

（三）文

1. 魏叔子文鈔序
見《詩文錄》
2. 陳芝鄴先生傳
見《詩文錄》
3. 哭順德黃先生（晦聞）文
見《詩文錄》
4. 常論贈何紹琼
見《詩文錄》
5. 龔母王太夫人七旬晉二壽序
見《詩文錄》

6. 明儒（1936）

   見鍾應梅《應梅文錄》收入　《民國時期文獻資料海外拾遺》第154冊　香港中文大學圖書館藏　2014年

7. 論史（1936）

   見《應梅文錄》

8. 常論贈何紹琼（1937）

   見《應梅文錄》；陳寂、傅靜庵編　《嶺雅》　廣州　廣東人民出版社　2013年12月　頁199-776

9. 李滄萍先生詩序（1937）

   見《應梅文錄》；陳寂、傅靜庵編　《嶺雅》　廣州　廣東人民出版社　2013年12月　頁199-776

10. 楊徽五先生榕園瑣記序（1944）

    見《應梅文錄》；陳寂、傅靜庵編　《嶺雅》　廣州　廣東人民出版社　2013年12月　頁199-776

11. 廣東鼎湖山粵保安團隊抗日陣亡將士碑文（代鄒洪將軍）（1941）

    見《應梅文錄》

12. 陸軍暫編第二軍抗日陣亡將士碑文（代鄒洪將軍）（1942）

    見《應梅文錄》

13. 廣東省政府主席黃公神道碑銘（1937）

    見《應梅文錄》

14. 陸軍中將粵桂邊區總指揮鄒公神道碑銘（1946）

    見《應梅文錄》

15. 羅香林教授《乙堂文存》序

    見羅香林（1906-1978）　《乙堂文存》（壯為敬署）　1965年3月　頁8　香港大學馮平山圖書館羅香林特藏；《崇基校刊》第9期　1956年11月23日

16. 近體四家詩選題語
見《崇基校刊》第10期　1957年3月15日
（筆者案：四家指李義山、王荊公、陳後山、黃山谷）
17. 悼伍叔儻先生（1966年11月20日）
見香港中文大學中國語言及文學系編　《吐露春風五十年：香港中文大學中文系圖史文集》　香港　香港中文大學中國語言及文學系　2015年　頁158-161；伍叔儻著，方韶毅、沈迦編校　《伍叔儻集》　合肥　黃山書社　2011年7月　頁486-492；《崇基校刊》第41期　1966年12月　頁10、頁16
18. 《老子新詮》自序
見鍾應梅　《老子新詮》　香港　友聯印刷廠　崇基學院華國學會叢書　1967年12月；《崇基校刊》第43期　1967年12月　頁18-19
19. 《蘂園說詞》自序戊申（1968）立秋後十日，鍾應梅自序於蘂園
見鍾應梅　《蘂園說詞》　香港　友聯印刷廠　崇基學院華國學會叢書　1968年9月
20. 《暮遠樓自選詩》出版說明
見伍俶儻（1897-1966）　《暮遠樓自選詩》　香港　友聯印刷廠　1968年11月；伍叔儻著，方詔毅、沈迦編校　《伍叔儻集》　合肥　黃山書社　2011年7月　頁76
21. 鍾應梅致羅香林書信二十九紙
見羅香林（1905-1978）藏　《乙堂函牘》　香港　香港大學馮平山圖書館羅香林特藏
22. 《易辭衍義》自序辛亥（1971）又五月
見鍾應梅　《易辭衍義》　臺北　臺灣學生書局　1984年8月三版
23. 廿年的回味
見《崇基校刊》第52期　1972年6月　頁5-7、頁14-15、頁20-21

24. 《論詩絕句甲乙集》序例
    見《崇基校刊》第55期　1973年12月　頁9、頁22-23
25. 《王國維文學及文學批評》序1974年甲寅仲春序於藥園
    見《崇基校刊》第56期　1974年6月　頁28-29；蔣英豪　《王國維文學及文學批評》　香港　崇基學院華國學會叢書　1974年4月
26. 送別容校長（啟東）
    見《崇基校刊》第58期　1975年6月　頁2-3
27. 《客人先正詩傳初集》自序
    見鍾應梅　《客人先正詩傳》　香港　丁巳（1977）版
28. 讀《莊子》自序庚申（1980）中秋藥園鍾應梅自序於香港
    見鍾應梅　《讀莊子》　香港能仁書院中國文學研究所　1981年9月
29. 《三訂中國文學研究大綱》自序1981年夏月鍾應梅自序於香港能仁書院中國文學研究所
    見鍾應梅　《三訂中國文學研究大綱》　香港能仁書院中國文學研究所　1981年9月
30. 《三訂中國文學研究大綱》後記1981年7月11日再記
    見鍾應梅　《三訂中國文學研究大綱》　香港能仁書院中國文學研究所　1981年9月

三　論文類

1. 明儒
   見《華國》第1期　1957年7月　頁3-5
2. 春秋經傳說
   見《華國》第1期　1957年7月　頁26-38
3. 諸子學發凡
   見《崇基校刊》第11期　1957年7月　頁6-8

4. 老子新詮
   見《華國》第2期　1958年9月　頁26-53
5. 香港崇基學院中國文學系研究大綱
   見《華國》第2期　1958年9月　頁231-260
6. 漫譚古文
   見《崇基校刊》第20期　1959年7月　頁3-5
7. 老子新詮（續第二期）
   見《華國》第3期　1960年6月　頁18-40
8. 蘂園讀書記：讀《荀子》十篇
   見《崇基學報》第1卷第1期　1961年7月　頁30-36
9. 舊問題新估計——道
   見《崇基校刊》第29期　1962年2月　頁5-6
10. 蘂園讀書記（二）：讀《荀子》七篇
    見《崇基學報》第2卷第1期　1962年11月　頁54-61
11. 詞學四論
    見《華國》第4期　1963年　頁51-74
12. 蘂園讀書記（三）：讀《荀子》五篇
    見《崇基學報》第5卷第2期　1966年5月　頁158-166
13. 重訂中國文學研究大綱
    見《華國》第5期　1967年　頁259
14. 陶詩新論
    見《崇基學報》第6卷第2期　1967年5月　頁191-209
15. 舊問題新估計——時、新、善
    見《崇基校刊》第44期　1968年6月　頁6-8
16. 《易》履謙復恆損益困井巽九卦說
    見《崇基學報》第8卷第2期　1969年5月　頁32-40

17. 說時用
見《崇基校刊》第47期　1969年12月　頁50
18. 論深造自得
見《崇基校刊》第48期　1970年5月　頁3-4
19. 老子的自然說
見《崇基校刊》第49期　1970年12月　頁6-7
20. 藥園《易》說
見《壽羅香林教授論文集》　香港　萬有圖書公司　1970年
21. 《易辭衍義》自序
見《華國》第6期　1971年　頁1-2
22. 《易》繫辭上傳說——分章依朱熹《易本義》
見《崇基學報》第10卷第1、2期合刊　1971年10月　頁39-47
23. 陶詩再論
見《崇基校刊》第51期　1971年12月　頁8-9
24. 論人與人物與物
見《崇基校刊》第52期　1972年6月　頁14-15
25. 三論陶詩——從生活體驗論文學寫作
見《崇基校刊》第53期　1972年12月　頁7-9
26. 《論詩絕句甲乙集》序例
見《崇基校刊》第55期　1973年12月　頁22-23
27. 《史記讀法》
見《崇基校刊》第57期　1974年12月　頁12-14
28. 從王安石詩論其變法思想
見《文訊》　1975年6月
29. 《老子新詮》再版自序
見《崇基校刊》第60期　1976年10月　頁9

30. 論中國詩

見《能仁校訊》　1983年10月

31. 文章體用附韓柳文選論

見《能仁學報》　1984年12月　頁13-44

四　鍾應梅研究類

（一）詩

1. 王韶生〈奉和應梅尊兄秋日登島上高峯之作〉

登瀛懷學士，海澨喜相逢。天末橫征雁，風雷起蟄龍。

蜿蜒經石棧，兀律數奇峯。瀰望青如畫，茲游興未窮。

幾輩龍山侶，盟鷗証素心。滄瀾多起伏，眾巒異晴陰。

理自環中得，愁從鬢上侵。松風吹謖謖，助我動微吟。

見《崇基校刊》第13期　1957年12月13日　頁15；《綠水青山盡是詩》

2. 邵鏡人〈應梅尊兄見示登島上高峯兩律，爰綴古體奉酬，並簡叔儻、韶生、睿聰諸君子〉丁酉（1957）秋日

高峯攬萬里，飛動詎無心。抱膝固足樂，何如此登臨！長風振林巒，灑然發清吟。倜儻有伍叟，（叔儻）短髭如鐵鍼。筆摩建安壘，常談足雅音。王楊亦卓犖，（韶生，睿聰。）一笑空古今。鍾先萬夫英，（應梅）揮毫四座驚！所志亦非小，起衰宏夏聲。大道已陵替，幾人天柱擎？走也無所似，執轡惟心傾。撫掌發長嘯，山光忽西征。屠龍應試手，碧海掣長鯨。

見《崇基校刊》第13期　1957年12月13日　頁15

3. 伍俶（叔儻）暮遠樓詩〈戊戌（1958）六月十日，陪鍾應梅、陳惠源諸先生遊凌雲寺並序〉趙翼謂七律最難作。王闓運作之，至死而不能工。顧擬之於乘車

鼠穴。此護前而適見其短，未為達也。世有五字逼曹王謝守，便言七律可鞭韃陸游、元好問，此由昧於才分不齊，欲以驊騮捕鼠之舊說也。予少為漁洋所誤，苦讀劉文房餘干縣城臺作，略能上口，而下筆乃不及林黛玉、蘇曼殊。篋中所藏，尚數十篇。勘劇發現，有時汗出。然則，徒於風寒為有益而已，何與於六義。既棄之可惜，錄之以存其真。亦以見予之不肖。為一噱也。

猶是清和心亦閒，且隨朋舊共躋攀。車行滄海旁邊路，身入雲林杳靄間。十載敢忘建業水，五言長憶永嘉山。坐來歷歷少年事，每及榴花返故關。

見《崇基校刊》第23期　1960年4月　頁11；鄧仕樑等編　《歲華——香港中文大學三十五年中國語言及文學系教師文藝作品集》　香港　香港中文大學中國語言及文學系　1998年12月；何乃文、洪肇平、黃坤堯、劉衛林編　《香港名家近體詩選》（上冊）　香港　香港中文大學出版社　2007年　頁49；《綠水青山盡是詩》

4. （日）清水茂〈投鍾應梅先生即用其己亥（1959）四月初九詩韻〉

香海江山如畫中，更吹涼氣習微風。吾來問老參河上，倒屣相迎禮幾重。

見《崇基校刊》第24期　1960年7月　頁20

5. 歐陽毅〈南國之秋〉聽鍾教授講詩已，見室外小園秋色如春，習作一首

桂樹映明窗，柔風送晚香。秋殘春不老，荷謝菊添粧。
天遠懷人近，情輕意味長。途窮師有道，夜黯月生光。

見《崇基校刊》第50期　1971年6月　頁19

6. 李孟晉〈敬和鍾應梅先生客居一律〉讀鍾先生客居一律，逸趣盎然。余寓港數載，居難定所，遑論其他。賦詩寄慨，亦楚奏越吟之類耳！

自笑壯懷能慷慨，倚欄今唱念家山。言歸久負三年約，飛夢連宵一峽間。（余家在台灣）

偶檢舊書溫有味，欲迎老母愧無顏。登樓卻類荊南客，東望煙波憶故關。

見《崇基校刊》第57期　1974年12月　頁11

（二）詞

1. 何敬群〈瑤臺聚八仙〉己亥（1959）立秋前二日，為新亞、崇基、聯合三院新生入學試閱卷。中午與梁秉憲、鍾應梅、王韶生、吳笑笙、黃華表、莫可非六君小憩九龍城七喜茶座。諸君呼紅茶壽眉，余獨索龍井；諸君戲謂龍井為少年茶，壽眉為中年茶，紅茶普洱為老年茶，以其品目甚新，因走筆為倚聲以寫之

   談笑瀾翻。評月旦，茶品為換頭銜。壽眉龍井，分號老少中年。說與桐君添品目，定知陸羽訝新鮮。竹林邊。正堪竹塵，合與偷閒。

   憑他消領世味，記一壺夢破，三等僧傳。老去相如，秋雨病渴依然。分無仙掌玉屑，正須待，山泉活火煎。連三碗，笑綠紅其瀹，老少同甘。

   見何敬群　《遯翁詩詞曲集》　香港　志文出版社　1983年8月

2. 饒宗頤〈減蘭〉連日陰晴無定，應梅折簡招遊沙田。（1960）九月五日，與清水茂驅車同往，循竹徑陟晦思園，應梅先有詞，余因和作

   其一

   無晴無雨，小鳥分明籬上語。杯渡良難，賴有秋風送汝還。

   陂塘自遠，水花日炙紅生眼。鵝鴨休譁，綠橘黃槐又一家。

   其二

   排空插漢，過雨涼添叢竹健。信步還休，丹殿朱幡在上頭。

   江雲似火，染出幾枝花可可。吟袖飛香，秀句新傳到十方。

   見饒宗頤編著　《選堂詩詞集》　臺北　新文豐出版公司　1993年1月　頁169

3. 王韶生〈沁園春〉藥園新築落成，奉和園主，賦呈應梅兄

針嶺橫馳，萬巒爭流，鞍山正東。面渠渠夏屋，湯湯海峽，雲蒸霞蔚，水淨烟籠。卜築期思，浣花老杜，商量當年豈不同。田園主，喜蘭成賦就，司馬文雄。　　四圍翠色重重，又萬里溪橋一徑通。料鄴架藏書，詩騷跌蕩；亭林載酒，冠蓋雍容。戒旦雞鳴，比隣犬吠，種竹盆栽闢數弓。披襟際，有絲般化雨，穆若清風。

見《文訊》第4期（1963年1月）　頁6；王韶生　《懷冰室續集》　香港　志文出版社　1984年8月；王韶生　《懷冰室續集》增訂本　香港　現代教育研究社　1993年　頁153；《綠水青山盡是詩》

4. 王韶生〈減字木蘭花兩首〉丙午（1966）六月，敬軒師（吳康博士）由臺來港，詳定中文大學文科學位試卷，應梅主任置酒沙田畫舫，即席填〈減蘭〉兩首，詞旨甚美。酒罷，濡筆敬和

其一

岩嶢畫舫，翠巘映波平若掌。爭識歸舟，能為槐花更少留。
神清體健，紫氣黃雲如拂面。歡酌新醅，萬樹垂楊傍水栽。

其二

侯芭誰是，黌舍當年曾問字。馬帳傳經，劫火流離兩鬢星。
良朋耐久，恰似秦川同置酒。低唱新詞，玉管笙簧上奏時。

見羅香林藏　《乙堂函牘》　香港大學馮平山圖書館　羅香林特藏

5. 羅慷烈〈鷓鴣天〉久不見藥園丈填詞，余復慫作，集杜聊呈，兼寄韶生詞長

回首風塵且息機，懶朝真與世相違。葉心朱實看時落，老去親知見面稀。
花濺淚，雨催詩，風流儒雅亦吾師。白頭授簡焉能賦，故國平居有所思。

見香港大學　《中文學會年刊》（1968-1969年度）　頁23-24

6. 王韶生〈鷓鴣天〉(即〈思佳客〉)己酉(1969)歲晚，慷烈招飲樂宮，坐中錄示集杜新詞。庚戌(1970)初吉，讀蘇詩，爰集句奉和，並柬石禪(潘重規)、蘂園

江上東風浪接天，官梅詩興故依然。入懷冰雪生秋思，把蟹行看樂事全。
肌骨醒，意珠圓。每逢佳節輒參禪。流芳不待龜巢葉，折得奇葩晚更妍。
見香港大學　《中文學會年刊》(1968-1969年度)　頁23-24

7. 王韶生〈減蘭〉滿堂紅宴集，即席和蘂園，並贈畢業諸君

金鞍玉勒，陡憶少年場結客。濟濟菁英，轉徙天池啟海程。
詩書滋味，舉世尚同容立異。老氏雌雄，笑入今宵酒椀中。
見《崇基校刊》第47期　1969年12月　頁54；《綠水青山盡是詩》

8. 王韶生〈紅林檎近〉柳存仁教授造訪雍雅山房留飲，並柬蘂園

檻外波光綠，戶前山色幽。氣馥自花塢，雲冷到林邱。有客清言玉屑，
舌本清潤茶甌。卻話四海遨遊，心事付盟鷗。
石道同把臂，橋畔水周流。垂楊起舞，絲絲猶綰離愁。況萍踪飄泊，
翩鴻指爪，雪泥長共文字留。
見王韶生　《懷冰室集》　香港　九龍　鄧鏡波學校　1971年；《綠水青山盡是詩》

9. 梁國豪〈減字木蘭花〉蘂園客座，有感而作

綜談今古，對坐渾忘賓與主。笑論群雄，百歲煙雲似夢中。
大道不隱，新運初開宜發奮。偉爾吾民，共看山河草木新。
見《崇基校刊》第54期　1973年6月　頁12；《綠水青山盡是詩》

10. 王韶生〈瑞鶴仙〉和忼烈柬蘂園山居，依樵隱體

北窗清睡足，叢篁裏。澗水琤琮鳴玉。桐陰氣初蕭，望西山，尖筍羣峯如簇。更更秉燭，牘三千，功獻杼軸。新書裁寫，有春水指迷，李老箋錄。　　曾記停雲詩就，酒洌壺觴，醉入心曲。談玄說理，成空闊，媚幽獨。任東園蝴蝶，平林鴉雀，飄零況又斷續。鼓瑤琴，曄曄芳蘭，闇然自綠。

見王韶生　《懷冰室續集》　香港　志文出版社　1984年8月

11. 羅忼烈〈瑞鶴仙〉寄藥園丈沙田山居，依清真聲韻

對軒楹去郭，苔徑小，竹外蒼烟漠漠。山花自開落，媚幽姿，相伴先生籬角。閒情未弱，命采箋應記舊約。有青谿待訪，炊黍見招，換酒清酌。

莫道江南往事，漸老鄉心，易成擔閣。秋深燕幕，沾晨露，翦盆藥。愛吾廬市近，林暄堪臥，江關霜霰正惡。但時觀萬物，虛里灌園易樂。

見羅忼烈　《兩小山齋樂府》　香港中文大學圖書館藏　1989年9月宗頤署耑本

12. 羅忼烈〈鷓鴣天〉久不見藥園翁填詞，余復慫作，集杜戲呈，並致韶生

回首風塵且息機，嬾朝真與世相違。葉心朱實看時落，老去親知見面稀。

花濺淚，雨催詩，風流儒雅亦吾師。白頭授簡焉能賦，故國平居有所思。

見羅忼烈　《兩小山齋樂府》　香港中文大學圖書館藏　1989年9月宗頤署耑本

13. 馬騰鴻〈浣溪沙〉訪藥園師

翠嶺微雲水亦平，長橋送客舊曾經，今朝渡我倍添情。

春日流輝黃鳥樂，東風不語綠苗生。藥園涵得遠山清。

見《綠水青山盡是詩》

（三）文

1. 〈高級講師簡介：鍾應梅先生崇基中文系〉
   見《中文大學校刊》第1卷第6期（1964年12月）
2. 梁國豪〈我所知道的伍俶教授〉:「……惟鍾師應梅嘗言，伍老日必作詩一首，故積卷甚豐。」
   見《香港中文大學崇基學生雙週報》　1967年3月17日
3. 何朋〈鍾應梅《老子新詮》序〉　1967年11月25日　上虞何朋謹序
   見鍾應梅　《老子新詮》　香港　友聯印刷廠　1967年12月
4. 何敬群〈書評鍾應梅著《老子新詮》〉
   見《珠海學報》第3期（1970年）
5. 〈公祭鍾應梅教授文〉維公元一九八五年六月十六日，同人等謹以香花上素，敬祭於鍾應梅教授之靈

   噫嘻先生　梅縣望族　英聲早著　友儕敬服
   嚴親興學　桑梓情般　大父親授　業有本根
   廈門負笈　見許鴻儒　美哉七牖　勒刊專書
   快意羊城　相知伍老　講學上庠　前修踵武
   東鄰跋扈　華夏陵夷　長城血肉　嶺表雄師
   保家衛國　亦將亦儒　馳驅行陣　運策幄帷
   八年奮戰　解甲榮歸　教鞭重執　徒侶是依
   世變方亟　移家海角　崇基創校　敦延碩學
   辛勤廿載　卓具規模　經綸系務　任怨任勞
   龍門文章　陶令清高　道通莊老　易究人天
   說詞娓娓　詩論翩翩　名山志業　多士盈門
   汪汪千頃　功遂言還　沙田僑寓　風物堪娛
   故園長念　寄意嶺梅　大德誠邀　能仁設帳

人師難求　溫良恭讓　勤宣木鐸　盡撤藩籬
春風薰沐　法雨常滋　倡設研所　文苑搜奇
出掌校政　德化廣被　鞠躬盡瘁　心力交疲
老成遽謝　大雅云亡　長留典範　孰正詞章
江流日夜　懷想未央　嗚呼哀哉　尚饗

見《鍾應梅教授喪禮》(地點：北角香港殯儀館)　香港　香港大學馮平山圖書館藏，1985年

6. 劉紹唐主編〈鍾應梅傳〉(1908-1985)

鍾應梅（1908-1985），號蘂園，廣東省梅縣人。家世儒學，父文敏，興學育才，有聲桑梓。應梅先生生於光緒卅四年（1908），為文敏長子。民國十二年（1923）畢業於梅縣東山中學，乃居家侍祖父讀書，國故之學由是大進。越歲餘，始遊大學。民國十九年（1930）畢業於廈門大學，獲文學士學位。所作〈廈門大學七牖〉萬餘言，為周癸叔教授所激賞，代請於校長，印為專書。廿年（1931），遊廣州，國立中山大學中國語文系教授兼預科國文主任伍俶（叔儻）嘉其文，薦為預科國文教員。嗣後歷任廣東省立勷勤大學講師、中山大學副教授及教授。抗日戰爭期間，一度投筆從戎，馳驅行陣，旋復執教中山大學。民國卅八年（1949），中原板蕩，應梅乃移居香港。未幾，香港崇基學院創校，四十二年（1953）受聘為中國語文系教授，以迄六十一年（1972）秩滿退休，其間兼任系主任職務凡十六年。民國七十年（1981），應梅以懸車之暇，出任香港能仁書院中國文學研究所所長；翌年兼任能仁書院院長。應梅致力教育事業五十餘年，經師人師，共所欽仰。其於文章，每能深自淬礪；講學之餘，常不忘以立言自勉。先後有《文論》、《蘂園說詞》、《老子新詮》、《易辭衍義》、《周易簡說》、《論詩絕句甲乙集》、《讀莊子》、《陶書新論》八書問世，士林重之。其屬稿未定者，另有《史記讀法》、《陶詩正義》、《國故論叢》、《讀書治

要》及《論詩絕句丙丁集》五種；民國七十四年（1985）六月十日以病辭世，識者哀之，終年七十有八。應梅歿後，其門弟子鄧仕樑等刊印其詩詞稿，為《蘂園詩詞集》一冊，心表哀慕，前有序云：「蘂園先生既歿，同門諸子長懷哀慕，乃相與謀刊刻先生詩詞稿。先生之學，原本《易》、《老》，優遊子史，而旁及藝文，論文則酌奇於史遷，談詩則綜貫乎百氏，尤心折於陶公之識器淵深，靈府長閑。是以平居訓吾徒，未嘗不忻忻以文章為樂事也。若夫契機入妙，翻感慨為雄深；援筆寫心，寄遙情於家國，立意以遠大為歸，屬采以自然為美。其卓識景行，固非吾徒所能盡窺堂奧，而諷誦先生是編，當如親見溫潤之德焉。所冀緜緜神理，並翰墨而長存；朗朗高懷，邀賞心於千載云爾，丙寅（1986）夏月蘂園弟子敬序。」或謂序乃仕樑所撰，特錄之，以資知人論世。

（何廣棪稿。參考：〈蘂園先生生平事略〉、〈蘂園詩詞集序〉）

見劉紹唐主編　《傳記文學》　第50卷第1期（296期）　1987年元月號　頁143-144

7. 何廣棪〈中國當代學人小傳・鍾應梅（1908-1985）〉
見何廣棪　《碩堂文存三編》　臺北　里仁書局　1995年；何廣棪《何廣棪論學雜著續編（下）》　新北　花木蘭文化事業公司　2018年12月　頁432-433

8. 鄧國光〈二十世紀香港的中國古代文論研究〉
見鄧國光　《文原——中國古代文學與文論研究》　澳門　澳門大學出版中心　1997年7月　頁341-355

9. 鄧仕樑〈蘂園詩詞集序〉
見鄧仕樑等編　《歲華——香港中文大學三十五年中國語言及文學系教師文藝作品集》　香港　香港中文大學中國語言及文學系　1998年12月　頁141

10. 潘銘燊〈懷鍾應梅教授〉

見鄧仕樑等編 《歲華——香港中文大學三十五年中國語言及文學系教師文藝作品集》 香港 香港中文大學中國語言及文學系 1998年12月 頁173-175

11. 陳耀南〈長憶當年馬料水〉
見陳耀南 《鴻爪雪泥袋鼠邦》 香港 天地圖書公司 2001年10月 頁32-33

12. 陳耀南〈香江半世憶羣師〉:「他（鍾應梅）最尊重的同事，是教詩選和《文心雕龍》的伍俶（叔儻）先生。」
見柳蘇編 《香港的人和事》 瀋陽 遼寧教育出版社 2001年10月 頁159-160

13. 王叔岷（1914-2008）《慕廬憶往：王叔岷回憶錄・六一・故舊凋零》:「（伍叔儻）先生遇岷甚厚，屢勸岷到中文大學教書，並謬承獎譽，傳於朋輩，如崇基友好鍾應梅教授賦謝岷詩首二句:『昔聞伍老言，學行推王子』是也。」
見王叔岷 《慕廬憶往：王叔岷回憶錄》 北京 中華書局 2007年9月 頁165

14. 鍾肇鈞〈鍾應梅教授生平事蹟〉
見《台北市梅縣同鄉會會刊》第26期 2012年2月

15. 蔣英豪〈真淳見處斂豪華：蘂園教授雜憶〉
見香港中文大學中國語言及文學系編 《吐露春風五十年：香港中文大學中文系圖史文集》 2015年 頁165-167

16. 「能仁書院及研究所的師資有：羅時憲、吳汝鈞、李潤生、葉龍、蕭輝楷、王韶生、陳直夫、李伯鳴、梁瑞明、鍾應梅、林蓮仙等……都是當時學界的著名教授。」
見鮑紹霖、黃兆強、區志堅主編 《北學南移——港台文史哲溯源（文化卷）》 臺北 秀威資訊科技公司 2015年4月 頁224

17. 黃秉勤（原名黃炳根，1980年畢業）〈中文系的日子：時光倒流四十年〉
見 Google 網頁
18. 潘銘燊〈少作未悔〉:「大學時期偶然會寫寫詩，吟咏性情，不失為中文系學生。後來走上學術之路，再無寫詩的閒情逸致，此是後話。大學畢業，隨即放洋留學加州，詩興未改。在柏克萊讀碩期間，陸續寫詩若干首，其中七首曾郵寄中文系鍾應梅教授，蒙鍾教授不棄，交系刊發表。茲錄其中〈信步〉一首：『信步偷閒出小樓，籬花不為解離憂。日長舉目應何見，出岫雲輕卻自由。』Ming 2023.6.5」.
見潘銘燊面書　2023年6月5日

（四）序跋

1. 詹菊人〈鍾應梅《乙亥文稿》序〉
見《崇基校刊》第5期　1954年1月20日　頁5
2. 羅香林〈鍾應梅《文論》序一〉　1956年3月
見《文論》（麥健增署）　香港　金強印務公司　1956年6月
3. 王韶生〈鍾應梅《文論》序二〉　1956年春日
見《文論》（麥健增署）　香港　金強印務公司　1956年6月
4. 鄧仕樑〈《論詩絕句甲乙集》序〉
見《崇基校刊》第57期　1974年12月　頁11；鍾應梅《論詩絕句甲乙集》
5. 陳乃琛〈《論詩絕句甲乙集》跋〉
見《崇基校刊》第57期　1974年12月　頁11；鍾應梅《論詩絕句甲乙集》
6. 羅慷烈〈鍾應梅《讀莊子》序〉庚申（1980）長夏，羅忼烈敬敘於兩小山齋
見鍾應梅《讀莊子》　香港　香港能仁書院中國文學研究所　1981年9月
7. 孔祥河〈鍾應梅《讀莊子》跋〉庚申（1980）年夏月，受業東莞孔祥河敬跋

見鍾應梅《讀莊子》　香港　香港能仁書院中國文學研究所　1981年9月

8. 蔣英豪〈鍾應梅《陶詩新論》序〉甲子（1984）春二月，受業蔣英豪敬序
見鍾應梅《陶詩新論》　香港　香港能仁書院文學研究所　1984年3月

9. 藥園弟子〈鍾應梅《藥園詩詞集》序〉丙寅（1986）夏月，藥園弟子敬序
見鍾應梅　《藥園詩詞集》　香港　藥園詩詞集編輯委員會　1986年9月

10. 梁元生〈序──崇基六十築夢未圓〉（節錄）：
「最後，我想借崇基先輩鍾應梅老師的話來祝賀崇基將來的發展：
崇山為基，至善爰止；大海之容，會通萬里；祝以百年，人文蔚起。」
見崇基學院六十周年校慶出版委員會編　《華甲方周：撫今追昔話崇基》（辛卯（2011）選堂署耑）　香港　香港中文大學崇基學院　2015年

（五）書信

1. 伍叔儻〈與鍾應梅函四通〉（1957）
見伍叔儻（1897-1966）著，方韶毅、沈迦編校　《伍叔儻集》　合肥　黃山書社　2011年7月　頁410-412

（六）其他

1. 王韶生〈中國古典文學二十年來在香港之發展：在「香港中國筆會」二十周年紀念文藝座談會講述〉
見香港中國筆會文選委員會編　《二十年來的中國文學》　香港　香港中國筆會　東南印務出版社　1979年10月

2. 崇基全體教職員留影　1961年2月　鍾應梅　王韶生
見陳方正主編　《與中大一同成長香港中文大學與中國文化研究所圖史1949-1997》　香港　香港中國文化研究所、香港中文大學　2000年　頁23

3. 鍾應梅、蘂園（條目）
見鄺健行、吳淑鈿編　《香港中國古典文學研究論文目錄（1950-2000）》　上海　上海古籍出版社　2005年10月　頁178、頁539
4. 鍾應梅（1908-1985）（條目）
見徐友春編　《民國人物大辭典》（增訂版）　河北　人民出版社　2007年1月　頁2704
5. 鍾應梅教授相片　1964年　原載《中文大學校刊》第1卷第6期
見《吐露春風五十年香港中文大學中文系圖史文集》　香港　香港中文大學　2015年　頁11、頁38
6. 「古典詩詞」課程簡介：崇基書院則有鍾應梅教授任教之「陶潛詩」及王韶生教授任教之「杜甫詩」課程
見《吐露春風五十年香港中文大學中文系圖史文集》　香港　香港中文大學　2015年　頁38
7. 芳洲詞社
《芳洲社詞稿》油印稿第一、二、三期，1967-1968年：「1967年，饒宗頤（1917-2018）、夏書枚（1892-1984）與鍾應梅、王韶生、何敬群、李棪、朱榮達、羅慷烈、梅應運及蘇文擢發起成立芳洲詞社，凝聚一時詞彥，定期雅集課詞，輯《芳洲社詞稿》油印稿。」
見鄒穎文編著　《香港古典詩文集經眼錄續編詩社集詞社集》　香港　香港中文大學出版社　2021年　何幼惠署本　頁181

肆　鍾應梅教授論著輯錄

一九五六

001.題周輝浦丈《韜廬吟草》甲戌（1934）。丈老於軍旅，十九路軍淞滬抗倭之役，組敢死隊，常為軍鋒，後小隱匡廬

將軍懷抱小天下，晚有詩名事可傷。應使旌旗驚細柳，何須辭賦出長揚。

幾人食肉羞三敗，一老愁心淚萬行。東望含情付流水，歸山豈為白頭忙。

《鍾應梅詩文錄》　中山大學　香港大學馮平山圖書館善本書特藏版

002.初夏

絳樹初收天外霞，田田荷葉出新葩。一年未必春光好，莫向東風歎落花。

《鍾應梅詩文錄》　中山大學　香港大學馮平山圖書館善本書特藏版

003.庭中小池成夜觀賦此

暗風涼動水生寒，照影波涵桂魄團。溶漪一泓清淨界，別添雲物靜中看。

《鍾應梅詩文錄》　中山大學　香港大學馮平山圖書館善本書特藏版

004.題陳生畫竹

愛此清涼意，蕭蕭綠萬竿。不須愁日暮，寂寞自禁寒！

《鍾應梅詩文錄》　中山大學　香港大學馮平山圖書館善本書特藏版

005.題徐生雨荷圖

亭亭初見幾擎孤，急雨驚跳萬斛珠。莫以明粧鬥漣漪，還應珍惜在泥塗。

《鍾應梅詩文錄》　中山大學　香港大學馮平山圖書館善本書特藏版

006.雨中過天河村

山上白雲雲作雨，天河清淺不知年。野人簑笠獨歸晚，茅屋生涼聽雨眠。

《鍾應梅詩文錄》　中山大學　香港大學馮平山圖書館善本書特藏版

007.題魏叔子集

金精萬仞籲天呼，山外殘明淡欲無。行盡江湖身老大，低徊一卷魏寧都！

《鍾應梅詩文錄》　中山大學　香港大學馮平山圖書館善本書特藏版

008.題林和靖集

高峯遠瀑想孤標，索笑梅花未寂寥。萬事即今零落盡，此身無地老漁樵。

《鍾應梅詩文錄》　中山大學　香港大學馮平山圖書館善本書特藏版

009.題周生五兒嬉春圖

袖手低徊展轉心，人生彈指去來今。兒時竹馬嬉春事，對此茫茫感不禁！

《鍾應梅詩文錄》　中山大學　香港大學馮平山圖書館善本書特藏版

010.題卓生明燈前路圖

點起光明燈，照著人生路。燈光有盡時，莫作遲遲步！

《鍾應梅詩文錄》　中山大學　香港大學馮平山圖書館善本書特藏版

011.贈黎生生善為小說，每寓憤世不平之意

飄渺神仙天盡頭，楚臣無語怨高丘。憐君一往沉冥意，辛苦人間寫百憂。

《鍾應梅詩文錄》　中山大學　香港大學馮平山圖書館善本書特藏版

012.題雲洞停橈圖

閃口雲迷雨欲生，蒼崖古木不聞鶯。停橈欲問人何處，蘆葉江流靜有聲。

《鍾應梅詩文錄》　中山大學　香港大學馮平山圖書館善本書特藏版

013.讀義山絕句

樂遊原上歎斜陽，秦地山河萬里長。同有楚臣蘭蕙恨，故將雲雨怨襄王。

《鍾應梅詩文錄》　中山大學　香港大學馮平山圖書館善本書特藏版

014.戲題黃純仁《訒庵初集》

銅琶鐵板大江東，觀海臨高許爾同。別有看花追夢意，哀絃輕韻漾迴風。

落盡繁英滯小臺，捲簾時有燕飛來。此身合是佳人未？寂寞春情掃不明。

《鍾應梅詩文錄》　中山大學　香港大學馮平山圖書館善本書特藏版

015.肇慶七星岩絕句

數里荷香雜稻香，七星山翠接湖光。真疑海立天崩日，尚有仙人避世方！

磴道縈迴上碧空，仙人樓閣半天中。誰家年少清陰裡？一枕蟬聲臥午風。

亭亭湧翠一山孤，如聽江聲村小姑。聞道馬當近乘勝，秋風能下秣陵無？

《鍾應梅詩文錄》　中山大學　香港大學馮平山圖書館善本書特藏版

016.舟下肇慶峽

處處江邊竹水村，風光銷盡旅人魂。忽看兩岸山雲起，細雨催船下峽門。

《鍾應梅詩文錄》　中山大學　香港大學馮平山圖書館善本書特藏版

017.舟過龍川

天南一尉老夫臣，叱咤江流尚有聲。今日扁舟城下過，卻慚來作避兵人！

《鍾應梅詩文錄》　中山大學　香港大學馮平山圖書館善本書特藏版

018.不醉

不醉風花爛漫時，坐教鷤鴂損芳枝。人生多少當前意，卻付明朝作怨思！

《鍾應梅詩文錄》　中山大學　香港大學馮平山圖書館善本書特藏版

019.喜黃純仁兄來舍

矯矯吾群一硬黃，文章相許薄三唐。幾年舊約看山夢，一夜風吹到草堂。

《鍾應梅詩文錄》　中山大學　香港大學馮平山圖書館善本書特藏版

020.守雨

守雨懷人日似秋，卅年今始識春愁。遙知小閣亭亭影，也為祈晴遍倚樓。

《鍾應梅詩文錄》　中山大學　香港大學馮平山圖書館善本書特藏版

021.新晴陪鄒將軍觀瀑，時軍次豐順之香義

快意新晴曲水隈，亂峯攢及割雲開。夕陽采翠天如畫，看盡晴嵐看瀑來。

建節牙旗意氣雄，妖氛佇掃海雲東。蒼崖如削迎人立，濡筆看銘第一功。

《鍾應梅詩文錄》　中山大學　香港大學馮平山圖書館善本書特藏版

022.初日

林間初日透晶明，散策溪橋緩緩行。石上青苔橋下水，干人何事卻關情。

《鍾應梅詩文錄》　中山大學　香港大學馮平山圖書館善本書特藏版

023.萬松山莊，在乳源縣湯盆

撲欄水碧與山重，繞屋濤聲樹萬松。待致太平閑歲月，卜鄰來此學耕農。

《鍾應梅詩文錄》　中山大學　香港大學馮平山圖書館善本書特藏版

024.陽山北山寺

寒山猶有桂花芳，短策來尋古寺雲。細數群峯貪坐久，明朝聞道又移軍。

《鍾應梅詩文錄》　中山大學　香港大學馮平山圖書館善本書特藏版

025.清英捷訊：清遠英德縣

颯爽風林夜有聲，雄師分道下清英。元戎虎帳宵傳令，曉報前軍已破城！

《鍾應梅詩文錄》　中山大學　香港大學馮平山圖書館善本書特藏版

026.重到七星岩湖上，早梅盛開卅七年（1948）夏，余來湖上。紅藕花開，爛若明霞

重認堤橋曲曲斜，藕風曾此坐明霞。今朝卻與春俱到，看遍湖梅樹樹花。

《鍾應梅詩文錄》　中山大學　香港大學馮平山圖書館善本書特藏版

027.懷李滄萍教授

昔年苦茗屢遲我，此日江雲最憶君。聞道流離窮海上，可曾風雨感斯文！

《鍾應梅詩文錄》　中山大學　香港大學馮平山圖書館善本書特藏版

028.曾晚歸先生輓詩五章廿八年（1939），余將入戎幕，請干先生。先生曰：「主者賢，可從。」因縱論處世之道，曰：「學問以常識為先，治事以忠實為先，持身以廉恥為先。」是日清談永晝

其一

絕壑長松折，驚秋惡耗來。得書如夢寐，咽淚尚疑猜。

煮酒空期會，登樓獨寫哀。半亭餘結想，籬菊不須開！

其二

赤手會龍術，曾何百一申？熙杯春藹藹，冷面骨嶙嶙。

靈妙香生筆，邅屯道在身。地天今日閉，難遣是酸辛。

其三

粵嶺淮南道，民謳杜母賢。牛刀能試小，治國若烹鮮。

心豈甘衰退，天何吝大年！手栽庭竹樹，猶未長風煙。

其四

前席中愚悃，殷勤記酒杯。文章感知己，偪促愧凡才。

飄泊依人計，逡巡入世哀。欲憑千斛淚，流恨寄泉臺！

其五

長憶承清誨，從戎獨許予。深簾留晝永，妙語到玄初。

冉冉歸雲晚，堂堂去者疎。淒涼三語訓，此日尚紳書。

《鍾應梅詩文錄》　中山大學　香港大學馮平山圖書館善本書特藏版

029.大雨車過忠信嶺

春雲湧壑萬山沉，馳道盤崖出上林。衝雨飛車天上過，驚魂快目一時心。

《鍾應梅詩文錄》　中山大學　香港大學馮平山圖書館善本書特藏版

030.車過龍仙

斜日穿雲映艾蒿，雨收山淨晚烟高。隨車不盡嫣紅意，多謝龍仙廿里桃。

《鍾應梅詩文錄》　中山大學　香港大學馮平山圖書館善本書特藏版

031.雨宿鼎湖山慶雲寺

龍潭行雨又生雲，滴溜泉聲盡夜聞。我與山靈留後約，重來晴檻納朝曛。

《鍾應梅詩文錄》　中山大學　香港大學馮平山圖書館善本書特藏版

032.萬松山莊絕句十首

其一

夭矯群峯躍九龍，九龍山上萬虬松。松風忽帶西山雨，洗出山山綠更濃。

其二

厮養當門有李王，將軍豪氣自堂堂。山靈夜奏通明殿，寶劍空山萬丈鋩。

其三

重山複水故灣灣，不厭相看湧翠鬟。我笑青蓮李學士，眼中惟有敬亭山。

其四

南水溪光洗翠微，把竿人掣錦鱗肥。長松一路青如許，更養清風上釣磯。

其五

畫圖天展意無窮，不定晴陰不定風。日暖稻香蟬嘒靜，遠山含雨入溟濛。

其六

濕雲凝樹帶朝烟，閑聽村農語雨天。記得分龍時節水，李王雲送雨南偏。

其七

誰穿地脈湧溫湯？更繞清流節夏涼。他日相思忘不得，晚風新浴水南鄉。

其八

溪橋波沒水奔流，待渡人喧野渡頭。見說袷衣今夜冷，山深涼雨夏如秋。

其九

栽花栽竹長風煙，更種桑麻更種田。勸樹梅花三百本，年年清艷得春光。

其十

群峯寒翠碧潭深，崖瀑飛流出上林。我自愛山兼愛水，不勞心趣累牙琴。

《鍾應梅詩文錄》　中山大學　香港大學馮平山圖書館善本書特藏版

033.重過豐順橫潭

三年前此駐征驂，曲澗風湍坐晚嵐。今日重來翻有味，聽山看水過橫潭。

《鍾應梅詩文錄》　中山大學　香港大學馮平山圖書館善本書特藏版

034.書生

罷盡心兵掃萬緣，莫教綠鬢換華顛。書生自有千秋業，一語驚人已萬年。

《鍾應梅詩文錄》　中山大學　香港大學馮平山圖書館善本書特藏版

035.羅鴻詔教授挽詩丙申（1956）暮春

其一

海渡憶為別，知津愧未能。天風真浩蕩，子意尚飛騰。

安用雕蟲技？難忘入世僧！玄言猶在意，沾灑望雲層。

其二

報國文章在，憂傷楚客吟。落花人共渺，知子我能深。

慷慨英雄略，詼奇智者心。所嗟千里駿，遺骨待黃金。

香港《自由人》　1956年5月23日

036.崇基新校成，余日僕僕於沙田、馬料水間，偶得四絕丙申（1956）秋盡

其一

秋曉輕寒愛日暄，竹間鳥唱帶潮聞。天南別有春消息，處處無名花自薰。

其二

水落沙明水外天，麻姑桑海未成田。何須乞與胡麻飯，浩蕩胸懷尚少年。

其三

驛路舊傳馬料水，幾人曾此望京華？即今講舍連雲起，漫卷詩書且作家。

其四

海上青山入座來，水雲麗日遠帆開。河汾自有千秋業，房魏他年見異材。

香港《自由人》　594期　1956年11月

一九五七

037.幽人一首和馬湛翁韻

時俗薄朱顏，幽人自掩關。心源接真宰，餘事託名山。

小草春前媚，閑花秋後刪。天池豈云遠？鵬鳥絕雲還！

《崇基校刊》第10期　1957年3月15日

038.某君寄詩有「平生志不在溫飽」之句，卻寄一律

平生志不在溫飽，今日方知溫飽難！仁義豈聞儒術誤？風幡無動客心安！

千秋功罪如流水，一角溪山共歲寒。活國漫云詩道大，吾生何以補凋殘！

《崇基校刊》第10期　1957年3月15日

039.遊沙田晦思園觀梅，用月溪上人客座詩軸韻

着住誰能證了空？風前應笑嘆飄蓬！青山佛在無冬夏，大道言詮得下中。

雲養梅花寒更白，霜肥楓葉老彌紅。斬蛇逐鹿成何事？辛苦吾翁即若翁！

《崇基校刊》第10期　1957年3月15日

040.漫成三絕句

其一

墜驢錯認太平年，重袖閑雲上華巔。寶錄自燃藜火讀，浪傳消息到塵篇。

其二

天下紛紛腐鼠餘，秋林野火歎巢居。絲綸且向滄溟去，笑殺人間食有魚！

其三

薰風吹壟稻如金，和氣猶存草木心。誰駕八龍驚蜿蜿？九霄風露恐難禁！

《崇基校刊》第10期　1957年3月15日

041.丁酉（1957）仲春五十生朝戲作

到海羣巒盡北環，南來誰不念家山。十年久放春輕過，此日初驚鬢已斑。

往事難忘仍有夢，貧居如隱未能閒。知非尚有非非想，又為花開一解顏。

《蘂園詩詞集》

042.論詞絕句

其一　晏殊　《珠玉詞》

冰雪肌膏姑射神，深情綽態若為鄰。溫柔婉麗詞家事，著語何妨類婦人。

其二　范仲淹　《范文正詞》

落日孤城去雁哀，小詞排奡見風雷。若從豪放論宗派，應數窮邊老將來。

其三　歐陽修　《六一詞》

欲笑還顰最斷腸，千秋妙語尚生香。何須苦為刪浮艷？綺夢高懷兩未妨。

其四　柳永　《樂章詞》

民間情調本天然，翻曲誰教播管絃。漫詡元家新樂府，宗風應溯柳屯田！

其五　蘇軾　《東坡詞》

海雨天風未盡奇，登高望遠尚迷離。東坡自有仙才調，擬向人間總不宜。

其六　秦觀　《淮海詞》

鉤黨當年溺死灰，桃源望斷意堪哀。漫將奇麗論淮海，也是離憂屈宋才。

其七　周邦彥　《清真詞》

審音琢句見清真，眾妙能該筆有神。詞事若教論諷喻，哀時卻謝杜陵人。

《崇基校刊》第11期　1957年7月10日　頁8

043.邵鏡人兄輯《同光風雲錄》成，敬題二絕句

其一

雲構風駭卷驟開，百年興廢亦烟埃。憐君懷古傷今意，也似騷人有怨哀。

其二

外王內聖孰兼該？寥落人間久可哀！我異阮生臨廣武，英雄今日已非才。

《崇基校刊》第12期　1957年9月　頁11

044.秋日陪（伍）叔儻先生登島上高峰賦呈，並簡同游邵（鏡人）、王（韶生）、楊（睿聰）諸公

其一

不作蓬萊客，天南喜再逢。仙槎來紫氣，采筆健猶龍。

一髮雲間路，三秋海上峯。卅年彈指過，此日興無窮。

其二

勝侶王楊輩，同遊樂素心。天風鳴萬籟，雲影落層陰。

趣共清言發，涼添海氣侵。河山真錦繡，懷土動吾吟。

《崇基校刊》第13期　1957年12月13日　頁15

一九五八

045.浣溪紗春

潮嚙沙堤草漫痕，馬鞍山翠雨初勻。人間春透已三分。

喜見風華真有信，了知玄默勝多聞。十年心事付閑雲。

《崇基校刊》第15期　1958年5月　頁10

046.浣溪紗春歸

又是春歸人未歸，碧塘雙燕影參差，年年有約聽鶯啼。

莫向江關動詩興，幾時消息報佳期，羅湖烟霧鎖重扉。

《崇基校刊》第15期　1958年5月　頁10

047.減字木蘭花戊戌（1958）三月卅日，重遊青山禪院

青山重過，笑問山靈應識我。莫怨春歸，綠滿枝頭花滿蹊。

蕙風在樹，一院清涼留客住。雲散波明，天為看山放午晴。

《崇基校刊》第16期　1958年7月　頁10

048.減字木蘭花

蘚碑殘塔，目瞬千年餘幾劫。綠鎖精藍，海色天容上下兼。

擲杯能渡，幸未將山隨鉢去。我輩登臨，難寫思鄉一片心。

《崇基校刊》第16期　1958年7月　頁10

049.減字木蘭花題昕社畢業同學錄

四年回首，悒悒離情如中酒。話到重逢，投慍拋愁一笑中。

蒼生霖雨，赤手屠龍今付汝。駿足誰先，浪說儒冠誤少年。

《崇基校刊》第16期　1958年7月　頁10

一九五九

050.沙田絕句七首

其一　西林寺

花氣冬猶暖，修篁夏有陰。不須僧共話，來往亦西林。

其二　萬佛山

海日與雲嵐，波光上下涵。一心生萬象，持向佛前參。

其三　野塘垂釣

春暖野塘路，閑心付釣綸。穿花雙燕子，影落散文鱗。

其四　車公廟

共說神祠舊，靈昭此一方。我來觀水竹，鐘鼓坐斜陽。

其五　望夫山

何代有思婦？精靈化石來。連朝風雨裏，淚眼望夫回。

其六　紅梅谷

此地有盤谷，清幽恨少梅。綠陰真似水，怪石老莓苔。

其七　山澗

山翠落寒碧，清兮此濯纓。長風來谷口，無限舞雩情！

《崇基校刊》第18期　1959年元旦日　頁17

051.滿庭芳戊戌（1958），九月與同人遊汀九。小憩冼氏龍騰別墅，共飲青山酒艇

雲歛烟收，紅甜綠潤，此邦秋與人宜。碧灣汀九，疑是武陵溪。別館龍騰晝靜，輕潮帶，妙韻催詩。何須問，誰賓孰主？清話共忘機。　傾杯，有酒艇，魚蝦價賤，天海青迷。更名山坐對，楓葉新姿。一水溯洄念遠，空悵望，在彼之湄。同遊者，蘭成賦筆，好為寫鄉思！

《崇基校刊》第18期　1959年元旦日　頁17

052.蝶戀花春日

真覺天工無限巧，不鎖春光，活色生香早。莫對芳辰添懊惱，芳辰不向天南老。　　花暖晴郊車滿道，潮帶輕舟，嬉水人歡笑。海亦有情山有貌，閒愁盡被東風掃。

《崇基校刊》第19期　1959年4月20日　頁16-17

053.沁園春戊戌（1958）冬至後數日，余遷居沙田舊寓西南之小圃中。佳竹在庭，青山入戶。主人與隣居皆客人。其俗易安，而鄉心難免。寫此簡同事諸公

望遠登樓，又一陽生，小桃已花。愛南州尚暖，東皇猶駐，庭柯萌茁，嫩綠偏加。箭嶺天高，薯峯雲染，美景而今路轉賒。情何限，歎縱橫魑魅，澒洞塵沙。　　思歸夢繞山家。問何歲重乘江搓。喜中邦餘化，鄉音無改，仍留禮俗，一樣風華。竹影姍姍，潮聲細細，收拾雄心學種瓜。君來也，有清泉活火，好試新茶。

《崇基校刊》第19期　1959年4月20日　頁16-17

054.沁園春己亥（1959）首夏新晴，與同人游錦田凌雲寺

首夏清游，霽色無邊，景明似春。望石崗綠媚，錦田紅老，溪流分翠，修竹藏門。荷葉翻池，松風迎客，此處真宜自在身。當年事，笑戎衣躍馬，豪氣凌雲。中原萬里烟昏。幸留此桃源多隱淪。更樓台燈火，絃歌黌舍，風從洙泗，迹繼河汾。暇日臨高，蘭言永晝，佛也拈花一笑存。蔬筵罷，有隨車好雨，送過前村。

《崇基校刊》第21期　1959年10月31日　頁16

一九六〇

055.有贈壬辰（1952）

彎弓下鳥原無矢，藝事能神亦自甘。莫笑雕龍經國手，卻將米價問淮南！

《崇基校刊》第23期　1960年4月　頁11

056.己亥（1959）四月初九作同人約於明朝游於錦田凌雲寺。而吾鄉白葉村之宮前，亦有寺，名凌雲

白葉宮前只夢中，一溪松杉長清風。明朝有約凌雲寺，此夜鄉心更萬重。

《崇基校刊》第23期　1960年4月　頁11

057.高陽臺庚子（1960）香港春興

碧海浮山，晴波耀采，衝霄萬戶樓臺。馳道盤空，飛車人與雲偕。瀛州道是神仙住，住神仙，此即蓬萊。更宵來。天半霓光，水際花開。　　十年去國心猶壯，念春明白下，夢繞秦淮。歲歲羈愁，愁生也慣安排。東風又弄千般巧，送嫣紅爛漫堂階。暢吟懷。莫負芳辰，嬌韻新裁。

《崇基校刊》第23期　1960年4月　頁11

058.讀《宋史．余靖傳》

四諫當年有令名，武溪才略更縱橫。邕州南去春如海，曾迓將軍十萬兵。

《崇基校刊》第24期　1960年7月　頁21

059.題宋湘《紅杏山房詩鈔》

一老雄奇唱異軍，乾嘉詩事亦紛紛。滇池壯闊蒼山峻，都付當年舊使君。

《崇基校刊》第24期　1960年7月　頁21

060.滿庭芳晚春沙田寓園作

綠長階苔，紅飛庭樹，春光又過清明。宵深蛙鼓，驚夢不堪聽。初日小樓望遠，遙天外，霞蔚雲蒸。薰風動，竹林翠盪，籜墜兩三聲。　　傷情。

真一瞬，朱顏易老，壯略難成。念龍泉嘯夜，虎帳談兵。花滿湟川似錦，驀狂飈，大樹飄零。沙田路，十年萬里，來往笑曾經。

《崇基校刊》第24期　1960年7月　頁21

061.南鄉子庚子（1960）春日，日本清水茂助教授來訪，并荷贈詩

昨夜客星明，傾蓋今朝若舊盟。一往溫柔敦厚意，堪驚。詩似冰壺見清。好雨喜新晴，風送蘭薰到戶庭。他日相思忘不得，歸程。東望蓬山萬里情。

《藥園詩詞集》

一九六一

062.蝶戀花辛丑（1961）春日

又見春來花滿枝。每對春光，惆悵春風面。春去春來心暗顫，春光換取朱顏變。　歲歲芳華都爛漫。莫怨東風，衹恨長安遠。夢裏樓臺疑舊苑，分明是夢猶堪戀。

《藥園詩詞集》

一九六二

063.漢宮春壬寅（1962）六月，室人生朝，戲以為壽

笑說因緣。念卅年往迹，心事如潮。無端我憐你愛，千里雲遙。樵薪壓線，愧何曾金屋阿嬌。人尚健，舉杯共祝，百年長見今朝。　小院夏留春在，有深紅姹紫，碧樹枝交。雙雙燕飛剪水，含哺新巢。天和自樂，畫蛾眉捉筆能描。卿記取，黃花艷發，秋容逸韻偏饒。

《藥園詩詞集》

一九六三

064.香港春望癸卯（1963）三月作

百載俄驚海有田，玲瓏樓閣上參天。曾聞一旅存孤地，又見遺民託命年。浪說縱橫為國計，欲回風雅入詩篇。當春花鳥宜人甚，悵望神州九點烟。

《藥園詩詞集》

065.減字木蘭花癸卯（1963）立春後一日，園中小梅初放，喜林千石先生見過

林君千石，惠我竹蘭猶在壁。此日高軒，更喜如蘭接雅言。　客隨春至，春色迎人如有意。為報花開，初見枝頭放小梅。

《藥園詩詞集》

066.定風波癸卯（1963）五月送鄭因百（騫）教授歸臺灣

刊落人間勢與名，知君意氣已能平。此山此水留不住。歸去，荷香風送韻之清。　未免尊前生懊惱，休道，八無無累便無情。記取寸心宜少壯。看唱，好翻新曲試雙聲。

《藥園詩詞集》

067.蕉嶺留別吳、林、羅三君甲戌（1934）

蕉山山色渾如黛，訪舊登臨興不窮。屈指共驚三載別，賞心差喜五人同。繞欄竹寫空庭月，捲幔樓招盡日風。此意悲歡那得說，了知都在不言中。

《崇基校刊》第33期　1963年7月　頁18

068.自梅縣至松口，舟過雁洋，望陰那山，偶聞同舟人語，因寫其意甲戌（1934）

雨過清溪碧化黃，竹榕新綠護堤涼。堤邊一簇亭亭樹，樹外人家是雁洋。指點仙山路不賒，幾年秋約負黃花。陰那有約真難到，莫以無緣自怨嗟。

《崇基校刊》第33期　1963年7月　頁18

069.題陳生畫竹甲戌（1934）

愛此清涼意，蕭蕭綠萬竿。不須愁日暮，寂寞自禁寒！

《崇基校刊》第33期　1963年7月　頁18

070.初夏甲戌（1934）

綠樹初舒天外霞，田田荷葉出新葩。一年未必春光好，莫向東風嘆落花。

《崇基校刊》第33期　1963年7月　頁18

一九六四

071.甲辰（1964）十二月廿七日，林千石先生過余松山藥園，余外出，先生留詩二律及書崖石松山四字而去，即依韻奉答

其一

悃悃行吟到海濱，不羞儒服不言貧。卻慚後樂先憂意，老作求田問舍人。
入俗且諳宜俗計，出山長惜在山身。連峯向晚生雲氣，坐看春朝雨洗塵。

其二

地偏豈料勞車馬，良覿雖疏意亦親。君自看山入圖畫，我因餬口尚風塵。
書崖事異題凡鳥，佳客重來又好春。他日松風坐奇石，江湖何必嘆沉淪。

《藥園詩詞集》

一九六五

072.松山新居作兩首乙巳（1965）夏月

其一

築室松山下，青山若面城。城寬容海大，潮滿與雲平。
種竹翻宜俗，栽花莫問名。短籬護瓜果，聊以當躬耕。

其二

觀物饒生趣，朝陽散綺霞。娟娟溪上竹，脈脈雨中花。

紅葉春前好，清陰夏日加。往來筋力健，不歎出無車。

《藥園詩詞集》

一九六六

073.詠史五首和君實韻丙午（1966）三月

其一

為學以美身，蓄養致其效。史公行天下，豈徒為遊眺。山川發奇思，

文絕千古妙。乃知藏山業，奚事矜與躁。左右逢其源，自得乃深造。

趨舍貴知時，柔從非屈橈。昔有傾危士，口利而志傲。桀犬亦吠堯，

智者知趣操。至樂在讀書，豈畏流俗誚。英才古所難，至德文為貌。

浩蕩正春明，何用多傷悼！

其二

世事難盡知，不為乃大巧。東方商韓徒，所志非溫飽。漢武飾儒術，

朔言豈同道？徒為滑稽雄，見幾實未早！戒子以上容，依隱差自保。

敖弄漢公卿，奇文寫襟抱。富貴乃一時，千秋見薰鮑。

其三

漢世重選舉，登庸多賢俊。魏晉用其私，任術移世運。生民不見德，

欲治反滋亂。輕薄役姦智，滔滔何足論。擇官竟因人，志士空發奮。

晉武建八王，唯親作藩鎮。世俗貴遊子，陵邁竊州郡。可憐永嘉末，

復崇正始韻。清談廢紀綱，亂流恣競進。九品徒虛名，掩卷增憤懣。

其四

阮公隱於酒，玩世青白眼。廢禮豈本懷？所以著乖舛。無用乃自全，

泥塗樂軒冕。下士宗放達，遺長而譽短。戒渾勿復爾，此流應可斷。

我讀〈詠懷詩〉，識公非虛誕。

其五

陶公曠世懷，蕩蕩千載後。豈意〈田園詩〉，隱逸推淵藪。

古來鑽仰徒，難數誰與某。我亦讀公詩，回味在永久。

濁世棄時榮，如公足尚友。「所懼非饑寒」！焉敢薄衰朽？

剝極看終復，世運謝陽九。我生或勝公，暮年期大有。

《崇基校刊》第40期　1966年7月　頁24

074.高陽臺乙巳（1965）春日，移家松山後作

榴實迎春，梅英帶葉，東風鬧亂南州。山也多情，當樓翠染新圖。細添白髮身猶健，屈指驚，憂患之餘。笑芸芸得失雞蟲，懶問奚如。　雕龍有技成何用！愧人來載酒，圯上傳書。水木怡懷，駐顏喜更清癯。移家又向南山下，學賦詩，吾愛吾廬。看閒雲，出岫為霖，春滿平蕪。

《崇基校刊》第40期　1966年7月　頁24

075.小園木芙蓉著花，朝素而午丹，賞歎難已，繼之以詩丙午（1966）中秋前一日

曉露發芙蓉，瑩潔理如玉。素臉對朝霞，清麗亦絕俗。豈意停午來，朱顏竟映綠。艷奪桃李華，丹素兩相屬。好月正中秋，清賞不呼燭。徘徊小園中，轉覺夜何促。賦詩以體物，文字有不足。

《崇基校刊》第41期　1966年12月　頁10、頁16

076.對月中秋後三日作

秋爽愛良夜，況茲明月光。對月何必酒，開軒納微涼。

古人問明月，此事付鴻荒。今人競探月，天外馳飛航。

一朝登月窟，萬事轉周章。太空起爭奪，彼界與我疆。

夸父逐日死，此意非荒唐。遙憐奔月人，避地更何方！

《崇基校刊》第41期　1966年12月　頁10、頁16

077.鷓鴣天客有言貧賤夫妻老而彌哀者，竊不謂然，成小詞貽之

歲歲新花發舊枝，新花依約舊花姿。聞歌未必新腔好，小醉偏從舊釀宜。

欣善飯，勸加衣。許多情趣老來知。都將相惜相憐意，付與噓寒問暖時。

《崇基校刊》第41期　1966年12月　頁10、頁16

078.鷓鴣天

年少婚姻尚帶羞，人前相望卻低頭。十分意祇三分說，一樣春添百樣愁。

今漸老，更情柔。燈前話舊總忘憂。容工言德尋常事，第一相憐有慧眸。

《崇基校刊》第41期　1966年12月　頁10、頁16

一九六七

079.丁未（1967）春日雜詩五首（和陶公〈歸園田居〉韻）

其一

我居面滄海，海外復有山。愛此山與海，相對已忘年。

溪流喧屋腳，洄曲自成淵。春風及農時，人耕壟上田。

我亦世耕讀，老屋萬山間。因思田家事，歷歷在眼前：

斧月復鋤雲，雨笠與簑煙。齠齡棲畎畝，不覺已華顛。

田家有足樂，豈曰長自閑？悠悠詩人口，孰能知其然！

其二

治術古所難，儒生薄商鞅。大道尚至公，迄今勞夢想。

桃源可避秦，浩然欲長往。只恐桃源人，生齒日以長。

耳目有新知，智巧日以廣。桃源亦難安，乾坤一蒼莽。

其三

物貴適其用，何必世所稀。陋室與廣廈，酣夢同一歸。

賞春及春時，奚事金縷衣。桃李滿芳園，春風不我違。

其四

萬物有殊趣，生事難為娛。隣翁破曉寒，肇花來趁墟。

水竹沙田村，識翁久卜居。所種非稻粱，但種桃千株。

我問種桃翁，桃花今何如？為言花市賤，摧薪無幾餘。

餘枝笑迎人，春訊真不虛。借問桃花翁，還樂種桃無？

其五

班生志慷慨，不甘老鄉曲。陶令樂園田，濁酒聊自足。

進退各有宜，豈能守一局。俯仰愧二子，寡過思炳燭。

七十今不稀，中天看明旭。

《崇基校刊》第42期　1967年6月　頁31

080.讀陶詩二首（另載鍾應梅《陶詩新論》自序）

其一

庭樹四時綠，九夏愛清陰。世路長悠悠，艱難見素襟。

繁聲豈足娛，托意無絃琴。

有時亦藉酒，止酒意自深。汲汲歎魯叟，此志尤可欽。

與公隔千載，千載若在今。良朝感時運，欣慨有同心！

其二

昔人學陶詩，清淡同一手。拘拘文字閒，固哉彼高叟！

陶公孔老儔，所積至高厚。雷雨及春時，成物隨所受。

天工豈云巧，論巧反為醜。卓哉辨物情，有孚于飲酒。

接跡愧予懷，宅邊不種柳。

《崇基校刊》第43期　1967年12月　頁18-19

081.垂老三首丁未（1967）春月

其一

垂老翻嬌怯，春朝避嫩寒。曉風開芍藥，先向隔簾看。

其二

無用為有用，何須歎斧柯！老來真負腹，強飯笑廉頗。

其三

詩如陶謝手，老更洽予心。清興當門在，春紅上遠林。

《崇基校刊》第43期　1967年12月　頁18-19

一九六八

082.校讀《暮遠樓自選詩》後作戊申（1968）秋月。叔儻先生謝世二周歲矣！

我作五言詩，自謂謝伍老。擱筆十餘年，同心不爭道。

公詩矜靈秀，陳語歸一埽。象外得神會，池塘生春草。

長逝歎今朝，傷哉廣陵調！時俗薄風雅，志士敢自好？

荷筆復從役，吾衰愧愚眊。上德亦從愚，用拙或變巧！

《崇基校刊》第45期　1968年12月　頁16

083.答黃純仁教授臺灣寄詩丙午（1966）元月初二日

其一

容易十年別，懷人我亦勞。德音來海上，清操想山高。

松菊依三徑，詩書樂二毛。春風發余意，展紙試新毫。

其二

敦厚知黃子，師門託素心。爾師詩萬首，一字價千金。

健飯身猶昔，春懶老更深。白頭兩師弟，相望費沉吟。

（注）書問伍老健康，並索書屏條。君為伍老及門弟子。書詩為贈，伍老一諾數年而未果也。

《崇基校刊》第45期　1968年12月　頁16

084.減字木蘭花與畢業諸生宴集雍雅山房，時丁未（1967）六月初一日也

山房雍雅，座集羣英忘暑夏。士節東京，方領雍容大學生。

狂瀾待挽。老矣廉公猶健飯。後樂先憂，我輩能銷萬古愁。

《崇基校刊》第45期　1968年12月　頁16

085.減字木蘭花戊申（1968）重九作

凝眸望遠，此水此山經見慣。怎奈鄉心，每到秋來總不禁！

登高無帽，搔首風前應自笑。喜有黃花，歲歲還來共一家。

《崇基校刊》第45期　1968年12月　頁16

086.添字浣溪沙為元一（羅香林）教授退職作

明德真看有達人，渾金璞玉筆能神，舊學商量宜小隱；自知津。

此水此山風物好，鄉音到耳意偏親，有約沙田明月夜；桂華新。

即呈　　元一尊兄哂正

鍾應梅稿　戊申（1968）後一日立秋

羅香林（1905-1978）藏　《乙堂函牘》　香港大學馮平山圖書館羅香林特藏

087.減字木蘭花丙午（1966）六月，觴吳敬軒（吳康博士）伉儷於沙田畫舫，時敬老以中文大學聘來港校士也

沙田畫舫，水面涼生風送爽。翠色迎眸，更喜清音足解憂。吳公至德，座有洛陽年少客。玉尺量才，帶得春風向夏來。　　吳門多士，白髮王郎曾問字。養壽推公，伉儷年年有少容。敢留後約，歲歲還來同此酌。莫話離情，此日天涯若戶庭。

羅香林（1905-1978）藏　《乙堂函牘》　香港大學馮平山圖書館羅香林特藏

一九六九

088.中華歌數典忘祖，可恥孰甚？爰撰韻語，敘我中華史實，或有助於初學，非敢云詩也。壬辰（1952）夏月

軒轅黃帝吾華祖，歷唐及虞夏殷周。春秋戰國尚兼併，秦皇統一吞八州。
焚書坑儒天下亂，亡秦滅項興炎劉。前漢後漢四百載，平民作帝前無儔。
三國鼎立魏蜀吳，司馬攘竊由當塗。晉室政亂五胡起，琅邪繼統棲南都。
劉裕篡晉國號宋，齊梁陳繼無雄圖。北朝元魏拓拔氏，後裂東西各負隅。
齊周篡竊仍分割，兵連禍結相剪屠。楊堅建隋一中夏，繼起唐風震歐亞。
萬國共尊天可汗，唐人自詡今無價。五代梁唐晉漢周，紛紛十國稱王侯。
宋有文德不耀武，遼金西夏俱仇讎。流離南宋建杭京，蒙古天驕下百城。
歐土半歸元帝國，迄今黃禍猶相驚。得之非易失之易，禹甸重光日月明。
二百餘年宮羽換，衝冠一怒由家難。清初諸帝尚勤憂，嘉道咸同殷禍亂。
中山革命應天心，國魄民魂真可喚。大道之行天下公，安用悲歌發浩歎。

《崇基校刊》第46期　1969年6月　頁8

089.題張正平著《新界俗文學》第一卷張君為中文系四年級學生。采輯香港新界民歌，歷時三年，其第一卷曰哭歌子詞，蓋婚喪抒情之歌也。己酉（1969）三月

其一

張家舊曲漁歌子，采俗而今見別才。他日中邦新樂府，皇華先向粵中來。

其二

喪祭婚姻乃大倫，親情豈向死生分！殷勤一卷民歌子，好共陽春白雪論。

《崇基校刊》第46期　1969年6月　頁8

090.添字浣溪沙送饒固庵教授南行，戊申（1968）七月

采筆曾聞和〈詠懷〉，此生何用費安排！我喜阮公青眼好，為君開。
試看天邊雲出岫，亭亭如有意徘徊。南去山川題遍後，合歸來。

《崇基校刊》第46期　1969年6月　頁8

一九七〇

091.敬和麥健增博士退職一律麥健增博士為參與崇基創立之一人。今云退職，賦詩見示，至情之語，讀之生感。余亦將屆乞退之年，謹奉和一首，蓋預為予詠也

懸車我亦卜三年，喜向儒林種勝緣。聊可小休同隱退，且從常處看雲煙。新詩意得能高詠，狂草書成欲放顛。一笑老懷仍少壯，心花如錦復如然。

《崇基校刊》第48期　1970年5月　頁3、頁7

092.一九六九年七月廿一日美國人杭思朗、阿斯林二人，乘太空船登月，戲為二絕句己酉（1969）六月初八

其一

二客乘槎上紫氛，月中仙侶未相聞。蟾宮舊事何須說，莫讓清光減半分。

其二

帶得蟾宮片石回，月中何處是瑤臺？料應碧海揚塵後，玉宇瓊樓剩劫灰。

《崇基校刊》第48期　1970年5月　頁3、頁7

093.簡歐豪年朱慕蘭伉儷己酉（1969）十月

人間仙侶見歐朱，采筆能兼畫與書。為報山家松竹茂，憑君合寫〈藥園圖〉！

《崇基校刊》第48期　1970年5月　頁3　頁7

094.庚戌（1970）人日，喜得歐、朱賢伉儷書寄合寫〈藥園圖〉，即用前韻賦謝

梅花竹外自朱朱，喜與春俱有報書。此日丹青論二妙，不須重問〈輞川圖〉！

《崇基校刊》第48期　1970年5月　頁3、頁7

095.唐多令感事

宛在水中央，有懷天一方。奈十年無夢到橫塘。安得石城呼艇子，載明月，舞風裳。　　且試駐春光，山園料理忙。便小人學圃又何妨。微雨蒔花晴種菜，湖海氣，笑陳郎。

《崇基校刊》第48期　1970年5月　頁3、頁7

096.歐豪年、朱慕蘭伉儷畫展，為賦二絕句1970年5月16日

物趣紛紛有萬殊，窮形盡相費功夫。憑君騈管丹青筆，一展人間百態圖。

心之所至筆隨俱，造化能參語不虛。對畫我唯三嘆息，卻慚題句比髯蘇。

《藥園詩詞集》

097.雨後客至庚戌（1970）夏月

爽氣隨新雨，花迎問字人。雅談忘暑夏，如爾豈風塵！

志業非溫飽，文章溯漢秦。清陰來客座，分綠謝東鄰。

《崇基校刊》第49期　1970年12月　頁6-7、頁10

098.題豐順丁（日昌）氏《持靜齋書目》

開府吳閩著吏才，書城持靜擁奇瑰。我行曾拜中丞墓，半是沮洳半草萊。

《崇基校刊》第49期　1970年12月　頁6-7、頁10

099.題何如璋《管子析疑》

戰守倉皇計太疎，難將功罪問何如！憐君風雪邊關夜，黃卷青燈獨注書！

《崇基校刊》第49期　1970年12月　頁6-7、頁10

100.浣溪紗

一雨迎秋換夏時，晚雲偏泥月來遲。看花人老費添衣。

種樹卻遮山色好，鑿池宜放綠楊垂。始知學圃等裁詩。

《崇基校刊》第49期　1970年12月　頁6-7、頁10

101.浣溪紗

燕喜崗前憶舊遊，日和雲淨最宜秋。詩心長繫古連州。

十里輕風人似玉，廿年歸夢客登樓。一城同有萬重愁。

《崇基校刊》第49期　1970年12月　頁6-7、頁10

一九七一

102.客至四言二章。本院英文系同學曾從余受陶詩者，今已畢業離校，日者相偕過余，因和陶公酬丁柴桑詩韻為贈。庚戌（1970）冬月

其一

冬日可愛，嘉客來止。維此蓬廬，豈曰仁里？別亦經時，勝情如始。

其二

世人之交，唯利之由。我有嘉客，解我百憂。

詩以詠之，樂之無休。春之永矣！與子偕游。

《崇基校刊》第50期　1971年6月　頁19

103.雜詩一首用陶公詠二疏詩韻辛亥（1971）仲春

寄居蝸角中，地小忘來去。獨愛此山川，頗饒故鄉趣。

亂世但苟全，何必尚豪舉。觴詠樂陶公，清談愧謝傅。

不信同門友，反顏若殊路。飛鳥別同群，展翅幾回顧。

萬物人最靈，勖哉終令譽！詩書自足歡，功利俗所務。

朗月比吾心，微雲豈損素？老氏貴無言，無言足深悟。

鵬鷃各逍遙，一得消萬慮。芝蘭當清風，幽香遠彌著。

《崇基校刊》第50期　1971年6月　頁19

104.題《太平天國史料》二絕句

其一

河山還我陣堂堂，事異篝狐夥涉王。神武竟隨金粉盡，空傳天話到吳江！

其二

作帝封王早自娛，當年一著已全輸。鉅橋未散殷家粟，浪把均田說廟謨。

《崇基校刊》第50期　1971年6月　頁19

105.減蘭辛亥（1971）春月，梁生國豪將適澳洲，話別於楓林小館，賦小詞為贈

楓林小館，惜有新詞無急管。春酒顏紅，自笑皤然不老翁。

圖難於易，莫以瑰奇輕瑣細。萬里云遙，好向風前惜羽毛。

《崇基校刊》第50期　1971年6月　頁19

106.崇基創校二十週年，詩以祝之四言三章，章六句

其一

崇山維高，大海維新。巍巍上庠，青青子衿。明德弗違，永矣福音。

其二

言樹嘉木，維桃與李。春光爛兮，桃李穠矣。回首廿年，樂之無已。

其三

崇山為基，至善爰止。大海之容，會通萬里。祝以百年，人文蔚起。

《崇基校刊》第51期　1971年12月　頁8-9、頁37

107.別彭丈一園用陶公與殷晉安別詩韻，辛亥（1971）七月

一別十八載，契闊更殷勤。結交累五世，豈殊骨肉親？

溯初居海澨，不孤喜為鄰。講舍憶南華，從容樂宵晨。

圖南適萬里，跡遠情未分。忽從天外來，言笑自生春。

鬱鬱堂前樹，依依嶺上雲。雲移棲樹杪，去住寧有因？

念此莫傷別，端居忘賤貧。彭聃善養壽，足以慰離人。

《崇基校刊》第51期　1971年12月　頁8-9、頁37

108.鄧仕樑君著《兩晉詩論》成，為題六絕句辛亥（1971）中秋前三日於沙田藥園

其一

元氣淋漓自有真，兩京健筆孰為鄰？新辭詩律開生面，第一功應屬晉人。

其二

兒女情多愧相才，君虞臣詐氣先摧。文章無用南金盡，慷慨河橋事可哀！

其三

千秋〈文賦〉見《文心》，唯海能容萬派深。獨惜如江華藻手，投時足曲有庸音。

其四

練義研文嘔肺腸，十年辛苦秘書郎。憐君不藉金張業，壯采奇辭麗太康。

其五

道術詩篇萬古雄，仲尼刪述見彌縫。如何涼德司馬氏，卻有淵明殿晉風。

其六

文章漫許寸心知，揣骨何人祇相皮。我向斯編見甘苦，識君能作晉人詩。

《崇基校刊》第51期　1971年12月　頁8-9、頁37

一九七二

109.雜詩二首，用陶公〈懷古田舍詩〉韻壬子（1972）春月

其一

當年誦詩書，所貴在實踐。文字以為業，昔賢嗟未免。

自謂窮造化，含毫競渺緬。狀物隨宛轉，敷文極美善。

美辭亦已多，真淳日以遠。學道貴損私，損私真自返。

當春花鳥心，為樂詎云淺？

其二

家無讀書子，白屋患長貧。讀書學干祿，四體不知勤。

本謂人讀書，乃為讀書人！泥古豈知舊？趨時未為新！

上德若不德，一德何足欣。滔滔江漢流，利濟在知津。

知津者誰歟？我欲與為鄰。舜發犬畝中，卓哉古之民！

《崇基校刊》第52期　1972年6月　頁5-7、頁14-15、頁20-21

110.論詩絕句余近撰《論詩絕句》，起《詩經》以迄清代。茲選錄初唐十四首，大雅君子，幸垂教焉，藥園自記

其一　總論唐賢

能以鎔裁濟鏤雕，浮聲切響更諧調。因方借巧師承在，未許唐賢薄六朝。

其二　李世民

通變推新孰與同，詩才首出肇唐風。如何有意敷文德，翻喜英雄入彀中！

其三　王績

辭榮去祿東皋子，仙佛棲遑意豈閑？未許隨肩陶靖節，斵雕詩卻啟香山。

其四　王勃

未必「江山此夜寒」！勞勞歲月客無歡。詩工敘別緣漂泊，才命相妨惜子安。

其五　楊炯

懸河詩思有奇篇，莫論王盧孰後先。獨惜一官慈惠少，憐君投老愧盈川。

其六　盧照隣

斯人斯疾竟沉江，幽怨偏多亦自傷。七字歌行創新調，五言綺麗繼齊梁。

其七　駱賓王

疇昔縱橫孰比肩？當時人羨帝京篇。文章自鑄千秋業，浪說「勞生負百年」！

其八　李嶠

百二詩篇見隱微，當年雙筆夢依稀。李嶠自是唐才子，不待汾陰詠雁飛。

其九　杜審言

五言近律子登壇，眾妙能兼亦大難。未見詩才跨李沈，漫云屈宋作衙官！

其十　沈佺期

七言律體巧鎔裁，儷語能工調更諧。詩境未隨風物改，惜君虛向日南來！

其十一　宋之問

君才真足擬良金，詩律研和協異音。盡寫嶺南山水句，最憐終負紫芝心！

其十二　陳子昂

文章何代無風雅？要以真淳見異才。辛苦麟臺陳正字，幾曾重挽建安回！

其十三　張說

妙寫南行山水詩，五君高詠繼延之。將軍裘帶雍容甚！羨爾高堂劍舞辭。

其十四　蘇頲

「水態迎帆若有風」，詩多佳句說蘇公。最憐費盡才人筆，都在承恩應制中。

《崇基校刊》第52期　1972年6月　頁5-7、頁14-15、頁20-21

111. 近事二律答客問壬子（1972）中秋後十日

其一

近事為君道：蒼顏鬢未皤。秋添風日麗，老覺怨尤和。

補讀書仍少，遷流歲已多。笑同劉禹錫，將壽彌蹉跎。

其二

君問村居樂：難將擬爛柯。移山添日晷，填海減滄波。

世事誰臧否，逢人但唯阿。女孫剛學語，咿啞似聞歌。

《崇基校刊》第53期　1972年12月　頁7-9、頁21-22

112.雜詩七首寄陳槃庵有序：與槃庵（陳槃〔1905-1999〕尊兄別四十年矣！頃荷遠寄大集，喜見詩才仍健，即用集中〈栗峯雜詩〉韻，成絕句七首奉酬。所感非一，故亦以雜詩名篇云爾。壬子（1972）仲夏

其一

卅年積念未能消，高館疏桐夢不遙。最喜清和生意滿，東風來雨長詩苗。

其二

紅棉詩事記猶新，重讀能回粵海春。今日木棉花又老，與君同是未歸人。

其三

一樣良宵月似銀，幾番宜笑幾番顰。何勞天外乘槎客，說與嫦娥事未真。

其四

劇憐無女歎高丘，海上名山足勝游。向老悲歡一揮洒，只應宜喜不宜愁。

其五

一笑迂拘類守株，且欣心徑未荒蕪。鏡中故我非今我，未免移情到首烏。

其六

海雲東望路迢迢，岸草沙痕幾度潮。大惜明璫曾有意，殷勤蘭蕙託〈離騷〉。

其七

老去看花陋泉芳，紅棉孤賞亦南強。詩如陶謝今誰健？海上星文夜有光。

《崇基校刊》第53期　1972年12月　頁7-9、頁21-22

113.應重過二首一九七二年九月，余秩滿退職。五月卅日之夜，中文系師生及畢業同學，餞余於眾志堂，即席賦此

其一

莫向當筵唱別辭，一城斗大欲何之！崇基好景應重過，山翠波涵日上時。

其二

棟宇參差眾志堂，晚風山月送微涼。年年此日應重過，柳色蟬聲菡萏香。

《崇基校刊》第53期　1972年12月　頁7-9、頁21-22

一九七三

114.戀愛辭四首客有言戀愛之苦者，詩寫其意，并以解之

其一

人生慕少艾，少壯能幾時？載歌復載舞，樂此新相知。何以敦永好？常恐意差池！

其二

夢寐懷吾友，見面拙言辭。頗欲藉紙筆，紙盡意多違。投筆一長歎，真悔讀書遲！

其三

我出乘華車，我居蔭廣廈。何意彼姝子，笑言不輕假！欲遣無良媒，中宵淚如瀉。

其四

求友在同心，莫誇勢與金。同心結相知，莫逞言與辭。此心勿輕許，世俗久相欺。

《崇基校刊》第54期　1973年6月　頁10

115.楊柳枝六首余來港之初，首於港大陸佑堂見垂楊數株

其一

陸佑堂前負手時，投南舊事憶珠璣。神州今日春光好，楊柳東風萬萬枝。

其二

一廬風雨暫能安，桃柳江城畫裡看。畢竟南州風景異，綠楊冬後耐春寒。

其三

炳燭餘光且戀書，題橋久已薄相如。依依楊柳親風雅，莫問黃唐事有諸。

其四

何人楚奏尚南冠，萬里同春歲不寒。劉白宮商誰更好？文章貴美歎才難。

其五

最是風光二月時，壩橋春水柳生姿。一枝留待迎歸日，只恐離人有未知！

其六

悠悠之口但求全，坐致春風意洒然。楊柳清和看更好，有人為後不為先。

《崇基校刊》第54期　1973年6月　頁10

116.思佳客（羅）慷烈尊兄惠寄所著《兩小山齋樂府》，再讀集杜句贈余之〈鷓鴣天〉一闋，感念無已，和韻卻寄

莫訝天孫下織機，九天風露意多違。當春嘉樹花偏晚，滄海明珠見亦稀。

揩老眼，誦君詞。上仁無德德無師。沉吟舊句生新意，欲託微雲寄永思。

《崇基校刊》第54期　1973年6月　頁10

117.教子篇近歲為父兄者多慨歎子弟之不率教，感而成詠

人情愛其子，如水趨下流。望子賢且孝，可遇不可求。

強聒而不捨，責善乃成仇。潛移在身教，雅論相咨諏。

教子如交友，慎勿相拘囚！

《崇基校刊》第55期　1973年12月　頁9、頁22-23。

118.弄孫篇

世言弄孫樂，今乃知其然。稚幼得純真，蒙為山下泉。

學語聞嬌韻，啼笑皆可憐。昔年對兒女，應俗苦拘纆。

壯志多可笑，恥為家室牽。今我垂七十，老似稚之年。

孫歌我亦歌，融融樂其天。

《崇基校刊》第55期　1973年12月　頁9、頁22-23。

119.讀楚辭三首

其一

萬古奇文楚有才，體兼詩賦寫窮哀。美人山水遊仙詠，共溯江流九派來。

其二

屈子文章自怨生，史公一語最分明。若從詩教論溫厚，莫以〈騷〉心養性情。

其三

江水安流擊桂橈，五音繁會管絃嬌。被公已矣騫公逝，清韻無聞惜楚謠。

《崇基校刊》第55期　1973年12月　頁9、頁22-23。

120.題子夜歌後三首

其一

心畫心聲足永思，何須詩伯始能詩！君看〈子夜歌〉中語，都是人間絕妙辭。

其二

欲進含羞未肯前，自將玉指弄嬌絃。霜前草與殘機杼，何處相看不可憐？

其三

水流日夜只朝東，不信郎心與水同。黃蘗有心心自苦，卻將飄蕩罵春風。

《崇基校刊》第55期　1973年12月　頁9、頁22-23。

121.初夏即事

老退身閑一事無，曉庭花鳥喜相娛。稚孫不解阿爺意，偏向圓荷瀉露珠。

《崇基校刊》第55期　1973年12月　頁9、頁22-23。

一九七四

122.讀《老子》及門欲余撮《老子》要義，因作此詩

天地生萬物，成之則上仁。物理無不復，觀復乃求真。

求真與成物，所貴在日新。行之以無我，無我乃無名。

自然之謂道，蕩蕩天下平。

《崇基校刊》第56期　1974年6月　頁28-29

123.伍叔儻先生謝世七年矣！念之，愴然有作一九七三年癸丑夏日

其一

不盡懷賢感，悲公墓草長。逸才歌白紵，幽意託紅妝。

五字今無敵，孤行亦可傷。平生知己淚，豈待眺連崗。

其二

尚憶春園路，東山曲水隈。笑談今世說，雲樹越王臺。

彭澤將詩老，東方豈散才？隻雞兼斗酒，長愧負題材。

《崇基校刊》第56期　1974年6月　頁28-29

124.讀唐人集題句五代宋人之詞往往取資於唐詩，略舉數家，以見一斑。選自拙著《論詩絕句乙集》。附注亦見概略而已，其詳當求之於原書

一　雍陶

其一

說愁范李轉相師，半在胸中半在眉。更寫蜀人千萬恨，瘴鄉收淚羨猿啼。

其二

一年不見一重思，蜀樹秦雲愴別離。共惜花驄回首意，雍家詩與宋人詞。

二　趙嘏

其一

舊曲新辭亦可耽，月光如水豈常談？倚樓長笛人何在？一慰傷春向渭南。

其二

坐立凝眸春思同，馮家襟袖趙家風。驚看異代相師處，始信文章有化工。

三　高蟾

難畫傷心卻詠詩，碧桃天上露凝枝。高家清婉驚新句，巧化王秦絕妙詞。

四　崔塗

其一

萬里曾從蜀道來，山川真足助詩材。登臨弔古傷今意，「黃祖何因解愛才？」

其二

天棄蒼生訴不聞，鄉心飛共隴頭雲。寒塘暮雨張孤雁，一樣離憂恨失羣。

《崇基校刊》第56期　1974年6月　頁28-29

125.減字木蘭花過崇基校園，甲寅（1974）三月

校園重到，垂柳小橋鶯語好。近水遙山，老我依然樂少年。

此心無礙，常覺眼中春藹藹。桃李為容，眾志堂前愛曉風。

《崇基校刊》第56期　1974年6月　頁28-29

126.讀陶公飲酒詩（即用其連雨獨飲詩韻）癸丑（1973）作

陶公好飲酒，達者知其然。濁世不莊語，佯狂於此間。

求醉亦良苦，酒中豈有仙？後人不解意，以酒亂其天。

昌詩失其本，惑亂乃為先。言詩必及酒，從流莫知還。

東方有一士，蕩蕩千萬年。卓然見高躅，得象欲忘言。

《崇基校刊》第57期　1974年12月　頁9、頁12-14

127.甲寅（1974）九日七律二首有序：余世居梅縣城西六十里瑤上鄉之鉛塘村。村東高山曰長春寨。每歲重九，村人登高於此，名曰「上寨」。相傳明清之際，梅州土豪據地剽掠者眾，吾鄉之人，結寨此山以自保，號曰長春寨。其後九日登此山賽神，歲以為常。追懷此樂，放筆成詠

其一

見說登高意惘然，長春上寨憶髫年。酒酣野叟談興廢，風好村童競紙鳶。篝火狐鳴成草草，山花巖竹太娟娟。而今事與兒時異，且插茱萸向客邊。

其二

沙田枯海莫栽桑，蘭菊蓮梅費料量。佳節忽生詩酒興，此身雖健鬢眉蒼。少時省識農家樂，垂老何需避世方。二十五年羈旅慣，懶登高處過重陽。（余居沙田二十五年）

《崇基校刊》第57期　1974年12月　頁9、頁12-14

128.題《紅樓夢》說部三絕句

其一

慾草難耘有廢田，女媧莫補此情天。不憂衣食豪門裡，怨怨愁愁萬萬千！

其二

義鎖仁枷頓破除，無人無我是天衢。不為祿蠹為情蠹，一樣區區豈丈夫！

其三

戲墨文章二百年，幾人從此悟其天？癡迷卻有書生輩，老死胭脂訟硯田！

《崇基校刊》第57期　1974年12月　頁9、頁12-14

一九七五

129.雜詩十二首，和陶公韻乙卯（1975）三月

其一

無事坐松石，靜觀野馬塵。何用騖高遠，萬事始觀身。

平生有慕愛，未必長相親。萍梗逐水流，相聚即為鄰。
去來即在今，一日計其晨。艱難有大業，大業在為人。
其二
我家梅花縣，羣山來五嶺。比戶習詩書，水木湛清景。
豈意俗漸移，人情多暖冷。一別數十年，歸夢宜夜永。
頗欲種梅花，橫斜留月影。忽忽身老大，伏櫪愧馳騁。
常思老氏言：不欲自為靜。
其三
泰山難為高，北海豈易量？楚人沐猴冠，一炬焚阿房。
漢復勞民力，峻宇營未央。舊邦樂維新，何用哀咸陽。
大道天下公，感激發中腸。
其四
七十古云稀，我今不知老。況復亂離後，骨肉還相保。
新詩自長吟，亦足平矜燥。晴日鳥鳴春，呼我起來早。
清風吹我襟，無離此微抱。區區淑世心，獨坐向誰道！
其五
先民有遺訓：順動乃為豫。鳥飛亦有時，豈為誇軒翥？
臨流歎逝川，聲與水俱去。德業駐年華，無憂亦無慮。
欲益貴日損，莫問如不如！逐物等隨風，飄蕩不知住。
刻舟記所求，茫茫是何處！大浸欲稽天，汩沒寧不懼？
其六
人各任其情，隨物為憂喜。憂喜若循環，此心苦多事。
或云宜治心；寂然無一意。槁木死灰耳！未敢信其值。
聖人無不為，歲月去不駛。世界遍黃金，黃金看棄置。
其七
古人求治平，禍亂常相迫。拱手談仁義，耕夫棄阡陌。

讀書逐科第，坐歎頭已白。人才類如此，悲哉用途窄。
獨有名利途，攘攘如雲客。飛鳥有新巢，生民無安宅。

其八

造士興學校，士亦賤耕桑。所競在私利，公道為秕糠。
一朝登勢位，九族飽餘糧。惜身不乘險，謬託漢王陽。
悠悠天下才，才盡為悲傷。活國有至道，換骨豈神方？
當春競奇葩，大樂揮千觴。

其九

清初治中國，為術亦多端：性理與考據，二途相推遷。
李陸紀阮流，揚波崇其巔。多士入彀中，廢寢而忘餐。
民生日用途，背戾無因緣。日新乃盛德，勿再事陳篇！

其十

蒙叟譏儒墨，恣肆而滑稽。若不明其義，循辭亡端崖。
我讀古人書，朗朗見襟懷。至理無古今，大甘在彌彌。
一得豈云智？久要以不離。無待始逍遙，悠然何所羈！
日月自往還，闚觀計盈虧。

其十一

松老有清風，拂衣生微涼。烈士懷遠志，慷慨上河梁。
我獨慕陶令，翩然止舊鄉。偶影自為樂，種菊迎秋霜。
蕩蕩大江水，盛德孰云長？

其十二

養氣與致柔，老氏貴赤子。陶公詠童幼，為義亦相倚。
辭盡意不盡，於近求大理。

《崇基校刊》第58期　1975年6月　頁2-3

130.林蓮仙女史曾有奉母過余園之約，秋日清麗，以詩速之癸丑（1973）九月

招邀舊學侶，過我小園林。奉母樂佳日，夙約期在今。

池荷雖謝華，翠蓋猶清陰。芙蓉爛高樹，豈異水之潯。

諷詠昔賢句：黃花如散金。君亦能楚謠，松風助清吟。

有母羨君福，依依寸草心。

《崇基校刊》第59期　1975年12月　頁21

131.有子篇有序：天生庶物，各有其用。陶公責子，亦戲言耳。爰作〈有子篇〉，即用公責子詩韻。乙卯（1975）三月

良材在適用，務華失其實。有子貴明理，何必好弄筆。

曹瞞誇多智，二子亦無匹。兄弟不相容，戈矛為心術。

悲哉賦詩才，局促步六七。尚羨孫仲謀，貪人何栗栗！

龍蛇各有時，天地無棄物。

《崇基校刊》第59期　1975年12月　頁21

132.煥宗、錦芬賢伉儷，遠惠毛衣，寄詩奉謝乙卯（1975）秋月

一別二十載，雲天雁影高。慇懃傳織罽，溫暖異綈袍。

老我真樗散，如君亦鳳毛。摩空巨翼便，歸路漫云勞。

《崇基校刊》第59期　1975年12月　頁21

133.種蓮乙卯（1975）清明

為農為圃各專家，腐朽神奇事不賒。試手新磨黃豆子，餘寒春種白蓮花。

《崇基校刊》第59期　1975年12月　頁21

134.近事二首乙卯（1975）夏月

其一

自笑閑情尚百端，栽花種樹有餘歡。蟬鳴鳥唱殷勤甚，更作山家鼓吹看。

其二

煮粥烹茶味自新，不煩掃葉不炊薪。事從手到知難易，莫笑臨邛滌器人。

《崇基校刊》第59期　1975年12月　頁21

一九七六

135.雜詩九首，用陶公〈擬古九首〉韻丙辰（1976）春作

其一

青松傲嚴霜，春風發園柳。一變一不變，不變乃恆久。

交遊何必多，所貴金石友。石友不世情，久如飲醇酒。

昔人有管鮑，貴賤不相負。積流海益深，累土山為厚。

論交不推心，白首復何有！

其二

謙卑不可踰，君子乃有終。可以行天下，何論夏與戎。

戰國縱橫士，辯口迷七雄。蘇張亦已矣，譎狂慕其風。

安知遭蹇困，尚口計其窮。虞舜有大道，執兩而用中。

其三

志士多遠慮，臨歡獨向隅。眾人樂其樂，意氣何發舒。

南陽有諸葛，躬耕守敝廬。不卹世人笑，管樂以自居。

一出定三分，旭日麗平蕪。人生有遇合，悵悵亦奚如。

其四

文明溯虞夏，懷古到鴻荒。大道天下公，此意何堂堂。

九河昔未疏，洪流浩茫茫。神禹平水土，農牧安其場。

厥功較秦漢，嵩華與邱邙。魏晉論九品，門戶強低昂。

隋唐重科弟，造士無二方。千年起廢疾，扁鵲亦神傷。

其五

曹馬尚詐術，士節多不完。竹林憤世人，顛倒棄而冠。

其心亦良苦，豈云薄孔顏。陶公歸去來，浩然返故關。
當時殷謝流，靜躁各異端。自蓄無絃琴，賞音在不彈。
至人不殊俗，何論鳳與鸞。高風自可仰，孰耐饑與寒？
其六
逝者如流水，孰云今在茲？老樹發新花，新花非昔時！
川流歸東海，豈辨澠與淄？百家競談議，後世多誣疑！
聖人養天下，豈在言與辭？今士不知本，棄本逐新思。
折花供膽瓶，生意徒自欺。紛紜百年來，可痛亦可嗤！
始悞陶彭澤，寄情飲酒詩。
其七
昔賢尚博學，以學養天和。安貧而非病，原憲發浩歌。
今士騖鈔綴，栩栩矜其多。年盡識不盡，棄實空慕華。
損己不益人，讀書將為何！
其八
禹甸今為小，多士慕遠遊。海輪與空航，何有大九州！
西風久東漸，論學輕九流。歸來意茫茫，感慨歎高丘。
活國亟需才，所學有未周。中西兩失之，遠行虛所求。
其九
文明五千年，嘉實不勝采。大道適時用，成新舊宜改。
黃河發崑崙，滔滔赴滄海。水流不復回，時哉不可待。
設教貴觀民，大觀無吝悔！

《崇基校刊》第60期　1976年10月　頁9、頁18-19

136.七十生朝一首丙辰（1976）仲春

昔云年七十，從心不逾矩。七十血氣衰，世事歷甘苦。
求過收放心，庶幾可自補。今我亦古稀，猶堪競步武。

大地又回春，東風入庭戶。南州春更早，日暖花如怒。
看山誦陶詩，軒軒其欲舞。老去得遇合，古稱姜尚父。
獨憐耋耄年，牧野事鞞鼓。戰伐爭仁義，夷齊所棄吐。
我豈首陽人！守拙樂園圃。自種松桂花，幽香滿村鄔。
且待太平時，熙熙慕彭祖。

《崇基校刊》第60期　1976年10月　頁9、頁18-19

137.乙卯（1975）夏日，題鄧氏錦田水榭

綠楊釣艇好垂絲，小樹涼添夏最宜。勸樹桃花三百本，錦田春在水之湄。

《崇基校刊》第60期　1976年10月　頁9、頁18-19

138.衛星一首1975年12月4日《華僑日報》載，西德波朱姆電訊：西德太空科學家加明斯基教授謂，中國第四枚人造衛星安全返回地球，已掌握升空與着地之技術，中國太空人飛行，為期不遠云云

一擲星辰向九霄，泠然善也孰云遙？乘天御氣無窮事，如此人間不寂寥！

《崇基校刊》第60期　1976年10月　頁9、頁18-19

139.佳客篇為何君孟熊（朋）作丙辰（1976）歲除前一日

佳客來叩門，惠我菓與酒。感子美意多，不飲如在口。
同遊積歲年，謙謙知所守。文章溯馬班，高論折東叟。
老我謝時榮，所樂在諸友。有時過小園，清言移午酉。
上虞古名都，山川卜靈受。樂道同於道，致虛積高厚。
萬物競春時，時哉欣萬有。春風自無言，無言道乃久。

《藥園詩詞集》

140.（王）叔岷教授以大集見寄賦謝丙辰（1976）春月

昔聞伍老言，學行推王子。相去路幾千，情親如尺咫。

惠我一卷詩，聲情驚並美。感慨思親辭，讀之淚如泚。

我亦久遠遊，風樹悲何已。養己未養親，可傷亦可恥。

更有述陶篇，高懷接栗里。聖凡自得之，世論徒爾爾。

幾人識老莊，此論尤可喜。何時接杯酒，共樂道之紀。

引領望南天，南天煙靄裡。

《藥園詩詞集》

141.與及門諸子說《易》有作，用陶公示周祖謝一首韻丙辰（1976）六月

七十猶讀易，意得常自欣。講論亦足樂，對此載酒人。

世事雖變幻，終始常相因。福兮禍所倚，禍去福自臻。

風前觀池荷，幽香時一聞。清淨喜殊俗，老圃亦辛勤。

辛勤豈為苦，不孤今有鄰。人文此鄒魯，何必東海濱。

《藥園詩詞集》

一九七七

142.五師詠，用陶公〈詠貧士〉詩韻丁巳（1977）仲夏

余束髮受書，以先大父為師。中學以後，其所難忘之師有五。五公者，俱樂道安貧。故用陶公詠貧士詩韻，亦所以明師之志也。

（王寶慈先生）

志學必親師，無師情何依。中園有奇樹，含英託春暉。

庭柯止雙鳥，將雛苦學飛。師與父母心，殊途有同歸。

啟我愚與蒙，振我渴與饑。師恩難盡報，淚下獨傷悲。

子貢樂貨殖，駟馬擁高軒。原憲貧居魯，窮巷守廢園。

端木能卻齊，原廚如禁烟。上才各有趨，詩書同所研。

原子用其默，賜也貴其言。聖門邈難追，懷哉此五賢。

王公居西郭，陋室擁書琴。雅擅宋樂府，婉麗發妙音。

清駢得神髓，陳吳若相尋。偶有人載酒，對客欣自斟。

高談奮逸興，幽意常欽欽。勗我為名器，念之摧寸心。

（楊惟徽先生）

楊公遊瀛海，登高薄部婁。人境天下士，忘年唱相酬。

東山等肥遯，禮樂說從周。倏忽三十載，常懷天下憂。

儒者人所需，高論孰為儔。南山隱霧豹，君子何所求。

（周岸登先生）

周公蜀奇士，薄遊鷺江干。所志在生民，自言七為官。

劬勞如父母，日昃亦忘餐。力微不救過，無補民飢寒。

投篆理舊業，高文逼謝顏。長歌歸去來，清德滿鄉關。

（余謇先生）

匡廬多隱者，環堵映蒿蓬。余公獨慷慨，文事最能工。

論學守平實，放言薄魏龔。聲韻闡其微，名篇誰與同。

大庠三十載，純一與天通。士無賢不肖，靡然樂相從。

（李笠先生）

李公生謝郡，永嘉古名州。研經與注史，勝義曠無儔。

揣摩史公《記》，溉我以清流。十載嶺南客，臨歧若深憂。

期我以遠大，衰年愧未酬。得一貴其全，艱難在身修。

《蘂園詩詞集》

143.余松山蘂園又被徵用，詩以紀之丁巳（1977）十一月冬作

夢裡家山未得歸，客中聊借綠成圍。卅年自作安身計，一夕風驚鳥倦飛。

物論久齊成與毀，官書難辯是耶非。元龍湖海餘豪氣，百尺樓高對曉暉。

《蘂園詩詞集》

144.年孫作詩言學農之樂，以詩答之丁巳（1977）孟冬月

我幼能作詩，頗亦驚老成。阿年今十六，雛鳳曳聲清。

學作唐短律，自寫樂農耕。秉耒當春日，揮鋤及新晴。

油油綠萬頃，靜若湖水平。微風動碧波，爽氣相逢迎。

我本農家子，讀詩增眼明。久慕陶彭澤，悠然起深情。

《藥園詩詞集》

145.贈浸會學院中文系·《易經》班同學

山近風多夏亦涼，一年容易事難忘；憑君記取傳經意，浩蕩乾坤自主張。

黃秉勤　〈中文系的日子：時光倒流四十年〉　Google 網頁

一九七八

146.有感而作一首并敘：讀書佳事也，獨在今日，有未盡然。春寒閉門，感而成詠。戊午（1978）正月

華夏多聖哲，著書以明道。老聃與仲尼，淑世為襟抱。

兩漢迄於清，末流尚文藻。下士淈其泥，利名以為寶。

止沸竟揚湯，媚俗以自好。誇詡新學術，向壁徒虛造。

濁流激狂瀾，稽天驚浩浩。勸君慎讀書，讀書增困惱。

《藥園詩詞集》

147.戊午（1978）二月二十四日嘉會作（四言六章）即用陶公答龐參軍詩韻

其一

七十已過，還讀我書。人或笑之，我有良娛。

何必遠遊，毋忘其居。何必南陽，亦有草廬。

其二

君子所寶，以道為珍。豈曰有愛，必有所親。

豈曰修名，必期古人。心之遊矣，逍遙為鄰。

其三

高樓良會，其喜孜孜。乃陳旨酒，欣然酌之。

樂此話言，意永如詩。良夜未央，如何不思。

其四

樂此嘉會，忽向夜兮。惟酒無量，亦有餘欣。

孔德從道，海氣生雲。相去非遙，好語時聞。

其五

春光可愛，好鳥載鳴。東風時雨，以潤以零。

鼓蕩萬物，莫與之京。自然之道，丕哉永寧。

其六

祁祁春日，醉人春風。燕燕于飛，照影波中。

飾爾舊巢，繼始大終。良禽載念，惕然在躬。

《藥園詩詞集》

148.讀《史記・張丞相傳》戊午（1978）仲春

張蒼好讀書，不能進賈生。所治惟律曆，所行有不經。

申徒陶劉輩，廉謹為公卿。嘔嘔守一德，何以致太平。

惜哉無術學，允矣良史評。縱觀百世下，感慨有餘情。

《藥園詩詞集》

149.移家後作戊午（1978）六月

十年又有移家事，松竹相望隔細流。檢點奇方不龜手，逡巡好爵爛羊頭。

看山換步添新貌，作賦何心更上樓。卻喜連朝風雨後，晚涼天氣似清秋。

《藥園詩詞集》

一九七九

150.余遠程教授惠贈大著《春魂集》，敬題二絕句己未（1979）仲春

其一

夢覺何曾有不同，夢中有夢夢無窮。憐君妙寫春魂夢，卻羨襄王憶夢中。

其二

夢中說夢夢如詩，髣髴秦宮紀夢辭。蠟炬未灰蠶未老，不妨幽夢憶多時。

《藥園詩詞集》

151.君實歸自美洲，偕常（宗豪）鄧（仕樑）二君過存己未（1979）六月初九日

犬吠童喧知客至，到門佳士鄧黃常。雲程又喜人歸遠，茗椀同消夏日長。

慷慨尚多憂世意，艱難珍重惜年芳。春華一任千桃李，松老無風韻亦涼。

《藥園詩詞集》

152.答羅慷烈教授惠書，即用陶公歲暮和張常詩韻己未（1979）十二月立春後

故人有書至，羨我居林泉。林泉亦足樂，時聞君子言。

沙田海揚塵，市聲日漸繁。養恬遠塵囂，老學能補愆。

開卷接蒙叟，如登姑射山。處子何綽約，曼妙生莊嚴。

天寒歲云暮，歲暮春復還。春風染圖畫，忘適無牽纏。

達生貴全神，可以卜大年。貨利生痼疾，高論由史遷。

酌酒對晴光，春花笑欲然。

《藥園詩詞集》

一九八一

153.寄示渙孫用陶公〈責子〉詩韻1981年春月

陶公詩責子，遊戲非其實。我詩詒吾孫，豈為騁辭筆。

世人望子孫，駿逸邁儔匹。助長或揠苗，愛之盡其術。
太過猶不及，失者十六七。真知止不知，終始在慎栗。
穎水舊家風，超然外雲物。

《藥園詩詞集》

154.贈別漢興兄君與余為東山中學同班同學。年老重逢，喜可知也。君有文才，臨別以白克筆為贈。1981年8月18日

華髮重逢話昔時，東山水竹美如詩。臨歧不作傷離語，贈爾縱橫筆一枝。

《藥園詩詞集》

一九八二

155.壬戌（1982）首夏喜晤朱慕蘭、冼玉芳二同學

藝事吾門冼與朱，高華才調一時俱。相逢又是清和候，寫得薰弦入畫無。

《藥園詩詞集》

156.友人書勸加餐並詢近業，以詩奉酬壬戌（1982）秋月

老愧廉公猶健飯，故人情重勸餐加。讀書難問今何用，築室仍驚俗論譁。
秋爽喜添三夜雨，當門欣見再來花。不勞載酒諮奇字，自草《玄經》守一家。

《藥園詩詞集》

157.登高有序：壬戌（1982）重陽，小有風雨。雨後登山得長句

登高天宇見晶明，強說新愁笑後生。波外山青秋更好，天邊雲爛雨初晴。
晚花真欲迷人眼，妙語何妨戀物情。萬里風光供點染，老夫濡筆望昇平。

《藥園詩詞集》

158.寄懷季蔚宗兄，用李義山訪子初郊居詩韻壬戌（1982）冬月

百年兄弟今餘幾，歲晚懷人最憶君。少日趨庭能走筆，老來禪榻坐生雲。

錦田山翠爭供眼，穎水家風薄有聞。見說邇年忘世事，笑他高壠輟耕耘。

《藥園詩詞集》

159.遊湛山寺作1982年12月29日，壬戌十一月十五日也

舊有湛山寺，精藍東海傍。錫飛來長老，花雨散天香。

水抱山當戶，樓高竹拂牆。鳥歸影不動，禪趣笑蒙莊。

飛蓋出花陰，羣賢喜共臨。高談忘晝永，清茗樂杯深。

吉日逢佳日，潮音接梵音。上人如有意，鐘杵覺迷心。

《藥園詩詞集》

一九八三

160.日本京都大學清水茂教授於癸亥（1983）新歲寄〈後立山寺五首〉，依韻卻寄癸亥正月初四日

其一

兼旬久雨漲連溪，花怯春寒意亦淒。忽喜詩緘天外到，蓬萊煙水望中迷。

其二

纔說春來思惘然，風風雨雨整相連。詩成卻喜如人意，滿放晴光麗日天。

其三

記否沙田東覺臺，與君同攬海雲開。關西詞客應惆悵，重過禪林有廢臺。

其四

登高高處懼臨深，別有詩人體物心。老我不遊如昔至，何勞夢裡索遙琴。

其五

眼底忽來千萬峯，山如碧浪浪連空。廿年喜見詩心細，更喜詩心有盡工。

《藥園詩詞集》

161.去冬訪黃尊（生）老，雅談歡甚，春來苦雨，以詩代簡二首癸亥（1983）元月八日

其一

小隱花園道，養生念在羣。青山長嫵媚，世事尚紛紜。

論史餘篇詠，深憂到語文。駕言續清話，春雨望停雲。

其二

學道未能至，吾生愧有聞。忘憂尊一老，知我喜餘君。

壯志遊歐美，窮年樂典墳。期頤應可卜，豪氣尚干雲。

《藥園詩詞集》

162.人生二首癸亥（1983）元宵後二日

其一

人生貴讀書，讀書以求真。今世紫奪朱，好怪以為新。

抽刀不可斷，橫流迷其津。至仁無棄物，設教在觀民。

人文化天下，大業炳千春。

其二

人生貴自樂，即事皆可欣。事無美與惡，美惡皆有文。

因文得其實，正反歸一門。我愛陶公詩，日暮天無雲。

《藥園詩詞集》

163.再奉謝君興濟書，頗以文學自樂，以詩答之癸亥（1983）3月

山水詩篇溯永嘉，皇州春色擅才華。勸君勿作他人想，文采風流繼謝家。

少時了了未足貴，哀樂中年意轉奇。直使杜陵驚句法，高生五十始為詩。

《藥園詩詞集》

164.歡呼二絕句，為中學運動會作1983年5月10日

其一

歡呼校藝競羣才，獵獵風旗卓上台。一笑自誇吾未老，也從場外遶場來。

其二

紅黃紫綠競紛華，列隊啦啦笑語譁。不讓鬚眉身手好，騰驤今看女兒家。

《藥園詩詞集》

165.寄懷姜異老得楚望樓主人（成惕軒）書謂異老已八十六歲，神明未衰，仍常寫作云。1983年5月

見說磻溪叟，幽居慕子雲。剩將垂釣興，揮灑濟時文。

長老同為客，神明獨羨君。養生知有道，把臂待重聞。

《藥園詩詞集》

166.中秋寄懷黃尊老1983年癸亥

書問黃居士，秋來意若何？道人忘寂寞，老子興婆娑。

佳節催詩妙，神思此夜多。重溫三百首，維以遂其歌。

《藥園詩詞集》

167.中秋夜作1983年癸亥

坐看今宵桂影團，袷衣秋半未生寒。客居近事如新夢，排闥青山耐久看。

少日曾驚天下小，老來翻覺掌中寬。南華注稿刪初定，觸處煩憂盡喜歡。

《藥園詩詞集》

168.過中文大學碧秋樓1983年癸亥重陽後十日

碧秋樓畔碧秋光，乍覺朝來雨送涼。觀海舊傳珠有媚，看山今見樹成行。

廿年已著儲材效，萬世誰為活國方。陶令東籬悠遠意，獨憐遙接到虞黃。

《藥園詩詞集》

169.病癒寄親友以為康復之符信1983年12月15日

臥病久勞親友意，歸家先寄健康符。病中有夢疑非夢，花裏新吾即故吾。

山色未因秋後減，容顏都笑老垂胡。少年圯上成何事，輸與長桑利物書。

《藥園詩詞集》

一九八四

170.癸亥（1983）歲除日寄黃尊老1984年2月1日

甲子開新歲，明朝語吉祥。衰年聞道晚，除日寄詩忙。

文運期華胄，春風到草堂。不應驚寂寞，千頃喜汪汪。

《藥園詩詞集》

171.小庭山菊花放，有並蒂者，為賦三絕句1984年甲子二月初九日

其一

連朝微雨濯輕塵，碧翠凝朱萬態新。自是天工奇絕處，漫將穠艷擬何人。

其二

牡丹桃李謝東風，天為留春著晚紅。聞道昆明池畔路，絳雲流艷碧波中。

其三

春煙如雨隱朝暉，霧裡新紅映綠肥。乍覺枝頭開並蒂，薄寒人老費添衣。

《藥園詩詞集》

172.庭前二絕句甲子（1984）春三月

其一

庭前一樹看杈椏，新綠成陰亦自佳。獨惜座中無醉客，小詞誰唱〈木蘭花〉。

其二

謝卻紛紅染黛音，池荷圓蓋想亭亭。一年物色南州好，春老黃花尚滿庭。

《藥園詩詞集》

173.不寐二首1984年甲子7月27夜

其一

早來趺坐看天容，多睡翻成懶睡翁。最使老夫清興減，道人不打五更鐘。

其二

下弦微月減三分，舊說麻姑指爪痕。我謂嫦娥眉樣好，愁生微雨蹙生雲。

《藥園詩詞集》

174.甲子（1984）中秋

小庭語笑一家歡，手引稚孫問廣寒。天外銀河星歷歷，杯中蟾魄影團團。

人從缺處生憂患，我向晴時惜羽翰。八十老翁宜健飯，不因好月憶長安。

《藥園詩詞集》

175.喜雨1984年甲子10月22日，入秋八十餘日，昨宵喜獲甘雨，詩以紀之

秋雨滌塵垢，晨雞喚曉光。園花與山色，一夜似添粧。

雨過迎新爽，雲開天更高。獨憐秋後蝶，猶自戀花梢。

竹尾滴珠璣，花枝露未晞。露珠風作雨，不為惜沾衣。

《藥園詩詞集》

176.客有寄書論長生者，以詩答之1984年甲子又十月

千步操迎曉色新，詩書養氣長精神。孔門自有生生法，無怨無尤語最真。

妙旨教參虛與雲，追陪長憶到雲門。神蜂禮佛南華寺，盛事驚傳在耳聞。

兆民康樂是長生，一語希公有令名。莫戀丹成功九轉，雲封泉咽苦為情。

《藥園詩詞集》

177.雜詩一首甲子（1984）十月

樓臺遮望眼，愛此當門山。山亦若有情，拱對相回環。

林中有嘉樹，日夕飛鳥還。飛鳥過我廬，好音轉綿蠻。

物情融我意，至樂發心顏。

《藥園詩詞集》

178.城門水塘有序：水塘位於沙田荃灣之間，小有水木煙波之美。惟城門之稱，不知始於何時。有城門河匯餘流經沙田入海，意者古代防海，曾於此築置城戍乎？1984年甲子11月

馳道通幽窅，車流萬綠叢。水容天共染，山態畫難工。

久客渾忘歲，初霜始見楓。城門尋舊夢，樵徑野雲封。

《藥園詩詞集》

179.甲子（1984）十月十五日作，是日立冬

歲序驚秋去，長繩繫不還。有情無那老，多病最宜閑。

夜績從同巷，披圖憶故山。枝頭明月笑，弄影自斑斑。

《藥園詩詞集》

一九八五

180.重鈔少作廈門大學七牖有序：1985年1月，甲子11月16日余冠歲執業廈門大學，作此文以敷陳大學設施。業師周癸叔教授為之潤色，並得請於校長，精印專冊，流布當世。《昭明文選》以賦別出七為一類，其實一也。今重省斯篇，頗覺成之非易。敝帚千金，蓋忘譏笑之為譏笑矣

表海雄風式大賢（謂陳嘉庚先生），黌宮南起士三千。

披文恍惚今如昨，方領雍容正少年。雅潤篇章儷若詩。

詩人之賦麗而奇。老來才調消磨盡，漫學揚雄詡不為。

《藥園詩詞集》

181.春晴五首1985年夏曆1月16日

其一

朝陽初上雨初乾，累月春陰釀薄寒。今日老夫清興發，携孫同向陌頭看。

其二

村柳搖風鵲噪檐，遙山微露碧尖尖。鄰人笑說今年好，時雨泉生汩汩添。

其三

西洋菜色碧連畦，頷首田翁喜氣加。早識今年春事早，未拋心力種桃花。

其四

日甜天淨畫圖開，細聽行人笑語來。昨日城門堤上過，沙田春霧鎖樓臺。

其五

山生翠色水生波，陌上遊人樂事多。我亦小園春意足，梅花看到曼陀羅。

《藥園詩詞集》

182.論詩示同學諸子二首

其一

五言有滋味，仲偉語不謬。兩京迄魏晉，佳篇發眾妙。

後世載筆徒，摹擬以求肖。不生古人前，望古空自悼。

學古竟遺今。雖工徒有貌，況乃叔世來，物理窮秘奥。

乘槎太空人，探月旅伴號。談天與雕龍，古人有未到。

智者貴乘時，昌詩賡古調。振衣登崑崙，大化探幽窱。

其二

今人倡新詩，下筆言創造。此事貴積學，鑄辭融眾妙。

情理與事物，一一見美好。舍此而不為，兒嬉供一笑。

意境發詩心，文采詩之貌。意貌兩失之，可憐矜的了。

詩豈論新舊，儲材以為寶。

《藥園詩詞集》

183.女孫言願長作稚子，勿事讀書，為之莞爾成詠

憂患始讀書，古語良有以。明理貴讀書，此言亦可喜。

二者豈相違，竟委同所止。讀書患淺嘗，一得以為是。

是非日相煎，操戈由彼此。讀書貴真知，真知道之紀。

道紀理萬物，天地猶一指。我聞稚孫言，願長作稚子。

稚子自有真，相知吾許爾。

《藥園詩詞集》

184.寄懷楚望樓主人有序：余與成惕軒先生神交已久。近得惠書，情意殷勤。因賦此寄懷，即用陶公〈與殷晉安別詩〉韻

君子愛友朋，講習精於勤。我懷楚望樓，神交亦日親。

茫茫滄海東，難忘德有鄰。憂樂各自勉，日計在於晨。

宇宙森萬類，道一而不分。好音天外來，惠我正及春。

濛濛烟樹雨，停停海上雲。久雨望晴光，晴雨知何因。

人生亦猶此，道在無賤貧。詩騷今楚客，接武古風人。

《藥園詩詞集》

185.讀《易》詩二首

其一

《易》道首乾坤，所以喻高厚。高者麗日月，厚者容川藪。日往而月來，川行而澤受。上德合乾坤，天健而地負。有容與日新，可大復可久。

其二

講習以致悅，君子貴朋友。世俗樂比周，慷慨託杯酒。誓言同死生，死生皆可醜。正己而人悅，大人之所守。友悅民亦勸，樂為天下後。

《藥園詩詞集》

186.讀陶〈勸農〉詩

陶公述孔業，謂孔耽道德。此語駭世俗，紛紛逞胸臆。

大道本一原，何用爭儒墨。九流論十家，拘守亂白黑。

卓哉猶龍歎，千秋仰高則。聖人治其身，恬靜以致明。

聖人治天下，以物濟太平。放者蔽清虛，何以養群氓。

老子貴食母，陶公勸農耕。勸耕乃一端，用物盡其成。

哲人同一揆，取精而用宏。《易》稱有大德，大德在生生。

《藥園詩詞集》

187.黃尊生教授寄賜大文〈生命之價值〉，賦詩奉酬

今日復明日，新花發舊花。神仙不可接，生命本無涯。

道德壽宜永，詩書氣自華。葛洪云灶冷，何必問丹砂。

《藥園詩詞集》

188.興濟兄席上，喜晤舊友張君二首

其一

一別六十載，相逢意萬千。白頭俱老矣，樽酒共陶然。

話舊忘今日，追懷憶少年。主人能醉客，庖割競芳鮮。

其二

嘉會又為別，殷勤再舉杯。序年班少長，此日待雲雷。

蒲節欣啖荔，家山好話梅。維娜風送雨，似迓故人來。

《藥園詩詞集》

189.客居一律

匈奴未滅吾家在，不作英雄且看山。山翠漸添松竹茂，壯懷今付水雲間。

老耽舊冊生新意，閑向稚孫索笑顏。俯仰此身仍有幸，客居猶得近鄉關。

《藥園詩詞集》

190.李尚平教授自美郵書論詩，率成一律奉酬李教授為物理學博士，然能以文學世其家。昔在崇基學院任物理系主任，與余有論文之樂。一別十餘年，彌足深念也

十年為別易魂消，興比寒梅老不凋。詩愛淵明能止酒，隱如喬仲豈須招。高懷於子寧牢落，清操今吾未寂寥。為報崇基山色好，綠楊依舊護紅橋。

《蘂園詩詞集》

191.沙田春望

伐山填海石為堤，千畝平蕪碧草齊。忽有畫樓彈指見，不勞強弩射潮低。幾家松竹摧薪火，此日郊原試馬蹄。聞道鳥魚驚善治，春來何處唱黃鸝。

《蘂園詩詞集》

192.過妙法寺萬佛寶殿作

杯渡餘聞說到今，喜看妙法啟禪林。金光忽湧莊嚴象，花雨如觀自在音。山水有情人且住，風幡無動客何心。老夫曾過曹溪路，髣髴南華事可尋。

《蘂園詩詞集》

193.首夏有序：余家世耕讀。今老矣，猶不忘農事。昨宵夢兒時赤足騎牛之樂，詩以紀之

又是清和首夏天，農家生計憶南阡。鋤犁銜曉雲和月，簑笠連朝雨帶煙。往日憂時虛有策，即今耕硯笑無田。昨宵夢裡兒嬉樂，赤腳騎牛事宛然。

《蘂園詩詞集》

194.謝林千石先生惠著色梅竹，即用其〈題畫詩〉原韻

其一

秀竹娟娟伴老梅，靈根何必託巖隈。憐君三絕詩書畫，寂寞人間見妙才。

其二

秀氣靈襟一座中，一宜晴日一宜風。從今更喜春長住，葉葉花花綠映紅。

《蘂園詩詞集》

195.贈木工陸振廷二絕句陸君廣寧縣人。抗日聖戰，與余同在軍中。今又相逢沙田，君以木工自食，頗有自得之樂

其一

力戰當年捍百城，果然必勝是哀兵。誰知萬姓流離日，白首相逢老弟兄。

其二

一技糊口老風塵，我亦酸辛話避秦。莫再垂紳論糟粕，堂前笑殺斲輪人。

《藥園詩詞集》

196.中大校園即目

樓臺雲映恍層城，山擁波光似鏡平。犬吠雞鳴村舍近，小橋流水赤坭坪。

《藥園詩詞集》

197.初夏即事

老退身閑一事無，曉庭花鳥喜相娛。稚孫不解阿爺意，偏向圓荷瀉露珠。

《藥園詩詞集》

198.柳存仁教授寄賀歲簡，內有〈速寫澳洲寓齋圖〉，卻寄一絕句

老樹杈枒屋幾間，望中風景似家山。門前不種先生柳，有負春光自掩關。

《藥園詩詞集》

199.題謙孫試筆畫牡丹

一笑題圖興有加，丹青真足駐年華。春光偏向吾家好，試筆能開富貴花。

《藥園詩詞集》

200.謙孫又畫〈牡丹春禽圖〉，再戲題小詩

洛陽花放雪猶深，不盡雕欄護惜心。移向嶺南春事改，牡丹枝上着鳴禽。

《藥園詩詞集》

201.戲題白傅〈琵琶行〉後

江州司馬亦多情，能寫琵琶紙上聲。獨惜蝦蟆陵下女，曲終留恨未留名。

《藥園詩詞集》

202.看花

病裡看花別有心，孤標神韻自沈吟。丈夫浪說飛騰意，且向清柔仔細尋。

《藥園詩詞集》

203.重晤姚天平、甘美華賢伉儷

佳客重逢姚與甘，酒樓擘荔對晴嵐。人情不改如春在，世事難知付夢酣。
當日憐才空冀北，即今馳譽滿天南。椰林烟月知何似，待作平原十日談。

《藥園詩詞集》

204.思佳客沙田春暮

刺水新秧茁寸苗，倦飛蛺蝶抱花梢。雨餘草蔓連天碧，春老花開特地嬌。
山欲笑，水盈篙，春衫人影大涌橋。橋邊儘有相思意，竹引清風送晚潮。

《藥園詩詞集》

205.鷓鴣天

繞屋長林翠滿庭，雜花雖好不知名。蕉風喚夢三更雨，榴火爭春幾樹明。
長相對，豈無情。年年嘉木為敷榮。英雄卻笑桓司馬，楊柳風前也涕零。

《藥園詩詞集》

206.蝶戀花喜鄉人賴君歸自帝汶

十載重逢驚又喜，莫問鄉園，欲說翻無語。同是羈人君萬里，相看兩鬢星星矣。　花事竟虛桃與李，芳樹雞棲，鳥雀馴無異。采俗炎荒誰作記，圖南笑說當年意。

《藥園詩詞集》

207.菩薩蠻初月

新秋涼夜疏林靜，水邊上下流螢影。萬里碧雲開，竹梢初月來。

清光無限好，只恐嫦娥老。仔細認眉粧，眉灣帶恨長。

《藥園詩詞集》

208.思佳客

聞道杭州似汴州，風情誰與說從頭。東京夢裏繁華在，西子湖邊草木秋。

情惻惻，思悠悠，廿年舊約待歸舟。鶯飛燕語花生樹，夢繞秦淮水上樓。

《藥園詩詞集》

筆者案：鍾應梅卒於一九八五年，以下所錄詩詞，只是出版年份，而非鍾應梅撰著詩詞年份。

一九九八

209.秦石有序：余家沙田，垂四十年矣。所居後負小山，多石，鄉人名之曰秦石，亦不知其所始也。村老語余，數十年前，秦石濱海，余始至時，石距海亦不及一里。自石至車公廟，小河如帶，竹林交映。余舊題車公廟有句云：「我來觀水竹，鐘鼓坐斜陽。」今則山河化為市廛，樓閣破空並峙。與小山毗鄰新村，亦名曰秦石云

獨立海之濱，滄桑閱萬春。山河隨勢改，樓閣破空新。

水竹今何處，笙歌逐暗塵。秦時明月在，伴爾石嶙峋。

香港中文大學中國語言及文學系　《歲華——香港中文大學三十五年中國語言及文學系教師文藝作品集》　香港　香港中文大學　1998年12月　頁107-111

210.小園漫成兩首

其一

難作歸歟計，南林借一枝。結廬無半畝，引蔓看成籬。

鄰里相過好，雲山入望宜。東家千樹竹，搖影到庭帷。

其二

夢寐懷吾土，山河寸寸金。所嗟垂老日，猶作客中吟。

志豈江湖樂，春先草木心。一峯青似染，佳氣四時深。

香港中文大學中國語言及文學系　《歲華——香港中文大學三十五年中國語言及文學系教師文藝作品集》　香港　香港中文大學　1998年12月　頁107-111

211.移家

無端忽有移家計，藥發花開又一椽。海上雲山來几案，座中圖史亦神仙。

心傳何必三千載，王者誰歟五百年。自笑此身還落落，手栽嘉木養風烟。

香港中文大學中國語言及文學系　《歲華——香港中文大學三十五年中國語言及文學系教師文藝作品集》　香港　香港中文大學　1998年12月　頁107-111

二〇〇二

212.減字木蘭花二首庚子（1960）七月，香港大學饒宗頤、日本京都大學清水茂兩先生、馬來亞陳雪燕、日本刈屋系枝兩小姐偕遊沙田

其一

青山經雨，此日迎人嬌欲語。兩度來難，呼酒留君醉始還。有朋自遠，

東國南天人在眼，歡笑生譁，四海而今是一家。

其二

關西大漢，結伴登山腰腳健。漫道能休，此路人生只起頭。

人間煙火，聖俗仙凡無不可。意蕊心香，坐聽鐘聲出上方。

蔣英豪編　《綠水青山盡是詩：崇基的詩　詩的崇基》

香港　中文大學崇基學院　2002年　頁20-225

213.羅人龍兄自加拿大歸賦贈一九八四年十一月十日

其一

昔作千夫長，今為萬里遊。相逢猶慷慨，論事寄殷憂。

有女能養老，餘錢挂杖頭。異鄉風物好，楓葉最宜秋。

其二

歲月不倒流，淒涼憶舊遊。故園餘半徑，善刃失全牛。

戰伐縈宵夢，功名負白頭。沙坪寒月夜，歷歷幾經秋。

蔣英豪編　《綠水青山盡是詩：崇基的詩　詩的崇基》

香港　中文大學崇基學院　2002年　頁20-225

214.壬子（1972）仲春，孟熊兄（何朋）應日本學術振興會之請，赴日講論，共話楓林小館

其一

卓午楓林且駐車，與君餐勝即胡麻。君歸應及槐黃候，同汎忘憂到菊花。

其二

雨餘蛙唱久紛紛，史漢篇章早付君。豈有成連真海上，歸來重與細論文。

蔣英豪編　《綠水青山盡是詩：崇基的詩　詩的崇基》

香港　香港中文大學崇基學院　2002年　頁20-225

215.輓何孟熊（朋）君，用陶公輓歌三首韻。

其一

志士惜流光，慷慨悲歲促。世亂人命賤，愴懷耆舊錄。何子尚中年，虛己慕山木。豈意痼疾牽，忽聞妻兒哭。生死實難知，莊生齊夢覺。安時而處順，何有榮與辱。惜哉《文學論》，遺篇待誰續。

其二

飲酒樂其趣，對客常舉觴。一醉自知警，成禮但淺嘗。蕭齋何所有，文史羅兩傍。所志知非小，道為天下光。翩然樂遠遊，再適蓬萊鄉。蓬萊有君子，相慕殊未央。

其三

嚴霜凋夏綠，薰風忽蕭蕭。憶昔相遊處，同人志于郊。所樂在崇基，為山指嶕嶢。慎始知其終，一貫貴有條。積善豈必報，由來非一朝。顏夭而跖壽，天道嗟云何。幸有文章在，卓然守一家。古有傷逝者，招魂以楚歌。靈兮若歸來，恍惚山之阿。

蔣英豪編　《綠水青山盡是詩：崇基的詩　詩的崇基》
香港　香港中文大學崇基學院　2002年　頁20-225

216.答君實丁已（1977）仲春

展卷懷黃子，心馳到堪州。論詩真啟我，畫竹儼鳴秋。佳侶能同好，新聲足解愁。更尋行樂處，稚子百無憂。

蔣英豪編　《綠水青山盡是詩：崇基的詩　詩的崇基》
香港　香港中文大學崇基學院　2002年　頁20-225

217.喜君實見過八五年元月二十日

萬里歸來過我廬，人情生暖樂春娛。東風江柳仍搖綠，老病衰顏卻減朱。注茗笑談天下事，讀書休作道之愚。煩君絕妙丹青手，為寫頑翁百歲圖。

蔣英豪編　《綠水青山盡是詩：崇基的詩　詩的崇基》
香港　香港中文大學崇基學院　2002年　頁20-225

218.觀歐豪年、朱慕蘭伉儷畫展，為題四絕句1966年12月6日

其一

繪事新傳伉儷樓，神仙眷屬即瀛洲。別開生面何須問，妙筆雙雙尚黑頭。

其二　題歐作《秋崖飛瀑圖》

飛瀑高崖若有聲，澄潭映翠翠生明。畫眉久慣春山樣，寫向秋崖別有情。

其三　題朱作《枝棲圖》題署書學右軍並皆佳妙

枝頭有鳥似黃鶯，欲喚春光紙上生。更學王家《換鵝帖》，問誰書畫得雙清？

其四　題合寫《蕉雨圖》

設色毫端見慧心，鑾箋象管共沉吟。而今縱有芭蕉雨，不遣愁生向夜深。

蔣英豪編　《綠水青山盡是詩：崇基的詩　詩的崇基》
香港　香港中文大學崇基學院　2002年　頁20-225

219.減字木蘭花結伴游白田，踐胡健為君之舊約也。胡君寓樓，頗有花竹泉石之美

隔年夙諾，俊侶看山尋舊約。花外樓高，更喜泉聲雲外飄。

胡生健者，昔日隴頭曾走馬。對此忘機，竹徑風來為拂衣。

蔣英豪編　《綠水青山盡是詩：崇基的詩　詩的崇基》
香港　香港中文大學崇基學院　2002年　頁20-225

220.和（鄧）仕樑《劍橋春遊詩》韻

查理曾聞舊碧淪，把君佳什境如新。及門又見能詩手，老我甘同退舍人。

對酒且看花爛漫，灌園休問事酸辛。風光萬里渾無賴，飛雪酣紅兩樣春。

蔣英豪編　《綠水青山盡是詩：崇基的詩　詩的崇基》
香港　香港中文大學崇基學院　2002年　頁20-225

221.夜讀容國動紐約所為詩，卻寄二絕句，即用其《百里訪友詩》韻甲辰（1964）十一月初六

其一

此夕樓頭月一彎，知君對月異鄉關。君詩增我思君意，把卷沉吟向夜闌。

其二

雅道相期念轉深，喜從秀句見靈襟。因君紙上飛騰意，老我頻生萬里心。

蔣英豪編　《綠水青山盡是詩：崇基的詩　詩的崇基》
香港　香港中文大學崇基學院　2002年　頁20-225

222.蝶戀花讀吳生《萬景哭母詞》，為之泫然，余生平深負母恩，因成此闋，以寫悲懷。時辛丑（1961）立夏前一日也

萱草花開三月暮。都道忘憂，我卻憂心苦。遙望家山雲外路。北堂痛矣恩深負！　有淚未沾墳上土。欲報來生，可有來生否？蝶戀春花兒戀母。兒今淚盡風前樹。

蔣英豪編　《綠水青山盡是詩：崇基的詩　詩的崇基》
香港　香港中文大學崇基學院　2002年　頁20-225

223.傷雷生雷生（震昌）於一九六三年考入本系。外靜謹而內孤介。學文學書，頗徵雅健。然意多不平，未二年，退學。旋聞墜樓自殞。以詩傷之，且誌愧也

其一

萬事無一可，狂狷每如斯。豈意自摧折，萎謝當春時。
生才者造物，成之者為誰？念此摧心肝，一日愧為師！

其二

念爾正英年，學書頗稱妙。下筆試為文，辭意能新造。廣座默無言，
有會惟一笑。誰知嫉俗心，憂傷喪其寶。生子貴愚魯，愚魯臻耋耄！

蔣英豪編　《綠水青山盡是詩：崇基的詩　詩的崇基》
香港　香港中文大學崇基學院　2002年　頁20-225

224.喜晤丘成桐博士

碧梧鳳凰棲，異才不世出。喜我故人子，聲華竟洋溢。

窮小積微分，竟大歸於一。高論世相驚，宿學顧色失。

大庠止行旌，翩然過我室。風日麗清秋，光輝滿蓬蓽。

執手語難盡，思絲其乙乙。莫嗟會面難，九洲今邇密。

良晤自有時，來日猶今日。知君愛我詩，含毫且濡筆。

蔣英豪編　《綠水青山盡是詩：崇基的詩　詩的崇基》

香港　香港中文大學崇基學院　2002年　頁20-225

225.贈梁後養

敦厚知梁子，詩書意自新。後養宜後樂，同作太平人！

蔣英豪編　《綠水青山盡是詩：崇基的詩　詩的崇基》

香港　香港中文大學崇基學院　2002年　頁20-225

226.孔君祥河名其齋曰「無不可齋」，以詩勉之

老聃尚不德，一德有偏頗。仲尼聖之時，無可無不可。

孔氏貴克己，老子言損我。上哲不殊途，俗士向隅坐。

孔生述祖訓，勉之毋自惰。大道不遠人，春流放輕舸。

采采樂虛舟，華實欣朵朵。夷惠亦可師，豈曰道之左。

蔣英豪編　《綠水青山盡是詩：崇基的詩　詩的崇基》

香港　香港中文大學崇基學院　2002年　頁20-225

227.過（蔣）英豪夫婦寓樓，贈詩三首。

其一

山外青山湖外湖，望中煙水未模糊。小樓一角神仙侶，分得晴光與老夫。

其二

八仙秀色與潮來，欲辨何言只舉杯。五六月間無暑氣，披襟真笑大王駘。

其三

瞥眼人間異境開，何須世外說蓬萊。百年又見鍾靈秀，海有明珠楚有才。

蔣英豪編　《綠水青山盡是詩：崇基的詩　詩的崇基》
香港　香港中文大學崇基學院　2002年　頁20-225

228.崇基校園

崇構依山築，園林向水開。書聲隨月上，詩興逐潮來。

蔣英豪編　《綠水青山盡是詩：崇基的詩　詩的崇基》
香港　香港中文大學崇基學院　2002年　頁20-225

229.會議久坐，望檻外雲山，欣然有作。癸卯（1963）重陽前一日

雲山坐對似相諳，海鏡天開翠滿奩。久覺無言真有味，漫云奇論出常談。

風前落葉知秋意，波外斜陽帶遠帆。又是重陽好時節，菊花簪鬢尚春衫。

蔣英豪編　《綠水青山盡是詩：崇基的詩　詩的崇基》
香港　香港中文大學崇基學院　2002年　頁20-225

230.崇基海崇基海，俗稱吐露港，五代南漢置媚川都，於此采珠焉

舊迹媚川都，山環海若湖。光華生草木，南海有明珠！

蔣英豪編　《綠水青山盡是詩：崇基的詩　詩的崇基》
香港　香港中文大學崇基學院　2002年　頁20-225

231.馬鞍山

到海此山峻，峰環若馬鞍。欲行千萬里，西北是長安！

蔣英豪編　《綠水青山盡是詩崇基的詩詩的崇基》
香港　中文大學崇基學院　2002年　頁20-225

232.減字木蘭花二首庚子（1960）七月，與《華國》學會諸君游梅窩

其一

清遊暇日，碧海輕舟天一色。高會羣英，頓覺春風海上生。

梅窩重到，幾處雜花紅欲笑。不見秋光，一樣迎薰得夏涼。

其二

青山海屋，鳥語潮音同此谷。歸客瀛談，一較風光日月潭。

凌波水戲，共我觀荷龐鄧李。有約重來，待看梅窩萬樹梅。

蔣英豪編　《綠水青山盡是詩：崇基的詩　詩的崇基》

香港　香港中文大學崇基學院　2002年　頁20-225

233.減字木蘭花壬寅（1962）五月廿九日，中文系畢業諸君觴余等於五月花樓，為賦

當筵眾妙，把酒相看驚我老。五月花開，桃李移春到夏來！

何須惜別，共照心光長似月。十八公松，鱗甲森然欲化龍。

蔣英豪編　《綠水青山盡是詩：崇基的詩　詩的崇基》

香港　香港中文大學崇基學院　2002年　頁20-225

234.減字木蘭花一九六九年五月，中文系畢業同學觴余等於九龍寶勒巷之滿堂紅酒家，即席賦此

巷深寶勒，此日滿堂紅宴客。老眼猶明，看爾雲間萬里程。

少年滋味，浪說名場能獨異。天下英雄，笑問誰人不彀中？

蔣英豪編　《綠水青山盡是詩：崇基的詩　詩的崇基》

香港　香港中文大學崇基學院　2002年　頁20-225

235.減字木蘭花六九年中秋後二日，本系同人公宴日本平松教授。教授出紙囑書，即席賦贈。是夜微雲留月，不放清輝

瓊樓高會，不飲先教人意醉。纔過中秋，吩咐微雲把月留。

有朋自遠，文采風流今始見。比德能同，笑指峨峨嶺上松。

蔣英豪編　《綠水青山盡是詩：崇基的詩　詩的崇基》
香港　香港中文大學崇基學院　2002年　頁20-225

236.己酉（1969）十二月廿二日，中文學會集於神學樓，天陰微雨，山海迷濛。雖有風雨雞鳴之樂，寧無任重道遠之憂，即席賦詩以共勉焉

烟水空濛裏，華堂講座開。莫憂天下事，風雨送春來。

蔣英豪編　《綠水青山盡是詩：崇基的詩　詩的崇基》
香港　香港中文大學崇基學院　2002年　頁20-225

237.笑我乙卯（1975）正月，崇基中國語文系同人邀余論文學，戲為此篇

笑我今年六十九，富貴浮雲一何有。殷勤猶自論文章，手寫萬紙瘏我口。
世人怪我無事忙，此不知我非我友。文章之力同造化，成德達才此樞紐。
書生逐末騖搜羅，萬卷陳言矜不朽。岐路亡羊事可悲，頹流誰挽積高厚。
請君來聽我常談，細味常談真可久。

蔣英豪編　《綠水青山盡是詩：崇基的詩　詩的崇基》
香港　香港中文大學崇基學院　2002年　頁20-225

238.戊午（1978）二月廿日，與同門諸子會於慶相逢市樓

乍覺春光在酒中，樓頭高會慶相逢。懶窺明鏡慚吾老，差有文章見道通。
到眼芳華桃與李，無言澤潤雨和風。薄寒旬日詩情減，卻喜今宵興不窮。

蔣英豪編　《綠水青山盡是詩：崇基的詩　詩的崇基》
香港　香港中文大學崇基學院　2002年　頁20-225

239.仲春嘉會作有序：一九八〇年庚申二月廿七日，與同學諸子會於市樓，以詩紀之

其一

嘉日為斯會，相逢歲又新。文章吾輩事，道在筆能神。

其二

大道唯中道，休誇左右宜。春風生萬物，見慣不為奇。

其三

海角如高隱，詩書老此身。敢云吾與點，舞詠樂斯人。

其四

桃李成嘉樹，繁陰樂四時。當筵清興發，不待雨催詩。

蔣英豪編　《綠水青山盡是詩：崇基的詩　詩的崇基》
香港　香港中文大學崇基學院　2002年　頁20-225

二〇一〇

240.蝶戀花辛丑（1961）春日

十載情懷難指訴，北雁南飛，雁足書多誤。翠袖天寒愁日暮，江南又報花生樹。　巧婦為炊能亦苦，補屋牽蘿，薪米從頭數。萬里春光誰作主，傷春豈為〈閑情賦〉。

方寬烈編　《二十世紀香港詞鈔》　香港　東西文化公司
2010年9月　頁35-36

241.思佳客

海上瑤台隱暮霞，遊人腸斷陌頭花，花開廿載郎歸晚，雲外三山望轉賒。紅爛漫，綠交加。簾前雙燕入誰家？鏡中倩影今非昔，舞扇歌衫誤鬢華。

方寬烈編　《二十世紀香港詞鈔》　香港　東西文化公司
2010年9月　頁35-36

242.鷓鴣天

莫以春歸怨夏時，夏林猶自帶春姿。千花處處紅情好，百草芊芊綠意宜。

新雨後，晚風吹。繁英鋪地錦為泥。嶺南一歲春如海，不信留人只荔枝。

方寬烈編　《二十世紀香港詞鈔》　香港　東西文化公司

2010年9月　頁35-36

二〇一三

243.淫雨（戊子〔1948〕端節後一日）

其一

檐溜夜連朝，迎涼暑不驕。江吞南畝盡，風捲黑雲高。

世已無神禹，人空慕聖堯。如麻看雨腳，餘幾念新苗。

其二

淫潦傷連歲，殘黎生事凋。為炊真數米，析骨代行樵。

斷壁蝸成字，危堂燕覓巢。憂心託千載，掩淚讀〈離騷〉。

陳寂、傅靜庵編　《嶺雅》　廣州　廣東人民出版社

2013年12月　頁199-776

244.丁亥（1947）歲暮三首

其一

黃菊花猶粲，南荒忽歲周。積陰釀寒意，啟聖負殷憂。

鹽米勞生事，詩書誤黑頭。誰為天下計，日月不淹留。

其二

胡騎長驅日，軍中記倚韓。牙旗千帳雪，疆圉一丸安。

生死成今古，泥塗惜羽翰。干戈仍滿眼，灑淚歎才難。

其三

舊祝椿萱茂，今悲失怙民。一官何足慰，三釜豈謀貧。

溫語知兒拙，梅花逐歲新。風迴庭樹靜，天地我何人。

陳寂、傅靜庵編　《嶺雅》　廣州　廣東人民出版社

2013年12月　頁199-776

245.李滄萍先生（1897-1949）輓詩

其一

述酒陶徵士，憂傷付醉吟。栽花與種菜，一樣奈何心。

其二

兀傲能知我，瓠瓜愧此身。壁間狂草在，清夜屢沾巾。

其三

歷歷追陪事，汪波挹溉多。東山與康樂，重過邈山河。

其四

慷慨丈夫志，危微守道深。高齋詩在手，遙接歲寒心。

其五

握手河干別，思親涕淚雙。歸魂如化鶴，長唳戀潭江。

其六

黄郭不中壽，衰時逝鳳麟。蒹葭詩道大，傳學更何人。

陳寂、傅靜庵編　《嶺雅》　廣州　廣東人民出版社

2013年12月　頁199-776

附錄一

香港·亞洲書店《亞洲詩壇》收錄王韶生教授詩詞作品目錄

集數	出版年月	詩詞作品標題
1、八集	1968年11月30日	〈聖誕節童老自美遠惠旦糕〉
2、八集	1968年11月30日	〈踏莎行〉送黃簡世講留學美洲
3、九集	1969年11月30日	〈次韻少颿旂亭茶敘〉
4、九集	1969年11月30日	〈瑞鶴仙〉依樵隱體和慷烈並柬蘗園山居
5、九集	1970年5月26日	〈黃聲伯老椺詞稿跋〉
6、九集	1970年5月26日	〈丁未（1967）重九，偕兒輩寓打老道山登高〉
7、九集	1970年5月26日	〈減字木蘭花〉題陳公達校長萬里封侯圖冊
8、十一集	1970年6月10日	〈思佳客〉己酉（1969）歲晚，慷烈招飲樂宮
9、十一集	1970年6月10日	〈重遊芙蓉山竹林禪院〉
10、十二集	1970年11月28日	〈山園賞杜鵑：用東坡松風亭下梅花盛開韻〉
11、十二集	1970年11月28日	〈法曲獻仙音〉王韶生教授謂擇偶不宜苛求，為賦此解
12、二十二集	1970年12月15日	〈妙法寺萬佛殿落成次米校長韻柬冼塵法師〉
13、二十二集	1970年12月15日	〈贈黃璋〉
14、二十二集	1970年12月15日	〈贈招生祥麒〉
15、二十二集	1970年12月15日	〈病起示伯俊〉
16、二十二集	1970年12月15日	〈敬和翹宗教授兄五老圖詠兼呈達民、滌璺、盛荃諸公政之〉

集數	出版年月	詩詞作品標題
17、港版十三集	1971年6月13日	〈香港——次韻幼老鵝湖逭暑〉
18、港版十三集	1971年6月13日	香港——〈齊天樂〉鬥蟀
19、港版十四集	1971年12月16日	〈香港——和陶公歸園田居五首〉
20、港版十四集	1971年12月16日	〈浣溪紗〉秋興六首和慷烈並柬固庵
21、港版十五集	1972年11月15日	〈香港——辛亥秋日郊遊〉
22、港版十五集	1972年11月15日	〈亞洲詩壇遷港十周年紀慶詩——亞洲詩壇十週年紀念，以詩祝之〉
23、港版十六集	1973年12月7日	〈香港——壬子（1972）重陽次公遂主任韻〉
24、港版十六集	1973年12月7 日	〈浣溪沙〉奉酬季謀詞丈
25、港版十七集	1974年11月12日	〈琳園鄉丈招飲賦呈〉
26、港版十七集	1974年11月12日	〈臨江仙〉立秋
27、港版十八集	1975年12月25日	〈香港——蔣故總統哀挽〉
28、港版十八集	1975年12月25日	〈西江月〉舞會
29、港版二十集	1978年12月26日	〈香港——公遂主任惠詒尊翁容九先生孕雲詩盥之餘，敬賦長律以誌梗概〉
30、港版二十集	1978年12月26日	〈揚州慢〉依白石體
31、港版二十集	1978年12月26日	〈廣東文徵跋〉
32、港版二十集	1978年12月26日	〈年來課餘王韶生、林天蔚兩兄每請飲茶，詩以謝之〉
33、港版廿一集	1979年12月29日	〈香港——詠荷〉（效韓致堯體）
34、港版廿一集	1979年12月29日	〈蔡孑民先生墓表〉
35、港版廿二集	1980年12月15日	〈梅著朱九江學術思想之研究序〉

附錄二

香港崇基中國語文學會《文訊》收錄王韶生教授、鍾應梅教授作品目錄

《文訊》期數	出版年月	王韶生教授	鍾應梅教授
第2期	1961年12月	懷冰室詩詞	蘂園詩詞
第3期	1962年5月	懷冰室詩	蘂園詩詞
第4期	1963年1月	懷冰室詩詞	蘂園詩詞
第5期	1963年7月	懷冰近作	蘂園詩詞
第6期	1964年4月	懷冰室詞	蘂園詩詞
第7期	1964年11月	懷冰室詞	蘂園詩詞
第8期	1965年7月	懷冰室詩	蘂園詩詞
第9期	1966年4月	懷冰室詩	蘂園詩詞
第10期	1967年4月	懷冰室詩詞	蘂園詩詞
第11期	1968年3月	懷冰室駢文	蘂園詩詞
第13期	1970年3月	懷冰室詞	蘂園詩詞
第15期	1975年6月		蘂園詩詞

附錄三

王韶生教授詩、詞、文篇章創作統計表

著作	序	後序後記	詩	詞	文	英詩中譯
1《岳雪廬叢稿》	1		111	24	14	17
2《懷冰室集》 羅香林序，林天蔚跋、陳恩良跋			343	88	100	18
3《懷冰室續集》 黃尊生序、吳俊升序	1	1	156	21	46	6
4《懷冰室續集》增訂本 黃尊生序、吳俊升序		1	349	19	53	13
5《懷冰室集三編》 何廣棪序，潘學增跋、廖志強跋			119	55	18	
6《懷冰室文學論集》 李孟晉跋、何廣棪跋	1				25	
7《懷冰室經學論集》 李孟晉跋、羅炳綿跋、徐芷儀跋	1				14	
8《懷冰隨筆》	1				66	
9《甬齋叢談》					47	
10《當代人物評述》	1				24	
11《懷冰文鈔》 錄自《香港知用學社十周年特輯》					26	

著作	序	後序 後記	詩	詞	文	英詩 中譯
12《香港知用學社成立廿周年紀念特刊》			9	2	3	
13《知用學社成立四十周年紀念集》			119	55		
合計	6	1	1206	264	436	54

跋

新書付梓，聊謅跋言。稍作交代，以饗讀者。

感謝陳煒舜教授賜擬書名，何廣棪教授、楊永漢博士賜函推薦予新亞文商學術叢刊；

何文匯教授、林翼勳博士、馬顯慈博士，或賜序，或題詩；高誼隆情，至深感銘！

打從唸研究院始，自己很早已走入學術史、思想史之世界，現在又為甚麼會改弦易轍，替本港一群中大港大離世學者，編撰他們的論著知見錄呢？

二〇一〇年暑假，和內子、小女旅遊加拿大，在溫哥華甫下機，買《明報》加西版，得讀常宗豪教授駕鶴西歸的報導，惆悵不已。眾所周知，常師是書法家，亦是余唸中文大學聯合書院中文系時之恩師。且我曾拜讀過他一篇名儒簡朝亮的論文。其時，心中便泛起了蒐集常師詩詞論著的念頭。返港後，遂付諸實踐，撰就〈常宗豪教授（1937-2010）論著知見錄〉，在《聯合校刊》七十一期（2014-2015）刊出。

數載以來，陸續替李達良、阮廷焯、蘇文擢、何沛雄、羅慷烈、錢穆、鄭良樹、趙令揚等學者撰就論著知見錄，文章大多在《華人文化研究》發表。由於王韶生教授、鍾應梅教授兩篇論著知見錄篇幅稍長，若於期刊分期發表，閱讀總覺不夠利便，因而才有出書的構想，也就是本書出版之緣由。

上述學者，有些是我的恩師，因上過他們的課，灑灑才情、郁郁文采，筆者深受薰陶；有些縱使和他緣慳一面，惟誦讀其詩詞以及文章論著，很多時會生出欽仰崇敬之情。余勠力所及者，只是跑跑圖書館、或翻翻網頁，小小的勞動，便能理順他們的學術成就，為學者們各自打出一張亮麗的成績單。從能保存學術文獻資料之角度來量度，那又何樂而不為呢？

二○一七年冬，常宗豪太太黎曉明師母，在澳門開《積墨延年》書法展，我和內子亦躬親赴會。在欣賞其書法作品時，師母向我們說：「我的書藝，實來自『天道酬勤』四字。」言之甚有理，我心想：「學術研究若要做出成績來，勤力也可以說是首要條件。」「天道酬勤」四字，至今仍在我腦海中時時縈念。

筆者生性魯鈍，能夠僥倖走入學術研究大門，實緣於兩個偶然。

打從二○一一年中學榮退後，偶然遇到幾個詩人，自己竟不嫌晚，開始學人作詩填詞；偶然碰到幾位學者，自己竟學（蘇）老泉，年歲稍晚，才闖進學術之汪洋大海。自知才情、學養為先天所限，今後亦只有努力、再努力而已。

跋文結束，填〈憶餘杭〉一闋，以誌出書之因緣：

過眼雲烟如一夢，怎奈浮生涼又共。匆匆散聚證憑無，不忍話樵漁。

鬢鬢添霜盈淚眼，心思破題何輾轉。新書簇簇始編成，坐待世人評。

孫廣海草於溫哥華

二○二二年八月四日

出版後記

書跋後還有後記，算不算狗尾續貂？非也。

本書可以出版，筆者衷心感謝下列諸君：

楊永漢校長，他乃全書之催生者，是由他推薦予《新亞文商學術叢刊》，並交付萬卷樓圖書公司出版，獨具慧眼，本書斯能面世。

張晏瑞總編輯，他建議將論著知見錄細分專書、創作、論文三類，另設研究評論類、論著輯錄，依年排比王、鍾二氏詩詞佳作，一目了然；亦為全書別立標題，區分「著作目錄」與「補遺文字」，使版面眉目更加清晰，利便讀者閱讀，使人大開眼界。

張宗斌學術編輯，具體整理文稿，費心重排，心思縝密，工作不遺餘力，可敬可佩。

鄭楚雄先生，他是筆者大學同窗，題耑龍飛鳳舞，結體端正秀麗，大家有目共睹，讀者自可細心欣賞。

因與上述諸君結緣，也就是跋後還有後記、余再續貂之因由。

《室冰園蘂》結緣萬卷樓出版，實王、鍾之幸，筆者之幸，也是萬千讀者之幸，是為記。

孫廣海草於溫哥華

二〇二三年十月卅一日

大學叢書·新亞文商學術叢刊 1707006

室冰園蘂——王韶生、鍾應梅教授論著知見錄合編

作　　者　孫廣海
責任編輯　張宗斌
實習編輯　郭豐德、邱蔚程、簡灝徹

發 行 人　林慶彰
總 經 理　梁錦興
總 編 輯　張晏瑞
編 輯 所　萬卷樓圖書股份有限公司
臺北市羅斯福路二段 41 號 6 樓之 3
電話 (02)23216565
傳真 (02)23218698

發　　行　萬卷樓圖書股份有限公司
臺北市羅斯福路二段 41 號 6 樓之 3
電話 (02)23216565
傳真 (02)23218698
電郵 SERVICE@WANJUAN.COM.TW
香港經銷　香港聯合書刊物流有限公司
電話 (852)21502100
傳真 (852)23560735

如何購買本書：

1. 劃撥購書，請透過以下郵政劃撥帳號：
帳號：15624015
戶名：萬卷樓圖書股份有限公司
2. 轉帳購書，請透過以下帳戶
合作金庫銀行 古亭分行
戶名：萬卷樓圖書股份有限公司
帳號：0877717092596
3. 網路購書，請透過萬卷樓網站
網址 WWW.WANJUAN.COM.TW

大量購書，請直接聯繫我們，將有專人為您服務。客服：(02)23216565 分機 610

如有缺頁、破損或裝訂錯誤，請寄回更換

ISBN 978-626-386-020-9
2023 年 12 月初版
定價：新臺幣 560 元

本書為臺灣師範大學國文學系 2023 年度「出版實務產業實習」課程成果。部分編輯工作，由課程學生參與實作。

國家圖書館出版品預行編目資料

室冰園蘂 ：王韶生、鍾應梅教授論著知見錄合編/孫廣海著. -- 初版. -- 臺北市 ：萬卷樓圖書股份有限公司, 2023.12
面； 公分. -- (新亞文商學術叢刊；1707006)
ISBN 978-626-386-020-9(平裝)
1.CST: 中國文學 2.CST: 目錄 3.CST: 個人著述目錄 4.CST: 研究考訂
016.82　　112019470